LUDWIG ARNOLD

Stochastische Differentialgleichungen

H. Windrich

Stochastische Differentialgleichungen

Theorie und Anwendung

von

Prof. Dr. LUDWIG ARNOLD,

Universität Bremen

Mit 10 Bildern

R. Oldenbourg Verlag München Wien 1973

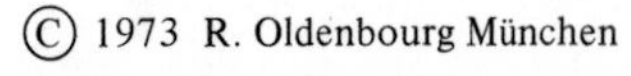

Druck: Graphische Anstalt E. Wartelsteiner, Garching bei München

ISBN 3-486-33941-9

Inhaltsverzeichnis

Vorwort

Der Kalkül der stochastischen Differentialgleichungen wurde ursprünglich von Mathematikern entwickelt, um damit die Trajektorien von Diffusionsprozessen zu gegebenen Drift- und Diffusionskoeffizienten explizit konstruieren zu können. In natur- und ingenieurwissenschaftlichen Fragestellungen hingegen ergeben sich stochastische Differentialgleichungen auf ganz natürliche Weise bei der Beschreibung von Systemen, auf die sogenanntes "weißes Rauschen" einwirkt.

Diese Verschiedenheit der Motivationen bringt es mit sich, daß die existierenden ausführlichen Darstellungen des Kalküls in der Regel nicht vom anwendungsorientierten Standpunkt aus geschrieben oder für den Anwender zugänglich sind. Dies gilt für die wichtige Originalarbeit von Itô [42] ebenso wie für die Bücher von Gikhman-Shorokhod [5], Dynkin [21], McKean [45] und Skorokhod [47]. Die Kurzdarstellungen des Kalküls in Büchern über Stabilität, Filterung und Regelung stochastischer dynamischer Systeme (man vergleiche etwa Bucy-Joseph [61], Hasminskii [65], Jazwinski [66] oder Kushner [72]) sind wohl zum Studium und Verständnis des Kalküls ziemlich ungeeignet. Das sehr ausführliche Buch von Gikhman-Skorokhod [36] in russischer Sprache entfällt vermutlich wegen der Sprachbarriere für die meisten Interessenten, es befaßt sich auch großenteils mit einem wesentlich allgemeineren Fall.[1]) Da meines Wissens in deutscher Sprache überhaupt noch keine Darstellung des vorliegenden Gegenstands existiert, soll dieses Buch auch eine Informationslücke für deutschsprachige Studenten und Wissenschaftler schließen helfen.

Dieser Text basiert auf einer Vorlesung, die ich im Sommersemester 1970 an der Universität Stuttgart für Mathematik- und Ingenieurstudenten ab dem 5. Semester gehalten habe. Die Darstellung bewegt sich auf einem mäßig fortgeschrittenen Niveau. Außer Wahrscheinlichkeitstheorie werden lediglich mathematische Kenntnisse vorausgesetzt, die heute auch den Studenten der Natur- und Ingenieurwissenschaften in den üblichen Kursvorlesungen vermittelt werden. Die Kenntnisse in Wahrscheinlichkeitstheorie kann man sich auch im Selbststudium anhand eines der zahlreichen guten Lehrbücher (siehe [1] bis [17] des Literaturverzeichnisses) aneignen. Ich habe die wichtigsten Begriffe und Ergebnisse der Wahrscheinlichkeitstheorie im Kapitel 1 zusammengestellt, das jedoch nur zum Nachschlagen und als Auffrischung dienen kann. Nur mit einem intuitiven Verständnis der wahr-

---

[1]) Zusatz bei der Korrektur: Inzwischen erschien beim Akademie-Verlag Berlin eine deutsche Übersetzung.

scheinlichkeitstheoretischen Grundbegriffe wird der Leser zwischen methodischen Überlegungen und technischen Details unterscheiden können.

Ich habe mich immer sehr bemüht, durch Bemerkungen, Beispiele, Behandlung von Spezialfällen und durch Einfügung heuristischer Überlegungen größtmögliche Klarheit zu erzielen. Beweise, deren Informationswert für die Entwicklung des eigentlichen Gegenstandes gering ist, habe ich weggelassen. Die Kapitel über Stabilität, Filterung und Regelung enthalten in exemplarischer Weise einige Möglichkeiten, wie das neue Werkzeug benutzt werden kann.

Dr. Peter Sagirow vom Institut A für Mechanik der Universität Stuttgart hat mich zum Schreiben dieses Buches angeregt. Er hat außerdem das Manuskript gelesen, und ich habe ihm viele wertvolle Anregungen und Verbesserungsvorschläge zu verdanken. Dafür möchte ich ihm an dieser Stelle aufrichtig danken. Es ist mir außerdem eine angenehme Pflicht, Hede Schneider, Stuttgart, und Dominique Gaillochet, Montréal, für die ausgezeichnete Arbeit, die sie beim Schreiben des Manuskripts geleistet haben, herzlich zu danken. Schließlich gilt mein Dank dem Centre de Recherches Mathématiques der Université de Montréal, an dem ich während meines Aufenthalts im akademischen Jahr 1970/1971 das Manuskript fertigstellen konnte.

Montréal, Québec, im März 1971 Ludwig Arnold

Einleitung

Differentialgleichungen für zufällige Funktionen (stochastische Prozesse) ergeben sich bei der Untersuchung zahlreicher natur- und ingenieurwissenschaftlicher Probleme. Die Gleichungen sind meistens von einem der folgenden beiden grundsätzlich verschiedenen Typen.

Einmal können in klassischen Differentialgleichungsproblemen gewisse Funktionen, Koeffizienten, Parameter, Rand- oder Anfangswerte zufällig sein. Einfache Beispiele sind

$$\dot{X}_t = A(t)\, X_t + B(t), \qquad X_{t_0} = c,$$

mit zufälligen Funktionen $A(t)$ und $B(t)$ als Koeffizienten und zufälligem Anfangswert c, oder

$$\dot{X}_t = f(t, X_t, \eta_t), \qquad X_{t_0} = c,$$

mit der zufälligen Funktion η_t, dem zufälligen Anfangswert c und der festen Funktion f (alle Funktionen sind skalar). Haben die beteiligten zufälligen Funktionen gewisse Regularitätseigenschaften, so kann man die obigen Probleme einfach als Familie von klassischen Problemen für die einzelnen Realisierungen auffassen und mit klassischen Methoden der Theorie der Differentialgleichungen behandeln.

Anders ist die Situation, wenn in formal gewöhnlichen Differentialgleichungen zufällige "Funktionen" vom Typ des sogenannten "weißen Rauschens" auftreten, z.B. in der Gleichung

$$\text{(a)} \qquad \dot{X}_t = f(t, X_t) + G(t, X_t)\, \xi_t, \qquad X_{t_0} = c,$$

die "Funktion" ξ_t. Das "weiße Rauschen" wird als stationärer Gaußscher stochastischer Prozeß mit Mittelwert 0 und einer auf der gesamten reellen Achse konstanten Spektraldichte aufgefaßt. Einen solchen Prozeß gibt es im herkömmlichen Sinne nicht, denn er müßte die Diracsche Delta-Funktion als Kovarianzfunktion, also z.B. unendliche Streuung (und in allen Punkten unabhängige Werte) haben. Trotzdem erweist sich das "weiße Rauschen" ξ_t als sehr nützliche mathematische Idealisierung für die Beschreibung zufälliger Einflüsse, die schnell fluktuieren, also für verschiedene Zeitpunkte praktisch nicht korreliert sind.

Erstmals wurden solche Gleichungen 1908 von Langevin [44] beim Studium der Brownschen Bewegung eines Teilchens in einer Flüssigkeit verwendet. Ist X_t irgendeine Geschwindigkeitskomponente eines freien Partikels zur Zeit t, das eine Brownsche Bewegung ausführt, so lautet Langevins Gleichung

(b) $\qquad \dot{X}_t = -\alpha X_t + \sigma \xi_t, \qquad \alpha > 0, \sigma$ Konstanten.

Hierbei ist $-\alpha X_t$ der systematische Teil der Einwirkung des umgebenden Mediums, hervorgerufen durch dynamische Reibung. Die Konstante α ergibt sich aus dem Stokesschen Gesetz zu $\alpha = 6\pi a \eta / m$, wobei a der Radius, m die Masse des (kugelförmigen) Partikels und η die Viskosität der umgebenden Flüssigkeit ist. Dagegen repräsentiert der Term $\sigma \xi_t$ die Kraft, die durch die Molekülstöße auf das Partikel ausgeübt wird. Da es sich unter normalen Bedingungen um 10^{21} Molekülstöße handelt, die das Partikel gleichmäßig aus allen Richtungen pro Sekunde erleidet, ist $\sigma \xi_t$ in der Tat ein rapide variierender Fluktuationsterm, den man als "weißes Rauschen" idealisieren kann. Normiert man ξ_t so, daß es die Delta-Funktion als Kovarianz besitzt, so ist $\sigma^2 = 2\alpha k T/m$ (k Boltzmann-Konstante, T absolute Temperatur der umgebenden Flüssigkeit). Formal dieselbe Gleichung (b) ergibt sich für die Stromstärke in einem Stromkreis, wobei ξ_t nun das thermale Rauschen repräsentiert. Natürlich ist (b) ein Spezialfall der Gleichung (a), deren rechte Seite additiv in einen systematischen Teil f und einen Fluktuationsteil $G \xi_t$ aufgespalten ist.

Im Modell (b) der Brownschen Bewegung kann man - obwohl ξ_t keine gewöhnliche zufällige Funktion ist - die Wahrscheinlichkeitsverteilungen von X_t explizit ausrechnen. Jedoch besitzt jeder Prozeß X_t mit diesen Verteilungen (Ornstein-Uhlenbeck-Prozeß) Realisierungen, die mit Wahrscheinlichkeit 1 nicht differenzierbar sind, so daß (b) und allgemeiner (a) nicht als gewöhnliche Differentialgleichungen aufgefaßt werden können.

Zur mathematisch strengen Behandlung von Gleichungen des Typs (a) ist ein neuer Kalkül notwendig, der Gegenstand dieses Buches ist. Es zeigt sich, daß zwar das "weiße Rauschen" nur ein verallgemeinerter stochastischer Prozeß ist, das unbestimmte Integral

(c) $$W_t = \int_0^t \xi_s \, ds,$$

jedoch mit dem Wiener-Prozeß identifiziert werden kann. Dies ist ein Gaußscher stochastischer Prozeß mit stetigen (aber nirgends differenzierbaren) Realisierungen, dem Mittelwert $E W_t = 0$ und der Kovarianz $E W_t W_s = \min(t, s)$.

Schreibt man (c) symbolisch als

$$dW_t = \xi_t \, dt,$$

so erhält (a) die differentielle Form

(d) $$dX_t = f(t, X_t)\, dt + G(t, X_t)\, dW_t, \qquad X_{t_0} = c.$$

Dies ist eine (Itôsche) stochastiche Differentialgleichung für den Prozeß X_t, die als Abkürzung für die Integralgleichung

(e) $$X_t = c + \int_{t_0}^{t} f(s, X_s)\,ds + \int_{t_0}^{t} G(s, X_s)\,dW_s$$

verstanden wird. Da die Realisierungen von W_t mit Wahrscheinlichkeit 1 zwar stetig, jedoch in keinem Intervall von beschränkter Variation sind, kann das zweite Integral in (e) auch bei glattem G im allgemeinen nicht als gewöhnliches Riemann-Stieltjes-Integral bezüglich der Realisierungen von W_t aufgefaßt werden, da der Wert von der Wahl der Zwischenpunkte in den approximierenden Summen abhängt. Itô [42] hat 1951 Integrale der Form

$$Y_t = \int_{t_0}^{t} G(s)\,dW_s$$

für eine breite Klasse von sogenannten nicht vorgreifenden Funktionalen G des Wiener-Prozesses W_t definiert und damit die Theorie der stochastischen Differentialgleichungen auf eine solide Grundlage gestellt. Diese Theorie besitzt einige Besonderheiten. Z.B. ist die Lösung der Gleichung

$$dX_t = X_t\,dW_t, \qquad X_0 = 1,$$

nicht etwa e^{W_t}, sondern

$$X_t = e^{W_t - t/2},$$

was man durch rein formales Rechnen nach den klassischen Regeln nicht erhält.

Es stellt sich heraus, daß die Lösung einer stochastischen Differentialgleichung (d) ein Markov-Prozeß mit stetigen Realisierungen, ja sogar ein Diffusionsprozeß ist. Umgekehrt ist jeder (glatte) Diffusionsprozeß Lösung einer stochastischen Differentialgleichung der Form (d), wobei f der Drift- und G^2 der Diffusionskoeffizient des Prozesses sind.

Für Diffusionsprozesse gibt es nun effektive Methoden zur Berechnung von Übergangs- und endlich-dimensionalen Verteilungen und von Verteilungen vieler Funktionale. Diese Methoden gehören zu den sogenannten analytischen oder indirekten wahrscheinlichkeitstheoretischen Methoden, deren Gegenstand nicht die zeitliche Entwicklung des Zustands X_t, sondern z.B. die der Übergangswahrscheinlichkeiten $P(X_t \in B \mid X_s = x)$ ist.

Der Kalkül der stochastischen Differentialgleichungen hingegen zählt zu den probabilistischen oder direkten Methoden, da man sich dort mit der Zufallsgröße X_t und deren Veränderung selbst befaßt. Eine Gleichung der Form (d) oder (e) stellt eine - wenn auch im allgemeinen komplizierte - Konstruktionsvorschrift dar, mit deren Hilfe man sich die Trajektorien von X_t aus den Trajektorien eines Wiener-Prozesses W_t und einer Anfangsgröße c verschaffen kann.

Allgemeiner als in (d) kann die Zustandsveränderung eines stochastischen dynamischen Systems ohne Nachwirkungen ("ohne Gedächtnis") durch eine Gleichung der Form

(f) $$\mathrm{d}X_t = g(t, X_t, \mathrm{d}t)$$

beschrieben werden. Im Falle von Fluktuationseinflüssen, die einem systematischen Teil additiv überlagert sind, ist

$$g(t, x, h) = f(t, x)\, h + G(t, x)\,(Y_{t+h} - Y_t).$$

Dabei ist Y_t ein Prozeß mit unabhängigen Zuwächsen, und Gleichung (f) erhält die Form

$$\mathrm{d}X_t = f(t, X_t)\,\mathrm{d}t + G(t, X_t)\,\mathrm{d}Y_t.$$

Solche Gleichungen wurden bereits von Itô [42] studiert. Doch wollen wir uns hier auf den wichtigsten Spezialfall $Y_t = W_t$ beschränken.

Bezeichnungen und Abkürzungen

Vektoren der Dimension d werden grundsätzlich als $d\times 1$-Matrizen (Spaltenvektoren) betrachtet. Gleichungen oder Ungleichungen, an denen Zufallsgrößen beteiligt sind, gelten im allgemeinen nur mit Wahrscheinlichkeit 1. Das Argument ω von Zufallsgrößen wird in der Regel unterdrückt.

A' die zu A transponierte Matrix

X_t ein d-dimensionaler stochastischer Prozeß mit Indexmenge $[t_0, T]\subset[0,\infty)=R^+$

X_t' der zu X_t transponierte Vektor

$\dot{X}_t$ Ableitung von X_t nach t

R^d d-dimensionaler euklidischer Raum mit der Abstandsfunktion $|x-y|$

I Einheitsmatrix

I_A Indikatorfunktion der Menge A

$|x|$ Norm von $x\in R^d$, $|x|^2=\sum_{i=1}^{d} x_i^2 = x'x = \mathrm{tr}\,(x\,x')$

$x'y$ Skalarprodukt von $x, y\in R^d$, $x'y=\sum_{i=1}^{d} x_i\,y_i=\mathrm{tr}\,(x\,y')$

$x\,y'$ Matrix $(x_i\,y_j)$

$|A|$ Norm der $d\times m$-Matrix A, $|A|^2=\sum_{i=1}^{d}\sum_{j=1}^{m} a_{ij}^2=\mathrm{tr}\,A\,A'$

Es gilt $|A\,x|\leqq|A|\,|x|$, $|A\,B|\leqq|A|\,|B|$

$\mathrm{tr}\,A=\sum_{i=1}^{d} a_{ii}$ = Spur der Matrix A

A positiv definit (nicht-negativ definit): $x'A\,x>0\ (\geqq 0)$, alle $x\neq 0$

$\delta(t)$ Diracsche Deltafunktion

δ_x im Punkt x konzentriertes Wahrscheinlichkeitsmaß

sup, inf kleinste obere bzw. größte untere Schranke einer skalaren Menge oder Folge

lim sup, lim inf größter bzw. kleinster Häufungspunkt einer skalaren Folge

$o(g(t)), O(g(t))$ Größe, die bei Division durch $g(t)$ für die betrachtete Bewegung von t (meistens $t \longrightarrow 0$) gegen 0 konvergiert bzw. beschränkt bleibt

$(\Omega, \mathfrak{A}, P)$ Wahrscheinlichkeitsraum

$\mathfrak{A}(\mathfrak{C})$ die von der Mengenfamilie $\mathfrak{C}$ erzeugte sigma-Algebra

$\mathfrak{B}^d, \mathfrak{B}^d(M)$ sigma-Algebra der Borelschen Mengen im R^d bzw. in $M \subset R^d$

$\mathfrak{A}([t_1, t_2])$ die von den Zufallsgrößen X_t, $t_1 \leqq t \leqq t_2$, erzeugte sigma-Algebra

ξ_t (vektorwertiges) weißes Rauschen

W_t (vektorwertiger) Wiener-Prozeß

$L^p = L^p(\Omega, \mathfrak{A}, P)$ alle Zufallsgrößen mit $E|X|^p < \infty$

$X_{\cdot}(\omega), f(\cdot, x)$ X bzw. f als Funktion der durch einen Punkt ersetzten Variablen bei festem ω bzw. x

$L_2[t_0, T]$ alle meßbaren Funktionen mit $\int_{t_0}^{T} |f(s)|^2 \, ds < \infty$

$P(s, x, t, B)$ Übergangswahrscheinlichkeit vom Punkt x zur Zeit s in die Menge B zur Zeit t

$p(s, x, t, y)$ Dichte von $P(s, x, t, \cdot)$

$n(t, x, y) = (2\pi t)^{-d/2} e^{-|y-x|^2/2t}$

$\mathfrak{N}(m, C)$ d-dimensionale Normalverteilung mit dem Erwartungswertvektor m und der Kovarianzmatrix C

st-lim, qm-lim, fs-lim stochastischer Limes bzw. Limes im Quadratmittel bzw. Limes mit Wahrscheinlichkeit 1 einer Folge von Zufallsgrößen

Kapitel 1

Grundbegriffe der Wahrscheinlichkeitstheorie

1.1 Ereignisse und Zufallsgrößen

Wahrscheinlichkeitstheorie befaßt sich mit mathematischen Modellen für Versuche, deren Ausgang vom Zufall abhängt. Die möglichen Versuchsausgänge, die Elementarereignisse, fassen wir in der Menge Ω zusammen, mit dem typischen Element $\omega \in \Omega$. Für den Münzenwurf etwa ist $\Omega = \{\text{Kopf, Wappen}\}$, für das Werfen zweier unterscheidbarer Würfel $\Omega = \{(i, j): 1 \leqq i, j \leqq 6\}$, für die Lebensdauer von Glühbirnen $\Omega = [0, \infty)$, für eine Wasserstandsbeobachtung von der Zeit t_1 bis t_2 Ω = alle im Intervall $[t_1, t_2]$ definierten reellen Funktionen (oder eventuell nur alle stetigen Funktionen). Ein beobachtbares Ereignis A ist eine Untermenge von Ω, $A \subset \Omega$ (etwa $A = \{(i, j): i+j = \text{gerade Zahl}\}$ für das Werfen zweier Würfel oder $A = \{\omega: \omega \geqq c\}$ für die Lebensdauer von Glühbirnen), jedoch ist umgekehrt im allgemeinen nicht jede Untermenge von Ω ein beobachtbares bzw. interessantes Ereignis. Sei $\mathfrak{A}$ die Menge der bei einem Versuch beobachtbaren Ereignisse. Natürlich muß $\mathfrak{A}$ das sichere Ereignis Ω, das unmögliche Ereignis $\emptyset$ = leere Menge und mit jedem A auch das Komplement $\bar{A}$ enthalten, weiterhin mit zwei Ereignissen A und B auch deren Vereinigung $A \cup B$ und Durchschnitt $A \cap B$, d.h. $\mathfrak{A}$ ist eine Algebra von Ereignissen. Für viele praktische Fragen ist es notwendig, in $\mathfrak{A}$ sogar abzählbare Vereinigungs- und Durchschnittsbildung durchführen zu können. Dafür genügt es zu fordern, daß für $A_n \in \mathfrak{A}$, $n \geqq 1$, auch

$$\bigcup_{n=1}^{\infty} A_n \in \mathfrak{A}$$

gilt. Eine Algebra $\mathfrak{A}$ von Ereignissen mit dieser Eigenschaft heißt sigma-Algebra, ab jetzt ausschließlich betrachtet. Die Elemente von $\mathfrak{A}$ heißen in der ständig parallel zur wahrscheinlichkeitstheoretischen Terminologie benutzten Terminologie der Maßtheorie meßbare Mengen, das Paar $(\Omega, \mathfrak{A})$ heißt Meßraum. Zwei Ereignisse A und B heißen unverträglich, wenn sie disjunkt sind, d.h. $A \cap B = \emptyset$ gilt. Ist A eine Untermenge von B, $A \subset B$ (wobei $A = B$ zugelassen ist), so sagt man, A impliziere B.

Ist $\mathfrak{C}$ irgendeine Familie von Untermengen von Ω, so gibt es eine kleinste sigma-Algebra $\mathfrak{A}(\mathfrak{C})$ in Ω, die alle Mengen von $\mathfrak{C}$ enthält. $\mathfrak{A}(\mathfrak{C})$ heißt die von $\mathfrak{C}$ erzeugte sigma-Algebra.

Es seien $(\Omega, \mathfrak{A})$ und $(\Omega', \mathfrak{A}')$ Meßräume. Eine Funktion (Abbildung) $X: \Omega \longrightarrow \Omega'$, die also jedem $\omega \in \Omega$ ein $\omega' = X(\omega) \in \Omega'$ zuordnet, heißt ($\mathfrak{A}-\mathfrak{A}'$-) meßbar (oder Ω'-wertige Zufallsgröße auf $(\Omega, \mathfrak{A})$), wenn die Urbilder meßbarer Mengen in Ω' wieder meßbare Mengen in Ω sind, d.h. wenn für $A' \in \mathfrak{A}'$ gilt

$$\{\omega: X(\omega) \in A'\} = [X(\omega) \in A'] = X^{-1}(A') \in \mathfrak{A}.$$

Die Menge $\mathfrak{A}(X)$ der Urbilder meßbarer Mengen ist selbst eine sigma-Algebra in Ω, und zwar die kleinste, bezüglich der X meßbar ist. $\mathfrak{A}(X) \subset \mathfrak{A}$ heißt die von X in Ω erzeugte sigma-Algebra.

Ist speziell $\Omega' = R^d$, der d-dimensionale Euklidische Raum mit der Abstandsfunktion

$$|x-y| = \left(\sum_{k=1}^{d} |x_k - y_k|^2\right)^{1/2}, \qquad x = \begin{pmatrix} x_1 \\ x_2 \\ \vdots \\ x_d \end{pmatrix}, \; y = \begin{pmatrix} y_1 \\ y_2 \\ \vdots \\ y_d \end{pmatrix},$$

so wählen wir als Ereignis-sigma-Algebra $\mathfrak{A}'$ immer die von den d-dimensionalen Intervallen $a_k \leqq x_k \leqq b_k$, $k = 1, 2, \ldots, d$, erzeugte sigma-Algebra $\mathfrak{B}^d$ der Borelschen Mengen in R^d. Diese enthält speziell alle abgeschlossenen und offenen Mengen und jegliche Art von (halboffenen, unbeschränkten, usw.) d-dimensionalen Intervallen. Es gibt zwar "viele" nicht-Borelsche Mengen, doch sind diese nicht leicht konkret anzugeben. Ist Ω' eine Teilmenge des R^d (z.B. für $d=1$ $[0, \infty)$, $[0, 1]$, $\{0, 1, 2, \ldots\}$ usw.), so wählen wir immer $\mathfrak{A}' = \mathfrak{B}^d(\Omega') = \{A' = B \cap \Omega' : B \in \mathfrak{B}^d\}$.

Eine R^d-wertige Funktion $X: \Omega \longrightarrow R^d$, $(\Omega, \mathfrak{A})$ ein Meßraum, ist (Borel-, $\mathfrak{A}$-) meßbar genau dann, wenn die d Komponenten X_k, $1 \leqq k \leqq d$, reellwertige (oder : skalare) (Borel-, $\mathfrak{A}$-) meßbare Funktionen sind. Eine reellwertige Funktion $X: \Omega \longrightarrow R^1$ ist meßbar genau dann, wenn die Urbilder aller Intervalle $(-\infty, a]$ meßbar sind, d.h. wenn gilt

$$\{\omega: X(\omega) \leqq a\} = [X \leqq a] \in \mathfrak{A}, \quad \text{alle } a \in R^1.$$

Eine $d \times m$-matrixwertige Funktion

$$X(\omega) = \begin{pmatrix} X_{11}(\omega) \ldots X_{1m}(\omega) \\ \vdots \qquad\qquad \vdots \\ X_{d1}(\omega) \ldots X_{dm}(\omega) \end{pmatrix}$$

ist meßbar (als Funktion mit Bildpunkten im R^{dm}) genau dann, wenn die Elemente X_{ij} meßbar sind.

Die Indikatorfunktion I_A einer Menge $A \subset \Omega$ ist definiert durch

$$I_A(\omega) = \begin{cases} 1 & \text{für} \quad \omega \in A, \\ 0 & \text{für} \quad \omega \notin A. \end{cases}$$

I_A ist meßbar genau dann, wenn A meßbar ist, d. h. $A \in \mathfrak{A}$ gilt.

Das Rechnen mit meßbaren Funktionen wird durch folgende Tatsache stark vereinfacht: Die Menge der reellwertigen meßbaren Funktionen ist abgeschlossen gegenüber den "Operationen der klassischen Analysis", d. h. gegenüber höchstens abzählbar oftmaliger Anwendung von Addition/Subtraktion, Multiplikation/Division und der sup/inf- und lim sup/lim inf-Bildung für höchstens abzählbar viele Funktionen, immer vorausgesetzt, daß die Operationen wieder zu einer reellwertigen Funktion führen. Insbesondere ist der Grenzwert einer Folge von meßbaren Funktionen wieder eine meßbare Funktion.

Der intuitive Hintergrund des Konzepts einer Zufallsgröße bzw. meßbaren Funktion ist der folgende: Gegeben sei ein durch den Meßraum $(\Omega, \mathfrak{A})$ gekennzeichneter Versuch mit der Menge Ω der möglichen beobachtbaren Elementarereignisse und der sigma-Algebra $\mathfrak{A}$ von beobachtbaren bzw. im Rahmen des Versuchs interessanten Ereignisse.

Nun kann es sein, daß wir nicht ω direkt, sondern mit Hilfe eines Meßinstruments nur einen Wert $X(\omega)$ in einer Menge Ω' beobachten können, wobei in Ω' die Ereignis-sigma-Algebra $\mathfrak{A}'$ abgegrenzt ist. Der Wert $X(\omega)$ hängt also von ω, d. h. vom Zufall ab. Die Forderung der Meßbarkeit der Funktion X bedeutet nun, daß jedem im Raum Ω' beobachtbaren sinnvollen Ereignis ein sinnvolles Ereignis im Originalraum entspricht. Daß bei der Beobachtung von $X(\omega)$ statt ω im allgemeinen Information verlorengeht, wird durch die Tatsache ausgedrückt, daß $\mathfrak{A}(X)$ nur eine Unter-sigma-Algebra von $\mathfrak{A}$ ist.

Im Falle des Werfens zweier Würfel können wir in $\Omega = \{(i,j): 1 \leqq i, j \leqq 6\}$ für $\mathfrak{A}$ die Menge aller Untermengen von Ω wählen. Jede Funktion auf Ω ist dann meßbar. Ist jedoch $\mathfrak{A}$ die von den Mengen $A_k = \{(i,j): i+j=k\}$, $2 \leqq k \leqq 12$, erzeugte sigma-Algebra (d. h. kann nur die Summe der Augenzahlen beobachtet werden), so ist z. B. $X((i,j)) = i$ nicht meßbar.

1.2 Wahrscheinlichkeit und Verteilungsfunktion

Sei $(\Omega, \mathfrak{A})$ ein Meßraum. Eine auf $\mathfrak{A}$ definierte Mengenfunktion μ heißt Maß, wenn gilt

a) $\quad 0 \leqq \mu(A) \leqq \infty, \quad \text{alle } A \in \mathfrak{A},$

b) $\quad \mu(\emptyset) = 0,$

c) $$\mu\left(\bigcup_{n=1}^{\infty} A_n\right) = \sum_{n=1}^{\infty} \mu(A_n), \quad \text{falls } A_n \in \mathfrak{A} \text{ für alle}$$

$$n \geqq 1 \text{ und } A_n \cap A_m = \emptyset\ (n \neq m) \quad \text{(sigma-Additivität).}$$

Das Tripel $(\Omega, \mathfrak{A}, \mu)$ heißt Maßraum, $\mu(A)$ heißt Maß der Menge A. Ist Ω die Vereinigung einer höchstens abzählbaren Familie von Mengen in $\mathfrak{A}$ mit endlichem Maß, so heißt μ sigma-endlich. Ist $\mu(\Omega) < \infty$, so heißt μ endlich. Ein normiertes endliches Maß P, d.h. ein Maß P mit der Eigenschaft

$$P(\Omega) = 1,$$

heißt Wahrscheinlichkeitsmaß oder kurz Wahrscheinlichkeit, das Tripel $(\Omega, \mathfrak{A}, P)$ Wahrscheinlichkeitsraum. Die Mengenfunktion P ordnet also jedem Ereignis A eine Zahl $P(A)$, $0 \leqq P(A) \leqq 1$, die Wahrscheinlichkeit von A, zu.

Weiter gilt

$$P(A) = 1 - P(\bar{A}), \quad A \in \mathfrak{A},$$

und

$$P(A) \leqq P(B) \quad \text{für} \quad A \subset B, \quad A, B \in \mathfrak{A}.$$

Wahrscheinlichkeitstheorie befaßt sich nun, grob gesprochen, lediglich mit der Berechnung neuer Wahrscheinlichkeiten aus gegebenen. Zu den Ausgangswahrscheinlichkeiten kommt man entweder durch prinzipielle Überlegungen oder durch Beobachtung von Häufigkeiten in langen Versuchsreihen. Wir wollen hier immer die Häufigkeitsinterpretation der Wahrscheinlichkeit zugrundelegen. Diese bedeutet, daß $P(A)$ der theoretische Wert der relativen Häufigkeit von A in einer großen Anzahl n von Realisierungen eines durch den Meßraum $(\Omega, \mathfrak{A})$ charakterisierten Versuches ist,

$$P(A) \approx \frac{n_A}{n},$$

n = Anzahl der Realisierungen des Versuchs, n_A = Anzahl des Eintreffens des Ereignisses A unter den n Realisierungen. Schätzungen von $P(A)$ liefert die Statistik.

Beim Werfen zweier Würfel ist eine Wahrscheinlichkeit auf allen Untermengen von $\Omega = \{(i, j) : 1 \leqq i, j \leqq 6\}$ dadurch festgelegt (und das gilt für alle höchstens abzählbaren Mengen Ω), daß man den einpunktigen Mengen $\{(i, j)\}$ Wahrscheinlichkeiten zuordnet,

$$P(\{(i, j)\}) = p_{ij} \geqq 0, \quad \sum_{i=1}^{6} \sum_{j=1}^{6} p_{ij} = 1.$$

Dann ist für jede Menge A

$$P(A) = \sum_{(i,j) \in A} \sum p_{ij}.$$

Sind die beiden Würfel unabhängig (siehe Abschnitt 1. 5), so haben die p_{ij} die Gestalt

$$p_{ij} = p_i\, q_j, \quad \sum_{i=1}^{6} p_i = \sum_{j=1}^{6} q_j = 1.$$

Handelt es sich schließlich um zwei "richtige Würfel", so gilt $p_i = q_i = 1/6$, also $p_{ij} = 1/36$.

Von den nicht-normierten Maßen interessiert uns hier lediglich noch das Lebesguesche Maß λ, definiert auf den Borelschen Mengen $\mathfrak{B}^d$ des R^d. Es ordnet jedem d-dimensionalen Intervall seine "Länge" zu,

$$\lambda(\{x\colon a_k \leqq x_k \leqq b_k\}) = \prod_{k=1}^{d} (b_k - a_k),$$

stimmt also auf einfachen Mengen mit deren elementar-geometrischem Inhalt überein, und kann eindeutig von den Intervallen auf alle Borelschen Mengen fortgesetzt werden. λ ist wegen $\lambda(R^d) = \infty$ nicht endlich, jedoch wegen

$$\lambda(\{x\colon -n \leqq x_k \leqq n\}) = (2\,n)^d < \infty, \quad n = 1, 2, \dots,$$

ein sigma-endliches Maß. Jede höchstens abzählbare Menge (z.B. die Punkte mit rationalen Koordinaten) hat Lebesguesches Maß 0.

Sei $(\Omega, \mathfrak{A}, \mu)$ ein Maßraum und $E(\omega)$ eine Aussage über die Elemente $\omega \in \Omega$. E heißt μ-fast überall oder für μ-fast alle ω richtig, falls es eine μ-Nullmenge N gibt (d.h. ein $N \in \mathfrak{A}$ mit $\mu(N) = 0$), so daß E für alle $\omega \in \bar{N}$ richtig ist. Statt "λ-fast überall" sagen wir "Lebesgue-fast überall". Ist $\mu = P$ eine Wahrscheinlichkeit, so sagt man "(P-) fast sicher" oder wegen $P(\bar{N}) = 1$ "mit Wahrscheinlichkeit 1".

Sei nun $(\Omega, \mathfrak{A}, P)$ ein Wahrscheinlichkeitsraum, $(\Omega', \mathfrak{A}')$ ein Meßraum und X eine Zufallsgröße mit Werten in Ω'. Die Funktion X transportiert die Wahrscheinlichkeit P auf den Bild-Meßraum mittels

$$P_X(A') = P(X^{-1}(A')) = P\{\omega\colon X(\omega) \in A'\} = P[X \in A'], \quad \text{alle } A' \in \mathfrak{A}'.$$

P_X heißt die Verteilung von X, sie enthält die für die wahrscheinlichkeitstheoretische Betrachtung von X relevante Information. Für eine R^d-wertige Zufallsgröße ist die Verteilung P_X auf $\mathfrak{B}^d$ eindeutig festgelegt durch ihre Verteilungsfunktion

$$\begin{aligned} F(x) = F(x_1, \dots, x_d) &= P\{\omega\colon X_1(\omega) \leqq x_1, \dots, X_d(\omega) \leqq x_d\} \\ &= P[X \leqq x], \end{aligned}$$

die angibt, wie wahrscheinlich es ist, daß X Werte annimmt, die "links" von dem festen Punkt $x \in R^d$ liegen. Die Funktion $F(x)$ ist insofern ein bequemes Werkzeug zur Beschreibung der Verteilung von X, als sie keine Mengenfunktion, sondern eine gewöhnliche Punktfunktion im R^d darstellt.

Sie heißt auch die gemeinsame Verteilungsfunktion der d skalaren Zufallsgrößen $X_1, \ldots, X_d$, den Komponenten von X. Für $d = 1$ ist $F(x)$ monoton wachsend, an jeder Stelle rechtsseitig stetig, und es gilt

$$F(-\infty) = \lim_{x \to -\infty} F(x) = 0, \quad F(\infty) = \lim_{x \to \infty} F(x) = 1.$$

Diese Eigenschaften übertragen sich in offensichtlicher Weise auch auf $d \geqq 2$. Jede Funktion mit diesen Eigenschaften heißt Verteilungsfunktion. In den Anwendungen sind häufig Zufallsgrößen durch ihre Verteilungsfunktionen gegeben. Man kann sich für gegebenes F jedoch immer einen Wahrscheinlichkeitsraum $(\Omega, \mathfrak{A}, P)$ und eine Zufallsgröße X so konstruieren, daß X die Verteilungsfunktion F besitzt. Man wähle etwa $(\Omega, \mathfrak{A}, P) = (R^d, \mathfrak{B}^d, P_F)$ und $X(\omega) \equiv \omega$, wobei P_F die eindeutig durch F auf $\mathfrak{B}^d$ bestimmte Wahrscheinlichkeit ist.

Ist F die Verteilungsfunktion der R^d-wertigen Zufallsgröße X, so kann man die Verteilungsfunktion (Rand- oder Marginalverteilung) einer Gruppe $(X_{n_1}, \ldots, X_{n_k})$ von k $(k \leqq d)$ Komponenten von X dadurch erhalten, daß man in $F(x_1, \ldots, x_d)$ die nicht betroffenen Argumente durch ∞ ersetzt. Z.B. erhält man die eindimensionalen Randverteilungen durch

$$F_k(x_k) = P[X_k \leqq x_k] = F(\infty, \ldots, \infty, x_k, \infty, \ldots, \infty).$$

Ist die durch F auf $\mathfrak{B}^d$ erzeugte Wahrscheinlichkeit P_F Lebesgue-stetig (d.h. gilt für jede Lebesguesche Nullmenge $N \in \mathfrak{B}^d$ auch $P_F(N) = 0$), so besitzt (siehe Abschnitt 1.3) P_F eine Dichte, d.h. es gibt eine integrable Funktion $f(x) \geqq 0$ mit

$$F(x_1, \ldots, x_d) = \int_{-\infty}^{x_1} \cdots \int_{-\infty}^{x_d} f(y_1, \ldots, y_d)\, dy_1 \ldots dy_d.$$

F ist dann absolut-stetig (also erst recht stetig) im klassischen Sinne, d.h. zu jedem $\varepsilon > 0$ gibt es ein δ, so daß für endlich viele paarweise disjunkte Intervalle $I_1, \ldots, I_n$ der gesamte Zuwachs von F auf diesen Intervallen kleiner als ε ist, sobald nur deren Gesamtlänge kleiner als δ ist. Als absolut-stetige Funktion ist F Lebesgue-fast überall differenzierbar, und es gilt Lebesgue-fast überall

$$\frac{\partial^d F}{\partial x_1\, \partial x_2 \ldots \partial x_d} = f(x_1, x_2, \ldots, x_d).$$

Die letzte Gleichung gilt insbesondere überall dort, wo die Dichte f stetig ist.

Eine R^d-wertige Zufallsgröße besitzt die Normalverteilung (Gaußsche Verteilung) $\mathfrak{N}(m, C)$, $m \in R^d$, C positiv definite $d \times d$-Matrix, wenn ihre Verteilungsfunktion die Dichte

$$f(x) = ((2\pi)^d \det(C))^{-1/2} \exp\left(-\frac{1}{2}(x-m)' C^{-1}(x-m)\right)$$

besitzt. Die wahrscheinlichkeitstheoretische Bedeutung der Parameter m und C werden wir im nächsten Abschnitt klären.

1.3 Integrationstheorie, Erwartungswerte

Einer reellwertigen Zufallsgröße X auf $(\Omega, \mathfrak{A}, P)$ wollen wir nun eine gewisse Zahl, ihren Erwartungswert, zuordnen. Nimmt X nur die endlich vielen Werte $c_1, \ldots, c_n$ an, so ist der Erwartungswert definiert durch

$$E X = \sum_{i=1}^{n} c_i P[X = c_i].$$

Dies ist ein Spezialfall eines Integrals, das man durch einen Approximationsprozeß auf beliebige reellwertige Zufallsgrößen ausdehnen kann.

Wir skizzieren die Integrationstheorie für reellwertige Zufallsgrößen über einem beliebigen Wahrscheinlichkeitsraum $(\Omega, \mathfrak{A}, P)$. Ein Integral wird in drei Schritten definiert:

Schritt 1. Sei

$$X = \sum_{i=1}^{n} c_i I_{A_i}, \quad \bigcup_{i=1}^{n} A_i = \Omega, \quad A_i \cap A_j = \emptyset \, (i \neq j), \quad A_i \in \mathfrak{A},$$

eine sogenannte einfache Funktion (Treppenfunktion). Wir definieren

$$\int_\Omega X(\omega) \, \mathrm{d}P(\omega) = \int_\Omega X \, \mathrm{d}P = \sum_{i=1}^{n} c_i P(A_i).$$

Schritt 2. Sei $X \geqq 0$ eine beliebige meßbare Funktion. Dann existiert eine monoton wachsende Folge $\{X_n\}$ von nicht-negativen einfachen meßbaren Funktionen mit

$$\lim_{n \to \infty} X_n(\omega) = X(\omega), \quad \text{alle } \omega \in \Omega,$$

und

$$\lim_{n \to \infty} \int_\Omega X_n \, \mathrm{d}P = c \leqq \infty.$$

Dabei hängt c nicht von der speziellen Folge $\{X_n\}$ ab. Wir setzen

$$\int_\Omega X \, \mathrm{d}P = c.$$

Schritt 3. Sei nun X eine beliebige meßbare Funktion, die wir in ihren positiven und negativen Teil zerlegen

$$X = X^+ - X^-, \quad X^+ = X \, I_{[X \geqq 0]}, \quad X^- = -X \, I_{[X < 0]}.$$

Wir setzen

$$\int_\Omega X \, \mathrm{d}P = \int_\Omega X^+ \, \mathrm{d}P - \int_\Omega X^- \, \mathrm{d}P,$$

vorausgesetzt, daß sich nicht $\infty - \infty$ ergibt.

Eine Zufallsgröße X heißt (P-) integrabel, wenn ihr Integral $\int X \, \mathrm{d}P$ endlich ist. In der Wahrscheinlichkeitstheorie wird das Integral auch Erwartungswert genannt, und man schreibt

$$E(X) = EX = \int_\Omega X \, \mathrm{d}P.$$

Z.B. ist für jedes $A \in \mathfrak{A}$ $E I_A = P(A)$.

Für R^d-wertige bzw. matrixwertige Zufallsgrößen setzen wir

$$\int_\Omega X \, \mathrm{d}P = EX = \begin{pmatrix} EX_1 \\ \vdots \\ EX_d \end{pmatrix}, \quad X = \begin{pmatrix} X_1 \\ \vdots \\ X_d \end{pmatrix},$$

bzw.

$$\int_\Omega A \, \mathrm{d}P = EA = (EA_{ij}), \quad A = (A_{ij})_{d \times m}.$$

Diese Erwartungswerte existieren (im Sinne der Existenz des Erwartungswertes jeder Komponente) genau dann, wenn $E|X| < \infty$ bzw. $E|A| < \infty$ gilt. Ab jetzt wollen wir in diesem Abschnitt nur noch R^d-wertige Zufallsgrößen betrachten, falls wir nichts anderes erwähnen.

Für die faktische Berechnung von Erwartungswerten (etwa aus Verteilungsfunktionen) ist der folgende Transformationssatz von Bedeutung: Sei $g: R^d \longrightarrow R^m$ eine meßbare Funktion, dann gilt für $Y = g(X)$

$$EY = \int_{R^d} g(x) \, \mathrm{d}F(x),$$

speziell für $d = m$ und $g(x) \equiv x$

$$EX = \int_{R_d} x \, \mathrm{d}F(x),$$

vorausgesetzt, daß jeweils eines der angeschriebenen Integrale existiert. Dabei ist F die Verteilungsfunktion von X, und wir schreiben $\int g(x) \, \mathrm{d}F(x)$ für das Integral von g über dem Wahrscheinlichkeitsraum $(R^d, \mathfrak{B}^d, P_X)$, das sogenannte Lebesgue-Stieltjes-Integral. Dieses stimmt im Falle seiner Existenz für stetiges g mit dem gewöhnlichen Riemann-Stieltjes-Integral überein.

Die letzte Formel ergibt für eine integrable diskrete Zufallsgröße, die die Werte $c_i \in R^d$ mit den Wahrscheinlichkeiten p_i annimmt,

$$EX = \sum_{i=1}^{\infty} c_i \, p_i,$$

für eine integrable absolut-stetige Zufallsgröße mit der Dichte f (siehe den später zitierten Satz von Radon-Nikodym)

$$E X = \int_{R^d} x f(x)\,\mathrm{d}x = \begin{pmatrix} \int_{R^d} x_1 f(x_1, \dots, x_d)\,\mathrm{d}x_1 \dots \mathrm{d}x_d \\ \vdots \\ \int_{R^d} x_d f(x_1, \dots, x_d)\,\mathrm{d}x_1 \dots \mathrm{d}x_d \end{pmatrix}$$

$$= \begin{pmatrix} \int_{R^1} x_1 f_1(x_1)\,\mathrm{d}x_1 \\ \vdots \\ \int_{R^1} x_d f_d(x_d)\,\mathrm{d}x_d \end{pmatrix}, \quad f_i \text{ Dichte von } X_i.$$

Dabei sind die letzten Integrale im allgemeinen Lebesguesche Integrale, die wir am Ende dieses Abschnittes erklären.

Es sei für $p \geqq 1$

$$\mathfrak{L}^p = \mathfrak{L}^p(\Omega, \mathfrak{A}, P) = \{X\colon X\ R^d\text{-wertige Zufallsgröße},\ E|X|^p < \infty\}.$$

Es gilt $\mathfrak{L}^p \subset \mathfrak{L}^q\ (p \geqq q)$, $\mathfrak{L}^p$ ist ein linearer Raum. Geht man in $\mathfrak{L}^p$ zur Menge L^p der Äquivalenzklassen der mit Wahrscheinlichkeit 1 übereinstimmenden Zufallsgrößen über, und setzt man

$$\|X\|_p = (E|X|^p)^{1/p},$$

so wird L^p bezüglich dieser Norm zu einem Banachraum. L^2 ist sogar ein Hilbertraum bezüglich des inneren Produkts

$$(X, Y) = E X' Y = \sum_{i=1}^{d} E X_i Y_i.$$

In L^1 haben wir $|E X| \leqq E|X|$,

$$E(\alpha X + \beta Y) = \alpha E X + \beta E Y \quad \text{(Linearität)}$$

und für $d = 1$

$$E X \leqq E Y \quad \text{für} \quad X \leqq Y \quad \text{(Monotonie)}.$$

Es gilt die Höldersche Ungleichung ($p = 2$: Schwarzsche Ungleichung)

$$|(X, Y)| \leqq \|X\|_p \|Y\|_q \qquad (p > 1,\ 1/p + 1/q = 1,\ X \in L^p,\ Y \in L^q),$$

die Minkowskische Ungleichung (Dreiecksungleichung in L^p)

$$\|X + Y\|_p \leqq \|X\|_p + \|Y\|_p \qquad (p \geqq 1,\ X, Y \in L^p),$$

die Tschebyscheffsche Ungleichung

$$P[|X| \geqq c] \leqq c^{-p} E|X|^p \qquad (p > 0,\ c > 0).$$

Für $d = 1$ heißt die Zahl

$$V(X) = E(X - EX)^2 = \sigma^2(X), \quad X \in L^2,$$

Varianz, $\sigma = (V(X))^{1/2}$ Streuung und EX^k bzw. $E(X - EX)^k$ (k natürliche Zahl, $X \in L^k$) k-tes bzw. k-tes zentrales Moment von X, die Zahl

$$\operatorname{Cov}(X, Y) = E(X - EX)(Y - EY)$$

Kovarianz von X und Y ($X, Y \in L^2$). Ist $\operatorname{Cov}(X, Y) = 0$, so heißen X und Y unkorreliert. Für $d > 1$ heißt die symmetrische und nicht-negativ definite $d \times d$-Matrix

$$\begin{aligned} \operatorname{Cov}(X, Y) &= E(X - EX)(Y - EY)' \\ &= (\operatorname{Cov}(X_i, Y_j)) \end{aligned}$$

die Kovarianzmatrix der R^d-wertigen Zufallsgrößen X und Y. Wir schreiben speziell $\operatorname{Cov}(X, X) = \operatorname{Cov}(X)$. Die charakteristische Funktion einer Zufallsgröße X bzw. ihrer Verteilungsfunktion F ist

$$\varphi(t) = \varphi_X(t) = E\, e^{it'X} = \int_{R^d} e^{it'x}\, dF(x), \quad t \in R^d.$$

F ist durch φ eindeutig bestimmt.

Eine Zufallsgröße X, die die im Abschnitt 1.2 definierte Normalverteilung $\mathfrak{N}(m, C)$ hat, besitzt den Erwartungswertvektor $EX = m$, die Kovarianzmatrix $\operatorname{Cov}(X, X) = C$ und die charakteristische Funktion

$$\varphi(t) = \exp\left(i t' m - \frac{1}{2} t' C t\right), \quad t \in R^d.$$

Letzteres kann auch zur Definition der Normalverteilung dienen, wobei nun C nur nicht-negativ definit zu sein braucht (und die Verteilung demzufolge auf einem gewissen linearen Unterraum des R^d konzentriert sein kann, dessen Dimension gleich dem Rang von C ist). Für $d = 1$ besitzt $\mathfrak{N}(m, \sigma^2)$ die zentralen Momente

$$E(X - m)^n = \begin{cases} 0, & n \geqq 1, \text{ ungerade}, \\ 1 \cdot 3 \cdot 5 \cdot \ldots \cdot (n-1)\, \sigma^n, & n \geqq 2, \text{ gerade}. \end{cases}$$

Ist für $d \geqq 1$ X $\mathfrak{N}(m, C)$-verteilt, A eine feste $p \times d$-Matrix und $a \in R^p$, so ist $Y = AX + a$ $\mathfrak{N}(Am + a, ACA')$-verteilt. Insbesondere ist jede Gruppe von Komponenten eines normalverteilten Vektors wieder normalverteilt.

Wichtige Konvergenzsätze der skizzierten Integrationstheorie sind:

a) **Satz von der monotonen Konvergenz:** Ist $\{X_n\}$ eine monoton wachsende Folge nicht-negativer Zufallsgrößen, so gilt

$$\lim_{n \to \infty} E(X_n) = E(\lim_{n \to \infty} X_n).$$

b) **Satz von der majorisierten Konvergenz:** Sei $\{X_n\}$ eine Folge von Zufallsgrößen mit $X_n \in L^p\ (p \geqq 1)$,

$$\operatorname{st-lim}_{n \to \infty} X_n = X$$

(siehe Abschnitt 1.4) und $|X_n| \leqq Y \in L^p$. Dann ist $X \in L^p$, es gilt $\|X_n - X\|_p \to 0$ und

$$\lim_{n \to \infty} E X_n = E X.$$

Der Satz gilt insbesondere, wenn statt der stochastischen die fast sichere Konvergenz von X_n gegen X stattfindet.

Ist nun $(\Omega, \mathfrak{A}, \mu)$ ein beliebiger Maßraum, so läßt sich eine Integrationstheorie auf wörtlich dieselbe Weise wie im Fall $\mu(\Omega) = 1$ entwickeln. Lediglich die Beziehung $\mathfrak{L}^p \subset \mathfrak{L}^q\ (p \geqq q)$ wird im Fall $\mu(\Omega) = \infty$ falsch. Der einzige hier betrachtete unendliche Maßraum ist $(R^d, \mathfrak{B}^d, \lambda)$. Das sich ergebende Integral heißt Lebesguesches Integral, wir schreiben

$$\int_{R^d} f \, d\lambda = \int_{R^d} f(x) \, dx$$

und definieren für jede Borelsche Teilmenge $B \subset R^d$

$$\int_B f(x) \, dx = \int_{R^d} f I_B \, d\lambda.$$

Im Fall $d = 1$ und $B = [a, b], = (-\infty, b), = R^1$ usw. sind auch die Schreibweisen

$$\int_a^b f(x) \, dx, \quad \int_{-\infty}^b f(x) \, dx, \quad \int_{-\infty}^{\infty} f(x) \, dx$$

usw. üblich. Das Lebesguesche Integral ist insofern allgemeiner als das gewöhnliche, über Ober- und Untersummen definierte Riemannsche, als es für mehr Funktionen definiert ist. Jede beschränkte Riemann-integrable (z.B. stetige) Funktion in einem beschränkten Intervall ist jedoch auch Lebesgue-integrabel, und die beiden Integrale stimmen überein. Dasselbe gilt für nicht-negative Integranden und das uneigentliche Riemann-Integral. Alle von uns betrachteten Integrale über den R^d oder Teile davon sind grundsätzlich Lebesguesche Integrale, können aber meistens wegen der Glattheit des Integranden als Riemannsche Integrale angesehen werden.

Seien ν und μ zwei beliebige Maße auf $(\Omega, \mathfrak{A})$. ν heißt μ-stetig, wenn aus $\mu(N) = 0$ immer $\nu(N) = 0$ folgt. ν besitzt eine μ-Dichte $f \geqq 0$, wenn gilt

$$\nu(A) = \int_A f \, d\mu = \int_\Omega f I_A \, d\mu, \quad \text{alle } A \in \mathfrak{A}.$$

Wir schreiben dann

$$f = \frac{d\nu}{d\mu}.$$

Satz von Radon-Nikodym: Sind ν und μ zwei Maße auf $(\Omega, \mathfrak{A})$ und ist μ sigma-endlich, so ist ν μ-stetig genau dann, wenn ν eine μ-Dichte besitzt. Dabei ist die Dichte μ-fast überall eindeutig bestimmt. Es gilt dann

$$\int_\Omega X \, d\nu = \int_\Omega X \frac{d\nu}{d\mu} \, d\mu,$$

sofern eine Seite dieser Gleichung einen Sinn hat.

Ist $(\Omega, \mathfrak{A}) = (R^d, \mathfrak{B}^d)$ und $\mu = \lambda$, so sprechen wir auch von Lebesgue-Stetigkeit. Ist $\nu = P$ eine Lebesgue-stetige Wahrscheinlichkeit auf $(R^d, \mathfrak{B}^d)$ mit Verteilungsfunktion F, so gibt es also eine Lebesgue-fast überall eindeutig bestimmte Dichte $f \geqq 0$ mit

$$P(B) = \int_B f(x) \, dx, \quad \text{alle } B \in \mathfrak{B}^d,$$

und für Lebesgue-fast alle x (insbesondere dort, wo f stetig ist) gilt

$$\frac{\partial^d F}{\partial x_1 \dots \partial x_d} = f(x_1, \dots, x_d).$$

1.4 Konvergenzbegriffe

Seien X, X_n, $n \geqq 1$, R^d-wertige Zufallsgrößen auf einem Wahrscheinlichkeitsraum $(\Omega, \mathfrak{A}, P)$. Die folgenden vier Konvergenzbegriffe finden in der Wahrscheinlichkeitstheorie Verwendung:

a) Falls es eine Nullmenge $N \in \mathfrak{A}$ gibt, so daß für alle $\omega \notin N$ die Folge der $X_n(\omega) \in R^d$ im gewöhnlichen Sinne gegen $X(\omega) \in R^d$ konvergiert, so heißt $\{X_n\}$ (P-) fast sicher oder mit Wahrscheinlichkeit 1 konvergent gegen X. Wir schreiben

$$\text{fs-}\lim_{n \to \infty} X_n = X.$$

b) Falls für alle $\varepsilon > 0$

$$p_n(\varepsilon) = P\{\omega: |X_n(\omega) - X(\omega)| > \varepsilon\} \longrightarrow 0 \quad (n \longrightarrow \infty)$$

gilt, so heißt $\{X_n\}$ stochastisch oder in Wahrscheinlichkeit konvergent gegen X. Wir schreiben

$$\text{st-}\lim_{n \to \infty} X_n = X.$$

c) Falls $X_n, X \in L^p$ und $E|X_n - X|^p \longrightarrow 0$ gilt, so heißt $\{X_n\}$ im p-ten Mittel konvergent gegen X. Für $p = 1$ spricht man von Konvergenz im Mittel, für $p = 2$ von Konvergenz im Quadratmittel, wofür wir

$$\text{qm-}\lim_{n \to \infty} X_n = X$$

schreiben.

haben. Man kann zwar (a,b) schreiben und verabreden, daß (a,b) von (b,a) zu unterscheiden sei. Aber damit würden wir einen Fremdkörper in unsere Theorie hineinbringen. Man kann sich so helfen, daß man definiert:

Definition 1.4: Die Menge $\{\{a\}, \{a,b\}\}$ heißt das *geordnete Paar* (a,b). a heißt die *erste Koordinate* des Paars, b die *zweite*.

Offenbar ist (a,b) von (b,a) verschieden. Weiter ist

$$(a,a) = \{\{a\},\{a,a\}\} = \{\{a\},\{a\}\} = \{\{a\}\},$$

also die Menge, deren einziges Element die Menge $\{a\}$ ist. Man kann leicht zeigen (vgl. z. B. [H12]), daß aus $(a,b)=(x,y)$ folgt: $a=x,\ b=y$.

Mit Hilfe dieses neuen Begriffes können wir nun das *kartesische Produkt* erklären:

Definition 1.5: Es seien M und N Mengen mit den Elementen $a,b,c,\ldots$ bzw. $x,y,z,\ldots$ Dann heißt die Menge der Paare

$$M \times N = \{(a, x),(a,y),(a,z),\ldots,(b,x),\ldots\}$$

das *kartesische Produkt* der Mengen M und N.

Man kann auch das kartesische Produkt $A \times A$ für eine Menge A bilden. Ist z. B. $A = \{a,b,c\}$, so ist

$$A \times A = \{(a,a),(a,b),(a,c),(b,a),(b,b),(b,c),(c,a),(c,b),(c,c)\}.$$

3. Relationen

(Meyer's Handbuch Mathematik)

Das Wort *Relation* kann man mit *Verwandtschaft* übersetzen, und wir wollen mit solchen Beispielen für Relationen in Mengen beginnen, bei denen es um „Verwandtschaften" im gewöhnlichen Wortverständnis geht.

Für die folgenden Beispiele (I) bis (VII) sei M die Menge der Menschen einer Stadt. Die Elemente dieser Menge wollen wir mit $a,b,c,\ldots$ bezeichnen[1].

(I) Zwischen gewissen Elementen dieser Menge besteht die *Vater-Sohn-Relation*:

$$a\,V\,b: \quad a \text{ ist Vater von } b.$$

Zur vollständigen Beschreibung dieser Relation in M könnte man alle Vater-Sohn-Paare aufzählen:

$$a\,V\,b, \quad a\,V\,c, \quad d\,V\,e, \quad h\,V\,g, \quad h\,V\,k, \quad h\,V\,m, \quad u\,V\,v, \quad \ldots$$

[1] Damit ist natürlich nicht gesagt, daß M höchstens 26 Elemente hat. Wir brauchen nur einige Buchstaben für die Beschreibung.

d) Seien F_n, F die Verteilungsfunktionen von X_n, X. Gilt für jede reellwertige stetige und beschränkte Funktion g auf R^d

$$\lim_{n \to \infty} \int_{R^d} g(x)\, \mathrm{d}F_n(x) = \int_{R^d} g(x)\, \mathrm{d}F(x),$$

so heißt $\{X_n\}$ in Verteilung konvergent gegen X. Diese findet genau dann statt, wenn an jeder Stelle x, an der F stetig ist,

$$\lim_{n \to \infty} F_n(x) = F(x),$$

oder wenn für die charakteristischen Funktionen φ_n, φ

$$\lim_{n \to \infty} \varphi_n(t) = \varphi(t), \quad \text{alle } t \in R^d,$$

gilt.

Die Konvergenzbegriffe stehen im allgemeinen im folgenden gegenseitigen Verhältnis:

Konvergenz im q-ten Mittel
$\Downarrow$
Konvergenz im p-ten Mittel $(p \leqq q)$
$\Downarrow$
Fast sichere Konvergenz $\Rightarrow$ Stochastische Konvergenz $\Rightarrow$ Konvergenz in Verteilung

Weiter konvergiert eine Folge stochastisch genau dann, wenn jede ihrer Teilfolgen eine fast sicher konvergente Teilfolge enthält. Hinreichend für $X_n \longrightarrow X$ (fast sicher) ist die Bedingung

$$\sum_{n=1}^{\infty} E\,|X_n - X|^p < \infty \quad \text{für ein } p > 0.$$

Sei $\{X_n\}$ eine Folge von $\mathfrak{N}(m_n, C_n)$-verteilten R^d-wertigen Zufallsgrößen. Diese konvergiert in Verteilung genau dann, wenn

$$m_n \longrightarrow m, \quad C_n \longrightarrow C \quad (n \longrightarrow \infty)$$

gilt. Die Grenzverteilung ist $\mathfrak{N}(m, C)$. Dies ergibt sich sofort durch Betrachtung der charakteristischen Funktionen.

1.5 Produkte von Wahrscheinlichkeitsräumen, Unabhängigkeit

Es seien endlich viele Meßräume $(\Omega_i, \mathfrak{A}_i)$, $i = 1, \ldots, n$, gegeben. Wir konstruieren daraus einen Produkt-Meßraum $(\Omega, \mathfrak{A})$ auf folgende Weise: Ω ist die Produktmenge (kartesisches Produkt)

$$\Omega = \bigtimes_{i=1}^{n} \Omega_i = \Omega_1 \times \ldots \times \Omega_n,$$

bestehend aus den n-tupeln $\omega = (\omega_1, \ldots, \omega_n)$ mit $\omega_i \in \Omega_i$.

In Ω definieren wir die Produkt-sigma-Algebra

$$\mathfrak{A} = \bigtimes_{i=1}^{n} \mathfrak{A}_i = \mathfrak{A}_1 \times \ldots \times \mathfrak{A}_n$$

als die von den Zylindermengen in Ω,

$$A = A_1 \times \ldots \times A_n, \quad A_i \in \mathfrak{A}_i,$$

erzeugte sigma-Algebra. $\mathfrak{A}$ ist gleichzeitig die kleinste sigma-Algebra, bezüglich der die Projektionsabbildungen $p_i: \Omega \to \Omega_i$, definiert durch $p_i(\omega) = \omega_i$ ("Projektion auf die i-te Achse") $\mathfrak{A}-\mathfrak{A}_i$-meßbar sind.

Sind auf $(\Omega_i, \mathfrak{A}_i)$ die Wahrscheinlichkeiten P_i gegeben, so gibt es auf $(\Omega, \mathfrak{A})$ genau eine Wahrscheinlichkeit P, die sog. Produkt-Wahrscheinlichkeit

$$P = \bigtimes_{i=1}^{n} P_i = P_1 \times \ldots \times P_n,$$

mit der Eigenschaft

$$P(A_1 \times \ldots \times A_n) = P(A_1) \ldots P(A_n), \quad \text{alle } A_i \in \mathfrak{A}_i.$$

Dies gilt auch noch für sigma-endliche Maße P_i.

Im Falle $(\Omega_1, \mathfrak{A}_1) = \ldots = (\Omega_n, \mathfrak{A}_n)$ schreibt man für den Produkt-Meßraum $(\Omega_1^n, \mathfrak{A}_1^n)$. Z.B. ist $(R^d, \mathfrak{B}^d) = ((R^1)^d, (\mathfrak{B}^1)^d)$, und das Lebesguesche Maß im R^d das Produkt der d eindimensionalen Lebesgueschen Maße.

Der Satz von Fubini, angeschrieben für den Fall $n = 2$, lautet: Die $\mathfrak{A}_1 \times \mathfrak{A}_2 - \mathfrak{B}^1$-meßbare skalare Funktion X auf $\Omega_1 \times \Omega_2$ sei nichtnegativ oder $P_1 \times P_2$-integrabel. Dann gilt

$$\int_{\Omega_1 \times \Omega_2} X \, \mathrm{d}(P_1 \times P_2) = \int_{\Omega_1} \left(\int_{\Omega_2} X(\omega_1, \omega_2) \, \mathrm{d}P_2(\omega_2) \right) \mathrm{d}P_1(\omega_1)$$

$$= \int_{\Omega_2} \left(\int_{\Omega_1} X(\omega_1, \omega_2) \, \mathrm{d}P_1(\omega_1) \right) \mathrm{d}P_2(\omega_2).$$

Produkt-Wahrscheinlichkeitsräume dienen als Modell zur Beschreibung von Experimenten, die darin bestehen, daß n einzelne Experimente "ohne gegenseitige Beeinflussung" (statistisch unabhängig, siehe unten) nacheinander oder nebeneinander ausgeführt werden.

Die Theorie der Produkträume kann auf Produkte einer beliebigen Familie $\{(\Omega_i, \mathfrak{A}_i, P_i)\}_{i \in I}$ (Indexmenge $I \neq \emptyset$) von Wahrscheinlichkeitsräumen ausgedehnt werden. Sei

$$\Omega = \bigtimes_{i \in I} \Omega_i$$

die Menge derjenigen Funktionen ω auf I, die an der Stelle $i \in I$ einen Wert $\omega_i \in \Omega_i$ annehmen, und

$$\mathfrak{A} = \mathop{\times}_{i \in I} \mathfrak{A}_i$$

die von den Zylindermengen

$$A = \mathop{\times}_{i \in I} A_i, \quad A_i \in \mathfrak{A}_i, \quad A_i \neq \Omega_i \quad \text{nur endlich oft,}$$

erzeugte sigma-Algebra in Ω. $\mathfrak{A}$ ist gleichzeitig wieder die kleinste sigma-Algebra, bezüglich welcher jede Projektionsabbildung p_i, definiert durch $p_i(\omega) = \omega_i$, meßbar ist. Dann gibt es genau eine Produkt-Wahrscheinlichkeit P auf $(\Omega, \mathfrak{A})$, d.h. ein P, das den Zylindern den Wert

$$P\left(\mathop{\times}_{i \in I} A_i\right) = \prod_{i \in I} P_i(A_i)$$

zuordnet. Die Projektionsabbildungen p_i haben dabei die Verteilungen P_i.

Ein für die Wahrscheinlichkeitstheorie fundamentaler Begriff ist der der Unabhängigkeit von Ereignissen bzw. Zufallsgrößen. Sei $(\Omega, \mathfrak{A}, P)$ ein Wahrscheinlichkeitsraum. Die Ereignisse $A_1, \dots, A_n$ heißen (statistisch) unabhängig, wenn gilt

$$P(A_1 \cap \dots \cap A_n) = P(A_1) \dots P(A_n).$$

Die Unter-sigma-Algebren $\mathfrak{A}_1, \dots, \mathfrak{A}_n$ von $\mathfrak{A}$ heißen unabhängig, wenn für jede mögliche Wahl von Ereignissen $A_i \in \mathfrak{A}_i$ die obige Gleichheit besteht. Schließlich heißen die Zufallsgrößen $X_1, \dots, X_n$ (deren Bildräume vom Index abhängen können) unabhängig, wenn die von ihnen erzeugten sigma-Algebren $\mathfrak{A}(X_1), \dots, \mathfrak{A}(X_n)$ unabhängig sind.

Eine beliebige Familie von Ereignissen (sigma-Algebren, Zufallsgrößen) heißt unabhängig, wenn je endlich viele davon unabhängig im Sinne der obigen Definition sind.

In einem Produkt-Wahrscheinlichkeitsraum sind die Projektionsabbildungen unabhängige Zufallsgrößen. Zu einer gegebenen Folge $F_1, F_2, \dots$ von d-dimensionalen Verteilungsfunktionen können wir uns also immer explizit eine Folge $X_1, X_2, \dots$ von unabhängigen Zufallsgrößen konstruieren, so daß die Verteilungsfunktion von X_i F_i ist, indem wir $\Omega = (R^d)^\infty$ = Menge aller Folgen $\omega = (\omega_1, \omega_2, \dots)$ mit Elementen $\omega_i \in R^d$, $\mathfrak{A} = (\mathfrak{B}^d)^\infty$, $P = P_{F_1} \times P_{F_2} \times \dots$ und $X_i(\omega) = p_i(\omega) = \omega_i$ wählen.

Ist X_1 eine R^d-wertige und X_2 eine R^m-wertige Zufallsgröße, $F(x_1, x_2)$ ihre gemeinsame Verteilungsfunktion und $F_1(x_1) = F(x_1, \infty)$ bzw. $F_2(x_2) = F(\infty, x_2)$ die Randverteilung von X_1 bzw. X_2, so sind X_1 und X_2 genau dann unabhängig, wenn für alle $x_1 \in R^d$, $x_2 \in R^m$ gilt

$$F(x_1, x_2) = F_1(x_1)\, F_2(x_2),$$

bzw. im Falle der Existenz von Dichten

$$f(x_1, x_2) = f_1(x_1)\, f_2(x_2).$$

Dies überträgt sich analog auf den Fall von $n > 2$ Zufallsgrößen.

Sind $X_1, \dots, X_n$ unabhängige reellwertige integrable Zufallsgrößen, dann ist auch ihr Produkt integrabel, und es gilt

$$E\left(\prod_{i=1}^{n} X_i\right) = \prod_{i=1}^{n} E(X_i).$$

Sind die X_i sogar aus L^2, so sind sie unkorreliert und es gilt

$$V(X_1 + \dots + X_n) = V(X_1) + \dots + V(X_n).$$

Besitzt $X = (X_1, X_2)$ eine Normalverteilung, so folgt aus der Unkorreliertheit von X_1 und X_2 sogar deren Unabhängigkeit. Sind die X_i unabhängig und $\mathfrak{N}(m_i, C_i)$-verteilt, so ist

$$S_n = \sum_{i=1}^{n} X_i \quad \mathfrak{N}\left(\sum_{i=1}^{n} m_i, \sum_{i=1}^{n} C_i\right)\text{-verteilt.}$$

1.6 Grenzwertsätze

Für eine beliebige Folge $\{A_n\}$ von Ereignissen in einem Wahrscheinlichkeitsraum $(\Omega, \mathfrak{A}, P)$ ist sicher

$$A = \{\omega : \omega \in A_n \text{ für unendlich viele } n\}$$

wieder ein Ereignis. Über seine Wahrscheinlichkeit gilt folgendes

Lemma von Borel-Cantelli. Ist $\sum P(A_n) < \infty$, so gilt $P(A) = 0$. Ist die Folge $\{A_n\}$ unabhängig, so gilt umgekehrt: $\sum P(A_n) = \infty$ impliziert $P(A) = 1$.

Um den folgenden Sätzen eine möglichst einfache Form zu geben, betrachten wir eine unabhängige Folge $\{X_n\}$ von reellwertigen und identisch verteilten Zufallsgrößen auf $(\Omega, \mathfrak{A}, P)$, von denen also jede dieselbe Verteilungsfunktion F besitzt, und studieren das Grenzverhalten der Teilsummen

$$S_n = X_1 + \dots + X_n.$$

Starkes Gesetz der großen Zahlen. Es gilt

$$\text{fs-}\lim_{n \to \infty} \frac{S_n}{n} = c \quad \text{(endlich)}$$

genau dann, wenn $E X_1$ existiert. In diesem Fall ist $c = E X_1$.

Gesetz vom iterierten Logarithmus. Ist $V(X_n) = \sigma^2 < \infty$, und setzen wir $E X_n = \alpha$, so gilt, jeweils mit Wahrscheinlichkeit 1,

$$\limsup_{n \to \infty} \frac{S_n - n\alpha}{\sqrt{2n \log \log n}} = +|\sigma|$$

und

$$\liminf_{n\to\infty} \frac{S_n - n\,\alpha}{\sqrt{2\,n \log\log n}} = -|\sigma|,$$

log = Logarithmus zur Basis e.

Alle Versionen des **zentralen Grenzwertsatzes** besagen, daß die Summe einer großen Anzahl unabhängiger Zufallsgrößen unter recht allgemeinen Bedingungen approximativ normalverteilt ist. In unserem Spezialfall identisch verteilter Summanden gilt: Ist $0 < V(X_n) = \sigma^2 < \infty$ und $E(X_n) = \alpha$, so strebt $(S_n - \alpha n)/\sigma\sqrt{n}$ in Verteilung gegen $\mathfrak{N}(0,1)$, d.h. es gilt für alle $x \in R^1$

$$\lim_{n\to\infty} P\left[\frac{S_n - \alpha\,n}{\sigma\sqrt{n}} \leqq x\right] = \frac{1}{\sqrt{2\,\pi}} \int_{-\infty}^{x} e^{-y^2/2}\,dy.$$

1.7 Bedingte Erwartungen, bedingte Wahrscheinlichkeiten

Sei $(\Omega, \mathfrak{A}, P)$ ein Wahrscheinlichkeitsraum. Die elementare bedingte Wahrscheinlichkeit eines Ereignisses $A \in \mathfrak{A}$ unter der Bedingung $B \in \mathfrak{A}$ mit $P(B) > 0$ ist

$$P(A|B) = \frac{P(A \cap B)}{P(B)}.$$

Häufig hat man jedoch eine ganze Familie von Bedingungen, von denen jede die Wahrscheinlichkeit 0 besitzt. Dazu benötigt man das folgende allgemeinere Konzept der bedingten Erwartung.

Sei $X \in L^1(\Omega, \mathfrak{A}, P)$ eine R^d-wertige Zufallsgröße und $\mathfrak{C} \subset \mathfrak{A}$ eine sigma-Unteralgebra von $\mathfrak{A}$. $(\Omega, \mathfrak{C}, P)$ ist eine Vergröberung des Ausgangsversuchs, und X ist im allgemeinen nicht mehr $\mathfrak{C}$-meßbar. Wir suchen nun eine $\mathfrak{C}$-meßbare Vergröberung Y von X, die aber im Mittel dieselben Werte wie X annimmt, d.h. ein integrables Y mit

a) Y ist $\mathfrak{C}$-meßbar,

b) $\int_C Y\,dP = \int_C X\,dP$ für alle $C \in \mathfrak{C}$.

Nach dem Satz von Radon-Nikodym existiert genau ein solches, fast sicher eindeutig festgelegtes Y. Es heißt die bedingte Erwartung von X unter der Bedingung $\mathfrak{C}$, in Zeichen

$$Y = E(X|\mathfrak{C}).$$

Als Spezialfall betrachten wir ein $\mathfrak{C}$, dessen Elemente beliebige Vereinigungen höchstens abzählbar vieler "Atome" $\{A_n\}$ mit

$$\bigcup_{n=1}^{\infty} A_n = \Omega, \quad A_n \cap A_m = \emptyset \ (n \neq m),$$

sind. $E(X|\mathfrak{C})$ ist konstant auf den Mengen A_n, und zwar gilt für $P(A_n) > 0$

$$E(X|\mathfrak{C})(\omega) = E(X|A_n) = \frac{1}{P(A_n)} \int_{A_n} X \, \mathrm{d}P, \quad \text{alle } \omega \in A_n,$$

während der Wert für $P(A_n) = 0$ nicht spezifiziert ist.

Die bedingte Erwartung ist also für festes X und $\mathfrak{C}$ eine Funktion von $\omega \in \Omega$. Aus der Definition folgt insbesondere

$$E(E(X|\mathfrak{C})) = E(X)$$

und

$$|E(X|\mathfrak{C})| \leqq E(|X|\,|\mathfrak{C}) \quad \text{fast sicher.}$$

Weitere wichtige Eigenschaften der bedingten Erwartung sind (dabei gelten alle Gleichheits- und Ungleichheitszeichen zwischen Zufallsgrößen nur mit Wahrscheinlichkeit 1):

a) $\mathfrak{C} = \{\emptyset, \Omega\} \Rightarrow E(X|\mathfrak{C}) = E(X)$,

b) $X \geqq 0 \Rightarrow E(X|\mathfrak{C}) \geqq 0$,

c) X $\mathfrak{C}$-meßbar $\Rightarrow E(X|\mathfrak{C}) = X$,

d) $X = \text{const} = a \Rightarrow E(X|\mathfrak{C}) = a$,

e) $X, Y \in L^1 \Rightarrow E(aX + bY|\mathfrak{C}) = aE(X|\mathfrak{C}) + bE(Y|\mathfrak{C})$,

f) $X \leqq Y \Rightarrow E(X|\mathfrak{C}) \leqq E(Y|\mathfrak{C})$,

g) X $\mathfrak{C}$-meßbar, $X, XY' \in L^1 \Rightarrow E(XY'|\mathfrak{C}) = XE(Y'|\mathfrak{C})$,

speziell $E(E(X|\mathfrak{C})Y'|\mathfrak{C}) = E(X|\mathfrak{C})\,E(Y'|\mathfrak{C})$,

h) X, $\mathfrak{C}$ unabhängig $\Rightarrow E(X|\mathfrak{C}) = E(X)$.

Für spätere Verwendung erwähnen wir insbesondere, daß für $\mathfrak{C}_1 \subset \mathfrak{C}_2 \subset \mathfrak{A}$ gilt

(1.7.1) $$E(E(X|\mathfrak{C}_2)|\mathfrak{C}_1) = E(E(X|\mathfrak{C}_1)|\mathfrak{C}_2) = E(X|\mathfrak{C}_1).$$

Die **bedingte Wahrscheinlichkeit** $P(A|\mathfrak{C})$ eines Ereignisses A unter der Bedingung $\mathfrak{C} \subset \mathfrak{A}$ ist definiert durch

$$P(A|\mathfrak{C}) = E(I_A|\mathfrak{C}).$$

Sie ist als spezielle bedingte Erwartung eine $\mathfrak{C}$-meßbare Funktion auf Ω. Speziell gilt wieder für ein von den höchstens abzählbar vielen Atomen $\{A_n\}$ erzeugtes $\mathfrak{C}$

$$P(A|\mathfrak{C})(\omega) = \frac{P(A \cap A_n)}{P(A_n)}, \quad \text{alle } \omega \in A_n \text{ mit } P(A_n) > 0.$$

Aus den Eigenschaften der bedingten Erwartung folgt insbesondere
$0 \leqq P(A|\mathfrak{C}) \leqq 1$, $P(\emptyset|\mathfrak{C}) = 0$, $P(\Omega|\mathfrak{C}) = 1$ und

$$P\left(\bigcup_{n=1}^{\infty} A_n|\mathfrak{C}\right) = \sum_{n=1}^{\infty} P(A_n|\mathfrak{C}), \quad \{A_n\} \text{ paarweise fremd aus } \mathfrak{A},$$

jeweils mit Wahrscheinlichkeit 1. Da $P(A|\mathfrak{C})$ jedoch nur bis auf eine von A abhängige Nullmenge festgelegt ist, folgt daraus *nicht*, daß $P(\cdot|\mathfrak{C})$ für festes $\omega \in \Omega$ eine Wahrscheinlichkeit auf $\mathfrak{A}$ ist. Ist X jedoch eine Zufallsgröße und betrachtet man

$$P(X \in B|\mathfrak{C}) = P(\{\omega : X(\omega) \in B\}|\mathfrak{C}), \quad B \in \mathfrak{B}^d,$$

so gibt es eine auf $\Omega \times \mathfrak{B}^d$ definierte Funktion $p(\omega, B)$ mit folgenden Eigenschaften: Bei festem $\omega \in \Omega$ ist $p(\omega, \cdot)$ eine Wahrscheinlichkeit auf $\mathfrak{B}^d$; bei festem B ist $p(\cdot, B)$ eine Version von $P(X \in B|\mathfrak{C})$, d.h. $p(\cdot, B)$ ist $\mathfrak{C}$-meßbar und

$$P(C \cap [X \in B]) = \int_C p(\omega, B)\, \mathrm{d}P(\omega), \quad \text{alle } C \in \mathfrak{C}.$$

Man nennt eine solche (bis auf eine von B unabhängige Nullmenge in $\mathfrak{C}$ eindeutig festgelegte) Funktion p bedingte (Wahrscheinlichkeits-) Verteilung von X bei gegebenem $\mathfrak{C}$. Es gilt für $g(X) \in L^1$

$$E(g(X)|\mathfrak{C}) = \int_{R^d} g(x)\, p(\omega, \mathrm{d}x).$$

Ist nun $(\Omega', \mathfrak{A}')$ ein Meßraum und $\mathfrak{C} = \mathfrak{A}(Y)$ speziell die durch eine Ω'-wertige Zufallsgröße Y erzeugte sigma-Algebra, so schreiben wir

$$E(X|\mathfrak{C}) = E(X|Y).$$

Für jede $\mathfrak{A}(Y)$-meßbare Zufallsgröße Z gibt es eine meßbare Funktion h mit $Z = h(Y)$, d.h. der Wert von Z ist bereits durch den Wert von Y in ω festgelegt. Dabei ist h bis auf eine Menge N von Bildwerten von Y mit $P[Y \in N] = 0$ eindeutig bestimmt. Das bedeutet für die bedingte Erwartung $E(X|Y)$ die Existenz einer meßbaren Funktion h auf Ω' mit

$$E(X|Y) = h(Y).$$

Wir schreiben suggestiv

$$h(y) = E(X|Y = y).$$

Im Spezialfall der bedingten Wahrscheinlichkeit $P(X \in B|Y)$ gehen wir zunächst zur bedingten Verteilung $p(\omega, B)$ über, für die es nun ein fast sicher eindeutiges q mit

$$p(\omega, B) = q(Y(\omega), B)$$

gibt. Wir schreiben wieder

$$q(y, B) = P(X \in B | Y = y),$$

was bezüglich y meßbar und für festes y bezüglich B eine Wahrscheinlichkeit ist. Es gilt für $g(X) \in L^1$

$$(1.7.2) \qquad E(g(X)|Y=y) = \int_{R^d} g(x)\, q(y, \mathrm{d}x) = \int_{R^d} g(x)\, P(\mathrm{d}x | Y=y)$$

und

$$P[X \in B] = \int_{\Omega'} P(X \in B | Y = y)\, \mathrm{d}P_Y(\omega'),$$

wobei P_Y die Verteilung von Y ist.

Hat $q(y, \cdot) = P(X \in \cdot | Y = y)$ eine Dichte $h(x, y)$ im R^d, so heißt diese bedingte Dichte von X unter der Bedingung $Y = y$.

Beispiel. Sei X eine R^d-wertige und Y eine R^p-wertige Zufallsgröße, deren gemeinsame Verteilung im R^{d+p} eine Dichte $f(x, y)$ besitzt. Dann hat $P(X \in B | Y = y)$ eine Dichte $h(x, y)$, die für alle y, für die die Randdichte

$$f_2(y) = \int_{R^d} f(x, y)\, \mathrm{d}x$$

von Y positiv ist, die Gestalt

$$h(x, y) = \frac{f(x, y)}{f_2(y)}$$

hat. Für alle integrablen Funktionen $g(x)$ gilt dann nach Formel (1.7.2)

$$E(g(X)|Y=y) = \frac{\int_{R^d} g(x)\, f(x, y)\, \mathrm{d}x}{f_2(y)}.$$

Sind X und Y unabhängig, so ist $f(x, y) = f_1(x)\, f_2(y)$ und deshalb $h(x, y) = f_1(x)$.

Ist die gemeinsame Verteilung von X und Y eine Normalverteilung $\mathfrak{N}(m, C)$, und schreiben wir $EX = m_x$, $EY = m_y$ und

$$C = \begin{pmatrix} E(X - m_x)(X - m_x)' & E(X - m_x)(Y - m_y)' \\ E(Y - m_y)(X - m_x)' & E(Y - m_y)(Y - m_y)' \end{pmatrix} = \begin{pmatrix} C_x & C_{xy} \\ C_{yx} & C_y \end{pmatrix}$$

so ist für positiv-definites C_y die bedingte Dichte von X bei gegebenem $Y = y$ die der d-dimensionalen Normalverteilung

$$\mathfrak{N}(m_x + C_{xy} C_y^{-1}(y - m_y),\ C_x - C_{xy} C_y^{-1} C_{yx}).$$

1.8 Stochastische Prozesse

Das im Abschnitt 1.1 zitierte Beispiel der Wasserstandsmessung in einem Zeitintervall $[t_0, T]$ oder die Beschreibung des Ortes eines Partikels unter Brownscher Bewegung als Funktion der Zeit machen die gleichzeitige Betrachtung einer Familie von Zufallsgrößen nötig, die von einem stetigen Parameter (Zeit) abhängt.

Sei allgemeiner $I \neq \emptyset$ eine beliebige Indexmenge und $(\Omega, \mathfrak{A}, P)$ ein Wahrscheinlichkeitsraum. Eine Familie $\{X_t;\, t \in I\}$ von R^d-wertigen Zufallsgrößen heißt stochastischer Prozeß (zufälliger Prozeß, zufällige Funktion) mit der Parametermenge (Indexmenge) I und dem Zustandsraum R^d.

Ist I endlich, so haben wir es einfach mit endlich vielen Zufallsgrößen zu tun. Im Falle $I = \{\ldots, -1, 0, 1, \ldots\}$ oder $\{1, 2, \ldots\}$ spricht man von einer zufälligen Folge oder Zeitreihe. Der Name "Prozeß" ist vorzugsweise für überabzählbares I reserviert.

Im folgenden ist I immer ein Intervall $[t_0, T]$, $t_0 < T$, der reellen Achse R^1, wir interpretieren den Parameter t als "Zeit". Dabei wollen wir den Fall $t_0 = -\infty$ bzw. $T = \infty$ bzw. beides zulassen und dann $[t_0, T]$ als $(-\infty, T]$ bzw. $[t_0, \infty)$ bzw. $(-\infty, \infty)$ interpretieren.

Ist $\{X_t;\, t \in [t_0, T]\}$ ein stochastischer Prozeß, so ist für jedes feste $t \in [t_0, T]$ $X_t(\cdot)$ eine R^d-wertige Zufallsgröße, während für jedes feste $\omega \in \Omega$ (also für jede Beobachtung) $X_\cdot(\omega)$ eine auf $[t_0, T]$ definierte R^d-wertige Funktion, also ein Element des Produktraumes $(R^d)^{[t_0, T]}$, ist. Es heißt Realisierung (Trajektorie, Pfad) des stochastischen Prozesses.

Mit einem stochastischen Prozeß $\{X_t;\, t \in [t_0, T]\}$ sind dessen endlichdimensionale Verteilungen gegeben:

$$P[X_t \leqq x] = F_t(x),$$

$$P[X_{t_1} \leqq x_1, X_{t_2} \leqq x_2] = F_{t_1, t_2}(x_1, x_2),$$

$$\vdots \qquad\qquad \vdots$$

$$P[X_{t_1} \leqq x_1, \ldots, X_{t_n} \leqq x_n] = F_{t_1, \ldots, t_n}(x_1, \ldots, x_n),$$

$$\vdots \qquad\qquad \vdots$$

mit $t, t_i \in [t_0, T]$, $x, x_i \in R^d$ (das $\leqq$-Zeichen soll komponentenweise gelten) und $n \geqq 1$.

Offensichtlich erfüllt dieses System von Verteilungsfunktionen die beiden folgenden Bedingungen:

a) Symmetrie-Bedingung: Ist $\{i_1, \ldots, i_n\}$ eine Permutation der Zahlen $1, \ldots, n$, so gilt für beliebige Zeitpunkte und $n \geqq 1$

$$F_{t_{i_1}, \ldots, t_{i_n}}(x_{i_1}, \ldots, x_{i_n}) = F_{t_1, \ldots, t_n}(x_1, \ldots, x_n).$$

b) Verträglichkeitsbedingung: Für $m < n$ und beliebige $t_{m+1}, \ldots, t_n \in [t_0, T]$ gilt

$$F_{t_1,\ldots,t_m,t_{m+1},\ldots,t_n}(x_1,\ldots,x_m,\infty,\ldots,\infty)=F_{t_1,\ldots,t_m}(x_1,\ldots,x_m).$$

In vielen praktischen Fällen ist nun nicht eine Familie von Zufallsgrößen, definiert auf einem Wahrscheinlichkeitsraum, gegeben, sondern eine Familie von Verteilungen $P_{t_1,\ldots,t_n}(B_1,\ldots,B_n)$ bzw. deren Verteilungsfunktionen $F_{t_1,\ldots,t_n}(x_1,\ldots,x_n)$, die die Symmetrie- und Verträglichkeitsbedingungen erfüllen. Daß diese beiden Konzepte gleichwertig sind, geht aus dem folgenden Satz hervor.

(1.8.1) **Fundamentalsatz von Kolmogorov.** Zu jeder Familie von Verteilungsfunktionen, die die Symmetrie- und Verträglichkeitsbedingung erfüllen, gibt es einen Wahrscheinlichkeitsraum $(\Omega, \mathfrak{A}, P)$ und darauf einen stochastischen Prozeß $\{X_t;\ t\in[t_0,T]\}$, der die vorgegebenen Verteilungen als endlich dimensionale Verteilungen besitzt.

Insbesondere kann man sich, wenn man von vorgegebenen Verteilungen ausgeht, immer folgende Wahl getroffen denken:

$\Omega=(R^d)^{[t_0,T]}$ = Menge aller R^d-wertigen Funktionen $\omega=\omega(\cdot)$ definiert auf $[t_0,T]$,

$\mathfrak{A}=(\mathfrak{B}^d)^{[t_0,T]}$ = die von den Zylindermengen erzeugte Produkt-sigma-Algebra,

$X_t(\omega)=\omega(t)$ = Projektion von ω auf die "t-te Achse", d.h. der Wert der Funktion ω an der Stelle t.

Die Wahrscheinlichkeit P auf $(\Omega, \mathfrak{A})$ ist nun nicht einfach (wie im Abschnitt 1.5 für unabhängige X_t) die Produktwahrscheinlichkeit, sondern wird auf den Zylindermengen durch

$$P\{\omega\colon \omega(t_1)\in B_1,\ldots,\omega(t_n)\in B_n\}=P_{t_1,\ldots,t_n}(B_1,\ldots,B_n)$$

festgelegt und kann auf ganz $\mathfrak{A}$ eindeutig fortgesetzt werden. Wir können uns diese kanonische Wahl, bei der also die Elementarereignisse mit den Realisierungen zusammenfallen, ab jetzt immer getroffen denken.

Für $\{X_t;\ t\in[t_0,T]\}$ wird auch kurz X_t oder $X(t)$ geschrieben, die Variable ω in der Regel weggelassen.

Zwei stochastische Prozesse X_t und $\overline{X}_t$, die auf demselben Wahrscheinlichkeitsraum definiert sind, heißen (stochastisch) äquivalent, wenn für jedes $t\in[t_0,T]$ mit Wahrscheinlichkeit 1 $X_t=\overline{X}_t$ gilt. $\overline{X}_t$ heißt dann eine Version von X_t und umgekehrt. Die endlich-dimensionalen Verteilungen von X_t und $\overline{X}_t$ stimmen überein. Da die ω-Ausnahmemenge N_t in der Gleichung $X_t=\overline{X}_t$ jedoch im allgemeinen von t abhängt, können die Realisierungen äquivalenter Prozesse vollkommen verschiedene analytische Eigenschaften besitzen. Z.B. sind für $\Omega=[t_0,T]=[0,1]$, $P=\lambda$ die Prozesse $X_t(\omega)\equiv 0$ und

$$X_t(\omega) = \begin{cases} 0, & \omega \neq t, \\ 1, & \omega = t, \end{cases}$$

äquivalent. Jedoch ist jede Realisierung von X_t, aber keine von $\overline{X}_t$, eine stetige Funktion. Um dieses und ähnliche Phänomene zu vermeiden, denken wir uns ab jetzt ohne weitere Erwähnung eine immer existierende separable Version ausgewählt. Dabei heißt X_t separabel, wenn es eine abzählbare, im Intervall $[t_0, T]$ dichte Menge $\{t_1, t_2, \dots\} = M$ von Zeitpunkten und eine P-Nullmenge $N \in \mathfrak{A}$ gibt, so daß sich für jedes offene Teilintervall $(a, b) \in [t_0, T]$ und jede abgeschlossene Menge $A \subset R^d$ die beiden Mengen

$$\{\omega: X_t(\omega) \in A, \text{ alle } t \in (a, b) \cap M\} \in \mathfrak{A}$$

und

$$\{\omega: X_t(\omega) \in A, \text{ alle } t \in (a, b)\} \text{ (im allg. nicht meßbar)}$$

um höchstens eine Untermenge von N unterscheiden. Sorgt man dafür, daß auch alle Untermengen von Nullmengen zu $\mathfrak{A}$ gehören (was man immer tun kann), so ist auch die zweite Menge aus $\mathfrak{A}$ und besitzt dieselbe Wahrscheinlichkeit wie die erste.

Wie kann man aus den endlich-dimensionalen Verteilungen eines Prozesses ablesen, ob dieser stetige Relisierungen besitzt? Daß dazu nur die zweidimensionalen Verteilungen notwendig sind, besagt das folgende Kriterium von Kolmogorov: Gibt es Zahlen $a, b, c > 0$, so daß für alle $t, s \in [t_0, T]$

$$E\,|X_t - X_s|^a \leqq c\,|t-s|^{1+b} \tag{1.8.2}$$

gilt, so besitzt (eine separable Version von) X_t mit Wahrscheinlichkeit 1 stetige Funktionen als Realisierungen.

Ein stochastischer Prozeß heißt (streng) stationär, wenn seine endlich-dimensionalen Verteilungen invariant gegen zeitliche Verschiebungen sind, d.h. wenn für $t_i, t_i + t \in [t_0, T]$ gilt

$$F_{t_1+t, \dots, t_n+t}(x_1, \dots, x_n) = F_{t_1, \dots, t_n}(x_1, \dots, x_n).$$

Für stationäre Prozesse ist üblicherweise $t \in R^1$. Ist weiter $X_t \in L^2$ für alle t, so folgt daraus $E X_t = m =$ const und Cov $(X_t, X_s) = C(t-s)$. Ein Prozeß mit den letzten beiden Eigenschaften heißt stationär im weiteren Sinne. Hat er die Eigenschaft $\lim\limits_{t \to s} E\,|X_t - X_s|^2 = 0$ (Quadratmittel-Stetigkeit), so besitzt die Kovarianzmatrix C die Darstellung

$$C(t) = \int_{-\infty}^{\infty} e^{itu}\, dF(u), \quad -\infty < t < \infty,$$

wobei die $d \times d$-Matrix $F(u) = (F_{ij}(u))$ die sog. Spektralverteilungsfunktion von X_t ist. $F(u)$ hat die folgenden Eigenschaften: a) Für beliebiges $u_1 < u_2$ ist $F(u_2) - F(u_1)$ nicht-negativ definit, b) tr $(F(\infty) - F(-\infty)) < \infty$. F gibt intuitiv die Verteilung der Frequenzen der am Aufbau von X_t beteiligten harmonischen Schwingungen an. Eine eventuell existierende Dichte f von F heißt Spektraldichte von X_t. Für

$$\int_{-\infty}^{\infty} |C(t)| \, dt < \infty$$

ergibt sich f aus der Umkehrformel

$$f(u) = \frac{1}{2\pi} \int_{-\infty}^{\infty} e^{-itu} C(t) \, dt.$$

Ein R^d-wertiger stochastischer Prozeß heißt Gaußsch, wenn seine endlich-dimensionalen Verteilungen Normalverteilungen sind, wenn also die gemeinsame Verteilung von $X_{t_1}, \ldots, X_{t_n}$ die folgende charakteristische Funktion besitzt:

$$\varphi_{t_1, \ldots, t_n}(u_1, \ldots, u_n) = \exp\left(i \sum_{k=1}^{n} u_k' \, m(t_k) - \frac{1}{2} \sum_{k=1}^{n} \sum_{j=1}^{n} u_k' \, C(t_k, t_j) \, u_j\right),$$

$$u_1, \ldots, u_n \in R^d, \; t_1, \ldots, t_n \in [t_0, T].$$

Dabei ist $m(t) = E X_t$ und $C(t, s) = \operatorname{Cov}(X_t, X_s)$.

Die endlich-dimensionalen Verteilungen eines Gaußschen Prozesses sind also durch die beiden Funktionen $m(t)$ und $C(t, s)$ (also durch die ersten und zweiten Momente) eindeutig bestimmt. Ein im weiteren Sinne stationärer Gaußscher Prozeß ist sogar streng stationär.

1.9 Martingale

Sei $(\Omega, \mathfrak{A}, P)$ ein Wahrscheinlichkeitsraum, $\{X_t; t \in [t_0, T]\}$ ein R^d-wertiger stochastischer Prozeß auf $(\Omega, \mathfrak{A}, P)$ sowie $\{\mathfrak{A}_t\}_{t \in [t_0, T]}$ eine monoton wachsende Familie von sigma-Unteralgebren von $\mathfrak{A}$, d.h. mit der Eigenschaft

$$\mathfrak{A}_s \subset \mathfrak{A}_t \quad \text{für} \quad t_0 \leqq s \leqq t \leqq T.$$

Ist X_t sogar $\mathfrak{A}_t$-meßbar und integrierbar für alle t, so heißt das Paar $\{X_t, \mathfrak{A}_t\}_{t \in [t_0, T]}$ Martingal, wenn für alle $s, t \in [t_0, T]$ mit $s \leqq t$ gilt

$$E(X_t | \mathfrak{A}_s) = X_s \quad \text{fast sicher.}$$

Ist X_t ein reellwertiger Prozeß und gilt in der letzten Formel statt dem Gleichheitszeichen das Zeichen "$\leqq$" bzw. "$\geqq$", so spricht man von einem Supermartingal bzw. Submartingal. Wird speziell

$$\mathfrak{A}_t = \mathfrak{A}([t_0, t]) = \mathfrak{A}(X_s; t_0 \leqq s \leqq t),$$

d.h. die Geschichte des Prozesses X_t bis zur Zeit t, als Bedingung gewählt, so heißt X_t ein (Super-, Sub-) Martingal schlechthin.

Da für ein R^d-wertiges Martingal $X_t \in L^p$ $(p \geqq 1)$ der Prozeß $-|X_t|^p$ ein Supermartingal ist, folgt speziell

(1.9.1) $$P[\sup_{[a,b]} |X_t| \geqq c] \leqq E|X_b|^p/c^p, \quad \text{alle } c > 0.$$

Weiter ist für jedes Martingal $X_t \in L^p$ $(p > 1)$

(1.9.2) $$E(\sup_{[a,b]} |X_t|^p) \leqq \left(\frac{p}{p-1}\right)^p E|X_b|^p.$$

Martingale sind die abstrakte Fassung des Begriffes "gerechtes Spiel" und eines der wichtigsten Werkzeuge der Theorie der stochastischen Prozesse. Die Realisierungen eines (separablen) Martingals haben keine Unstetigkeiten zweiter Art (also höchstens Sprünge).

Sind X_t und Y_t zwei Martingale bezüglich der gleichen monotonen Familie $\mathfrak{A}_t$, so ist auch $A X_t + B Y_t$ (A, B feste $p \times d$-Matrizen) ein Martingal, speziell also $X_t - X_{t_0}$. Weiter ist für jedes Martingal X_t der Prozeß $|X_t|^p$ $(p \geqq 1)$ ein Submartingal, sofern $X_t \in L^p$ ist. Für ein reellwertiges Martingal X_t sind $X_t^+ = \max(X_t, 0)$ und $X_t^- = \max(-X_t, 0)$ Submartingale. X_t ist ein Submartingal genau dann, wenn $-X_t$ ein Supermartingal ist. Für ein Supermartingal (Submartingal) ist die Funktion $E X_t$ monoton fallend (wachsend). Es gilt der folgende **Konvergenzsatz**: Ist $\{X_t, \mathfrak{A}_t\}$ ein Supermartingal, welches der Bedingung

$$\sup_{[t_0,T]} E|X_t^-| < \infty$$

genügt, so existiert

$$\text{fs-}\lim_{t \to T} X_t = X$$

und ist aus L^1. Dies gilt insbesondere für $X_t \geqq 0$ oder

$$\sup_{[t_0,T]} E(X_t) < \infty.$$

Ist $[a, b]$ ein beschränktes Intervall in $[t_0, T]$, so gelten für jedes Supermartingal und alle $c > 0$ die sog. **Supermartingalungleichungen**

$$c P[\sup_{[a,b]} X_t \geqq c] \leqq E X_a + E X_b^-,$$

$$c P[\inf_{[a,b]} X_t \leqq -c] \leqq E X_b^-.$$

Kapitel 2

Markov- und Diffusionsprozesse

2.1 Die Markov-Eigenschaft

Die Geschichte der Theorie der Markovschen stochastischen Prozesse wurde 1906 von A. A. Markov eröffnet. In seiner Untersuchung über verkettete Experimente hat er erstmals das heute nach ihm benannte Prinzip der Unabhängigkeit des "Zukünftigen" vom "Vergangenen" bei bekanntem "Gegenwärtigen" formuliert.

Andererseits ist dieses Prinzip das auf stochastische dynamische Systeme übertragene Kausalitätsprinzip der klassischen Physik. Danach genügt die Kenntnis des Systemzustandes zu einem gewissen Zeitpunkt, um den Zustand für alle zukünftigen Zeiten festzustellen. Dieser Sachverhalt manifestiert sich analytisch in der Theorie der gewöhnlichen Differentialgleichungen: Die Differentialgleichung

$$\dot{x}_t = f(t, x_t)$$

besagt, daß die Veränderung von x_t zur Zeit t nur von x_t und t, nicht jedoch von Werten x_s, $s<t$, abhängt. Dies hat zur Folge, daß - unter gewissen Bedingungen für f - eine Lösungskurve x_t eindeutig durch die Vorgabe eines Anfangspunktes (t_0, c) bestimmt ist,

$$x_t = x_t(t_0, c), \quad t > t_0, \quad x_{t_0} = c.$$

Weitere Informationen über den Zustand x_s zu früheren Zeiten $s<t_0$ werden also zur Festlegung der Lösungskurve nicht benötigt. Man sagt, das System habe keine Nachwirkungen oder "kein Gedächtnis".

Übertragen wir dies sinngemäß auf stochastische dynamische Systeme, so erhalten wir gerade die Markov-Eigenschaft. Sie besagt in Worten: Ist der Zustand eines Systems in einem gewissen Zeitpunkt s (Gegenwart) bekannt, so ist zusätzliche Information über das System zu Zeiten $t<s$ (Vergangenheit) ohne Einfluß auf unsere Kenntnis der wahrscheinlichen Entwicklung des Systems für $t>s$ (Zukunft).

Wir wollen nun eine formal-mathematische Formulierung der Markov-Eigenschaft als eine Eigenschaft gewisser stochastischer Prozesse geben.

N.L. DUNG

Hannover, den 30. April 1980

Alle Kollegen vom Institut möchte ich herzlich einladen zum kleinen Imbiß (aus asiatischen Spezialitäten)

Am Mittwoch, 7. Mai 1980, 17.30 Uhr
in der Institutsbibliothek

Sei $\{X_t;\, t \in [t_0, T]\}$ ein stochastischer Prozeß, der als Zustandsraum einen d-dimensionalen Euklidischen Raum R^d $(d \geqq 1)$ und als Indexmenge ein Intervall $[t_0, T]$ der reellen Achse R^1 besitzt. Für unsere Zwecke genügt es immer,

$$[t_0, T] \subset [0, \infty) = R^+$$

anzunehmen. Es ist also $0 \leqq t_0 < \infty$, während wir $T = \infty$ zulassen wollen und dann $[t_0, T]$ als $[t_0, \infty)$ interpretieren. Für $\{X_t;\, t \in [t_0, T]\}$ schreiben wir auch kurz X_t. Wir sprechen vom Index t als der "Zeit". Den Zustandsraum R^d denken wir uns immer mit der sigma-Algebra $\mathfrak{B}^d$ der Borelschen Mengen versehen.

Der Prozeß X_t ist auf einem gewissen Wahrscheinlichkeitsraum $(\Omega, \mathfrak{A}, P)$ definiert. Eine Realisierung $X_{\cdot}(\omega)$ ist also eine im Intervall $[t_0, T]$ definierte R^d-wertige Funktion. Wir betonen noch einmal, daß man sich immer folgende Wahl getroffen denken kann:

$$\Omega = (R^d)^{[t_0, T]},$$

$(R^d)^{[t_0, T]}$ der Raum aller R^d-wertigen Funktionen im Intervall $[t_0, T]$,

$$\mathfrak{A} = (\mathfrak{B}^d)^{[t_0, T]},$$

die von den Borelschen Mengen in R^d erzeugte Produkt-sigma-Algebra, und $X_t = \omega(t)$, alle $\omega \in \Omega$. Die Wahrscheinlichkeit P ist dann die nach dem Fundamentalsatz (1.8.1) von Kolmogorov durch die endlich-dimensionalen Verteilungen des Prozesses X_t auf $(\Omega, \mathfrak{A})$ eindeutig bestimmte Wahrscheinlichkeit. Haben wir weitere Informationen über die analytischen Eigenschaften der Realisierungen, so können wir für Ω gewisse Unterräume von $(R^d)^{[t_0, T]}$ (etwa den Raum aller stetigen Funktionen) wählen.

Es sei für $t_0 \leqq t_1 \leqq t_2 \leqq T$

$$\mathfrak{A}([t_1, t_2]) = \mathfrak{A}(X_t,\ t_1 \leqq t \leqq t_2)$$

die kleinste sigma-Unteralgebra von $\mathfrak{A}$, bezüglich der alle Zufallsgrößen X_t, $t_1 \leqq t \leqq t_2$, meßbar sind. Anschaulich enthält $\mathfrak{A}([t_1, t_2])$ die "Geschichte" des Prozesses X_t von der Zeit t_1 bis zur Zeit t_2, d.h. solche Ereignisse, die durch Bedingungen an den Verlauf des Prozesses X_t im Intervall $[t_1, t_2]$ (und nirgends sonst) festgelegt sind. $\mathfrak{A}([t_1, t_2])$ wird erzeugt durch die Zylinder-Ereignisse

$$\{\omega: X_{s_1}(\omega) \in B_1, \ldots, X_{s_n}(\omega) \in B_n\} = [X_{s_1} \in B_1, \ldots, X_{s_n} \in B_n],$$
$$t_1 \leqq s_1 < \ldots < s_n \leqq t_2, \quad B_i \in \mathfrak{B}^d.$$

Wir sind damit in der Lage, eine formale Definition eines Markov-Prozesses zu geben.

(2.1.1) **Definition.** Ein stochastischer Prozeß $\{X_t,\, t \in [t_0, T]\}$ auf dem Wahrscheinlichkeitsraum $(\Omega, \mathfrak{A}, P)$, mit der Indexmenge $[t_0, T] \subset [0, \infty)$

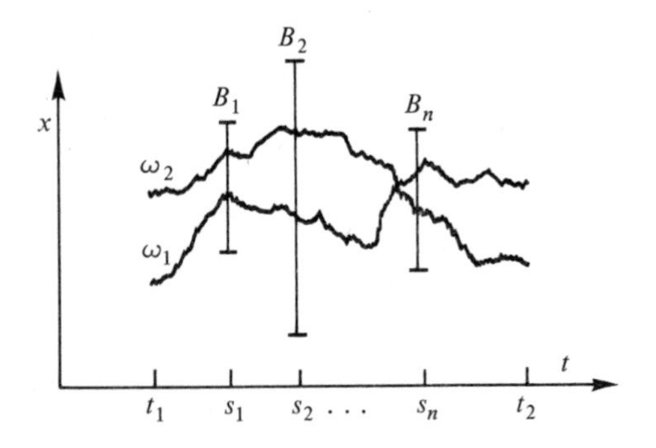

Bild 1:
Zylinder-Ereignis

und dem Zustandsraum R^d heißt (elementarer, schwacher) Markov-Prozeß, wenn die folgende sogenannte (elementare, schwache) Markov-Eigenschaft erfüllt ist: Für $t_0 \leqq s \leqq t \leqq T$ und alle $B \in \mathfrak{B}^d$ gilt mit Wahrscheinlichkeit 1

(2.1.2) $$P(X_t \in B \mid \mathfrak{A}([t_0, s])) = P(X_t \in B \mid X_s).$$

Verschiedene illuminierende äquivalente Formulierungen der Markov-Eigenschaft fassen wir zusammen im folgenden

(2.1.3) **Satz.** Jede der folgenden Bedingungen ist mit der Markov-Eigenschaft äquivalent:

a) Für $t_0 \leqq s \leqq t \leqq T$ und $A \in \mathfrak{A}([t, T])$ gilt

$$P(A \mid \mathfrak{A}([t_0, s])) = P(A \mid X_s).$$

b) Für $t_0 \leqq s \leqq t \leqq T$ und Y $\mathfrak{A}([t, T])$-meßbar und integrabel gilt

$$E(Y \mid \mathfrak{A}([t_0, s])) = E(Y \mid X_s).$$

c) Für $t_0 \leqq t_1 \leqq t \leqq t_2 \leqq T$, $A_1 \in \mathfrak{A}([t_0, t_1])$ und $A_2 \in \mathfrak{A}([t_2, T])$ gilt

$$P(A_1 \cap A_2 \mid X_t) = P(A_1 \mid X_t)\, P(A_2 \mid X_t).$$

d) Für $n \geqq 1$, $t_0 \leqq t_1 < \ldots < t_n < t \leqq T$ und $B \in \mathfrak{B}^d$ gilt

$$P(X_t \in B \mid X_{t_1}, \ldots, X_{t_n}) = P(X_t \in B \mid X_{t_n}).$$

(Alle Gleichungen zwischen bedingten Wahrscheinlichkeiten gelten dabei mit Wahrscheinlichkeit 1.)

Den Beweis dieser Behauptungen findet man z.B. bei Doob [3], S. 80-85.

(2.1.4) **Bemerkung.** Eine verbale Formulierung von Satz (2.1.3 c) ist die folgende: Bei einem Markov-Prozeß sind bei bekannter Gegenwart Vergangenheit und Zukunft statistisch unabhängig.

2.2 Übergangswahrscheinlichkeiten, Chapman-Kolmogorov-Gleichung

Es sei X_t, $t_0 \leqq t \leqq T$, ein Markov-Prozeß. Nach den Ausführungen im Abschnitt 1.7 gibt es zur bedingten Wahrscheinlichkeit $P(X_t \in B | X_s)$ eine bedingte Verteilung $q(X_s, B) = P(s, X_s, t, B)$. Die Funktion $P(s, x, t, B)$ ist eine Funktion der vier Argumente $s, t \in [t_0, T]$, $s \leqq t$, $x \in R^d$ und $B \in \mathfrak{B}^d$. Sie hat die folgenden Eigenschaften:

(2.2.1 a) Für festes $s \leqq t$, $B \in \mathfrak{B}^d$ gilt mit Wahrscheinlichkeit 1

$$P(s, X_s, t, B) = P(X_t \in B | X_s).$$

(2.2.1 b) $P(s, x, t, \cdot)$ ist eine Wahrscheinlichkeit auf $\mathfrak{B}^d$ für festes $s \leqq t$, $x \in R^d$.

(2.2.1 c) $P(s, \cdot, t, B)$ ist $\mathfrak{B}^d$-meßbar für festes $s \leqq t$, $B \in \mathfrak{B}^d$.

(2.2.1 d) Für $t_0 \leqq s \leqq u \leqq t \leqq T$, $B \in \mathfrak{B}^d$, und für alle $x \in R^d$ mit eventueller Ausnahme einer Menge $N \subset R^d$ mit $P[X_s \in N] = 0$ gilt die sog. Chapman-Kolmogorov-Gleichung

$$P(s, x, t, B) = \int_{R^d} P(u, y, t, B)\, P(s, x, u, dy). \tag{2.2.2}$$

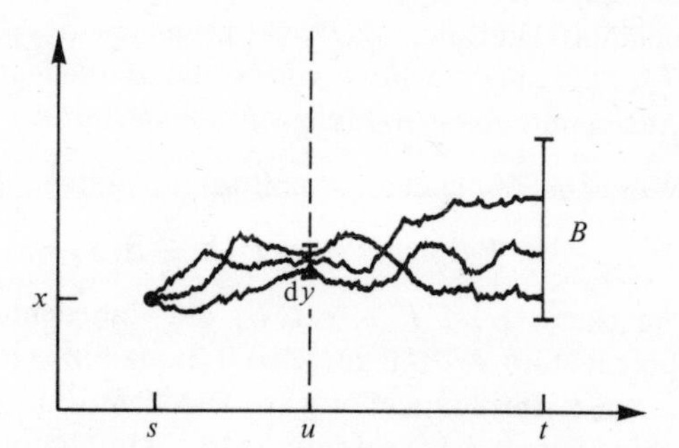

Bild 2:
Zur Chapman-Kolmogorov-Gleichung

Dies macht man sich wie folgt klar: Es gilt, jeweils mit Wahrscheinlichkeit 1,

$$\begin{aligned} P(s, X_s, t, B) &= P(X_t \in B | \mathfrak{A}([t_0, s])) \\ &= E(P(X_t \in B | \mathfrak{A}([t_0, u])) | \mathfrak{A}([t_0, s])) \\ &= E(P(X_t \in B | X_u) | \mathfrak{A}([t_0, s])) \\ &= E(P(u, X_u, t, B) | X_s) \\ &= \int_{R^d} P(u, y, t, B)\, P(s, X_s, u, dy), \end{aligned}$$

wobei wir zuerst die Markov-Eigenschaft, dann

$$\mathfrak{A}([t_0, s]) \subset \mathfrak{A}([t_0, u]), \quad s \leqq u,$$

und Gleichung (1.7.1), anschließend wieder die Markov-Eigenschaft, schließlich Satz (2.1.3 b) und Gleichung (1.7.2) ausgenutzt haben.

Man kann die Funktion $P(s, x, t, B)$ so abändern, daß (2.2.2) für alle $x \in R^d$ gilt (aber ohne die Eigenschaften (a), (b) und (c) zu zerstören), was wir uns von nun an immer getan denken.

Außerdem kann $P(s, x, t, B)$ immer so gewählt werden, daß gilt:

(2.2.1 e) Für alle $s \in [t_0, T]$ und $B \in \mathfrak{B}^d$ ist

$$P(s, x, s, B) = I_B(x) = \begin{cases} 1 & \text{für } x \in B, \\ 0 & \text{für } x \notin B. \end{cases}$$

Letzteres gilt nämlich wegen

$$P(X_s \in B | X_s) = I_{[X_s \in B]}$$

sowieso schon für P-fast alle Werte $X_s = x$.

(2.2.3) **Definition.** Eine Funktion $P(s, x, t, B)$ mit den Eigenschaften (2.2.1 b-e) (wobei (2.2.2) für alle $x \in R^d$ erfüllt ist) heißt Übergangswahrscheinlichkeit (Übergangsfunktion). Ist X_t ein Markov-Prozeß und $P(s, x, t, B)$ eine Übergangswahrscheinlichkeit, so daß auch (2.2.1 a) erfüllt ist, so heißt $P(s, x, t, B)$ Übergangswahrscheinlichkeit des Markov-Prozesses X_t. Sie ist dann für festes $s, t \in [t_0, T]$, $s \leqq t$, als Funktion von x und B eindeutig bestimmt, mit eventueller Ausnahme einer x-Menge N (unabhängig von B) mit $P[X_s \in N] = 0$.

Wir benutzen auch die unmittelbar einleuchtende Schreibweise

$$P(s, x, t, B) = P(X_t \in B | X_s = x).$$

Anschaulich ist $P(s, x, t, B)$ die Wahrscheinlichkeit dafür, daß sich der betrachtete Prozeß zur Zeit t in der Menge B befindet, wenn er zur Zeit s, $s \leqq t$, im Zustand x war. Die Zahl $P(X_t \in B | X_s = x)$ ist dabei durch obige Gleichung wohldefiniert, obgleich die Bedingung $[X_s = x]$ Wahrscheinlichkeit 0 besitzen kann (und für die in diesem Buch untersuchten Prozesse in der Regel auch besitzt).

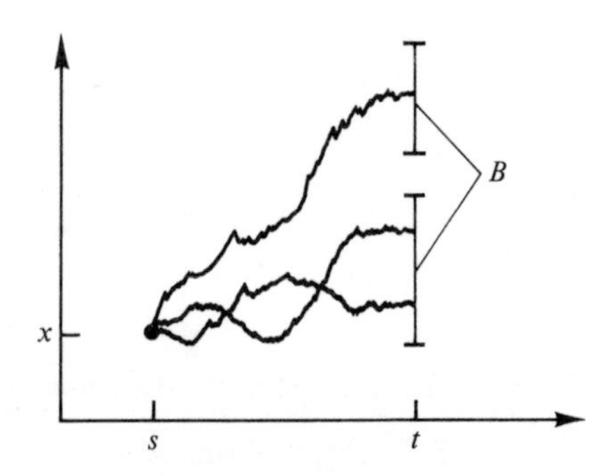

Bild 3: Zur Übergangswahrscheinlichkeit $P(s, x, t, B)$

(2.2.4) **Bemerkung.** a) Besitzt die Wahrscheinlichkeit $P(s, x, t, \cdot)$ eine Dichte, d.h. gilt für alle $s, t \in [t_0, T]$, $s<t$ (für $s=t$ kann nach (2.2.1 e) nie eine Dichte existieren) und $x \in R^d$

$$P(s, x, t, B) = \int_B p(s, x, t, y)\, dy, \quad \text{alle } B \in \mathfrak{B}^d,$$

mit einer in y meßbaren Funktion $p(s, x, t, y) \geqq 0$, deren Integral 1 ist, so reduziert sich Gleichung (2.2.2) auf

$$p(s, x, t, y) = \int_{R^d} p(s, x, u, z)\, p(u, z, t, y)\, dz.$$

Dies bedeutet, unpräzise, folgendes: Die Wahrscheinlichkeit für einen Übergang von x zur Zeit s nach y zur Zeit t ist gleich der Wahrscheinlichkeit des Übergangs nach z zu einer Zwischenzeit u, multipliziert mit der Wahrscheinlichkeit des Übergangs von z zur Zeit u nach y zur Zeit t, summiert über alle Zwischenwerte z.

b) In Eigenschaft (2.2.1 e) kann man statt $I_B(x)$ auch $\delta_x(B)$ (δ_x = das im Punkt x konzentrierte Wahrscheinlichkeitsmaß) setzen. Die anschauliche Bedeutung von (2.2.1 e) ist, daß sich der Zustand eines Prozesses während eines Zeitintervalls der Länge 0 nicht verändert.

Die Bedeutung der Übergangswahrscheinlichkeiten für Markov-Prozesse liegt nun darin, daß sich aus ihnen und einer Anfangsverteilung zur Zeit t_0 alle endlichdimensionalen Verteilungen des Prozesses gewinnen lassen. Präziser gilt (siehe z.B. Krickeberg [7], S.151).

(2.2.5) **Satz.** Ist X_t ein Markov-Prozeß in $[t_0, T]$, $P(s, x, t, B)$ seine Übergangswahrscheinlichkeit und P_{t_0} die Verteilung von X_{t_0},

$$P_{t_0}(A) = P[X_{t_0} \in A],$$

so gilt für die endlichdimensionalen Verteilungen

$$P[X_{t_1} \in B_1, \dots, X_{t_n} \in B_n], \quad t_0 \leqq t_1 < \dots < t_n \leqq T, \quad B_i \in \mathfrak{B}^d,$$

die Formel

$$\begin{aligned} P[X_{t_1} \in B_1, \dots, X_{t_n} \in B_n] = \int_{R^d} \int_{B_1} \dots \int_{B_{n-1}} P(t_{n-1}, x_{n-1}, t_n, B_n) \cdot \\ \cdot P(t_{n-2}, x_{n-2}, t_{n-1}, dx_{n-1}) \dots P(t_0, x_0, t_1, dx_1)\, P_{t_0}(dx_0), \end{aligned} \tag{2.2.6}$$

speziell also

$$P[X_t \in B] = \int_{R^d} P(t_0, x, t, B)\, P_{t_0}(dx).$$

In den Anwendungen ist häufig nicht ein Markov-Prozeß im Sinne der Definiton (2.1.1) gegeben, sondern es liegen Übergangswahrscheinlichkeiten im Sinne der Definition (2.2.3) vor, aus denen man den Prozeß als Familie von Zufallsgrößen erst konstruieren muß. Daß dies immer funktioniert, besagt der folgende Satz. Er liefert uns damit gleichzeitig eine weitere, bequemere Definitionsmöglichkeit für einen Markov-Prozeß.

(2.2.7) **Satz.** Sei $P(s, x, t, B)$ eine Übergangswahrscheinlichkeit, $s, t \in [t_0, T]$. Dann gibt es zu beliebiger "Startwahrscheinlichkeit" P_{t_0} auf $\mathfrak{B}^d$ einen Wahrscheinlichkeitsraum $(\Omega, \mathfrak{A}, P)$ und darauf einen Markov-Prozeß $X_t, t \in [t_0, T]$, dessen Übergangswahrscheinlichkeit $P(s, x, t, B)$ ist und für den X_{t_0} die Verteilung P_{t_0} besitzt.

Zum Beweis konstruiert man sich aus $P(s, x, t, B)$ und P_{t_0} mittels Gleichung (2.2.6) konsistente endlich-dimensionale Verteilungen und daraus nach Kolmogorovs Fundamentalsatz (1.8.1) den gewünschten Prozeß. Dabei können wir für Ω, X_t und $\mathfrak{A}$ immer die im Abschnitt 2.1 diskutierte spezielle Wahl treffen.

(2.2.8) **Definition.** Ein Markov-Prozeß $X_t, t \in [t_0, T]$, heißt (zeitlich) homogen, wenn seine Übergangswahrscheinlichkeit $P(s, x, t, B)$ stationär ist, d.h. die Bedingung

$$P(s+u, x, t+u, B) = P(s, x, t, B),$$

$t_0 \leqq s \leqq t \leqq T$, $t_0 \leqq s+u \leqq t+u \leqq T$, identisch erfüllt. In diesem Falle ist also die Übergangswahrscheinlichkeit nur eine Funktion von x, $t-s$ und B. Wir können sie deshalb in der Form

$$P(t-s, x, B) = P(s, x, t, B), \quad 0 \leqq t-s \leqq T-t_0,$$

schreiben. $P(t, x, B)$ ist also die Wahrscheinlichkeit des Übergangs von x nach B in der Zeit t, unabhängig davon, wo das Zeitintervall der Länge t liegt. Die Chapman-Kolmogorov-Gleichung lautet für homogene Prozesse

$$P(t+s, x, B) = \int_{R^d} P(s, y, B)\, P(t, x, dy).$$

In der Regel sind homogene Markov-Prozesse in einem Intervall der Form $[t_0, \infty)$ definiert, die Übergangswahrscheinlichkeit $P(t, x, B)$ also für $t \in [0, \infty)$.

(2.2.9) **Bemerkung.** Jeder Markov-Prozeß X_t kann durch Hinzunahme der Zeit als Zustandskomponente in einen homogenen Markov-Prozeß $Y_t = (t, X_t)$ mit Zustandsraum $[t_0, T] \times R^d$ verwandelt werden. Die Übergangswahrscheinlichkeit $Q(t, y, B)$ von Y_t ist dabei für die speziellen Mengen $B = C \times D$, $C \in \mathfrak{B}^1([t_0, T])$, $D \in \mathfrak{B}^d$, gegeben durch

$$Q(t, y, C \times D) = Q(t, (s, x), C \times D) = P(s, x, s+t, D)\, I_C(s+t). \tag{2.2.10}$$

Damit ist die Wahrscheinlichkeit $Q(t, y, \cdot)$ auf ganz $\mathfrak{B}^1([t_0, T]) \times \mathfrak{B}^d$ eindeutig festgelegt.

(2.2.11) **Bemerkung.** Wann ist der Markovprozeß $X_t, t \in [t_0, T]$ gleichzeitig ein stationärer Prozeß? Notwendig und hinreichend dafür ist (siehe etwa Hasminskii [65], S. 97)

a) X_t ist homogen.

b) Es existiert eine invariante Verteilung P^0 im Zustandsraum, d. h. es gilt

$$P^0(B) = \int_{R^d} P(t, x, B)\, P^0(\mathrm{d}x), \quad \text{alle } B \in \mathfrak{B}^d,\ t \in [0, T - t_0].$$

Wählt man dieses P^0 als Anfangsverteilung für X_{t_0}, so ist X_t ein stationärer Prozeß. Außerdem gilt im Falle der Existenz eines invarianten P^0 für beliebige Anfangsverteilungen und für $T = \infty$

$$\lim_{t \to \infty} P[X_t \in B] = P^0(B), \quad \text{alle } B \in \mathfrak{B}^d, \text{ deren Rand } P^0\text{-Maß } 0 \text{ hat,}$$

d. h. die invariante Verteilung stellt sich als stationäre Grenzverteilung ein, und zwar unabhängig von der Anfangsverteilung. Dafür, wann eine homogene Übergangsfunktion $P(t, x, B)$ eine invariante Verteilung zuläßt, gibt es probalistische und analytische Bedingungen (siehe Prohorov-Rozanov [15], S. 272, Hasminskii [65], S. 99). Man vergleiche auch Satz (8.2.12) und die Bemerkung (9.2.14).

2.3 Beispiele

Nach Satz (2.2.7) genügt für die Festlegung eines Markov-Prozesses die Angabe einer Start- und einer Übergangswahrscheinlichkeit, womit wir uns in den folgenden Beispielen begnügen.

(2.3.1) **Beispiel:** Deterministische Bewegung. Es sei jedem Paar (s, t), $t_0 \leqq s \leqq t \leqq T$, eine meßbare Abbildung $G_{s,t}$ von R^d in sich zugeordnet, wobei für alle $x \in R^d$

$$G_{t,t}(x) = x$$

und

(2.3.2) $$G_{u,t}(G_{s,u}(x)) = G_{s,t}(x), \quad s \leqq u \leqq t,$$

gelte. Dadurch ist eine deterministische Bewegung im Zustandsraum R^d definiert, die einen zur Zeit s in x befindlichen Punkt im Verlaufe eines Zeitintervalls der Länge $t - s$ nach $y = G_{s,t}(x)$ transportiert. Ein Spezialfall ist

$$G_{s,t}(x) = x + v(t - s),$$

die gleichförmige Bewegung mit der Geschwindigkeit $v \in R^d$, oder allgemeiner

$$G_{s,t}(x) = x_t(s, x),$$

wobei x_t die Lösung der Differentialgleichung

$$\dot{x}_t = f(t, x_t)$$

mit der Anfangsbedingung $x_s = x$ ist (und f so beschaffen ist, daß eine eindeutige Lösung im Intervall $[s, T]$ existiert). Die zugehörige Übergangswahrscheinlichkeit ist

$$P(s, x, t, B) = \delta_{G_{s,t}(x)}(B) = \begin{cases} 1 & \text{für } G_{s,t}(x) \in B, \\ 0 & \text{für } G_{s,t}(x) \notin B. \end{cases}$$

Die Eigenschaft (2.2.1 b) ist klar, (2.2.1 c) folgt aus der Meßbarkeit der Abbildung $G_{s,t}$, (2.2.1 e) aus der Eigenschaft $G_{s,s}(x) = x$, und die Chapman-Kolmogorov-Gleichung (2.2.1 d) wegen

$$\int_{R^d} \delta_{G_{u,t}(y)}(B)\, \delta_{G_{s,u}(x)}(dy) = \delta_{G_{u,t}(G_{s,u}(x))}(B)$$

aus (2.3.2). Ein nicht-trivialer stochastischer Einfluß kann nur durch die Wahl der Startwahrscheinlichkeit hinzukommen.

(2.3.3) **Beispiel.** Die Gültigkeit der Markov-Eigenschaft hängt wesentlich von der Wahl des Zustandsraums ab. Während die Lösung x_t der Differentialgleichung erster Ordnung

$$\dot{x}_t = f(t, x_t), \quad x_{t_0} = c, \quad t_0 \leqq t \leqq T,$$

ein Markov-Prozeß ist (und dies auch noch gilt für eine Differentialgleichung der Form

$$\dot{x}_t = f(t, x_t, \xi_t),$$

wobei ξ_t eine Familie von unabhängigen Zufallsgrößen ist, die auch von x_{t_0} unabhängig sind), so stimmt das im allgemeinen nicht mehr für die Lösung der Differentialgleichung n-ter Ordnung

$$x_t^{(n)} = f(t, x_t, \dot{x}_t, \dots, x_t^{(n-1)}).$$

Der übliche Übergang zu einer Differentialgleichung erster Ordnung für den dn-dimensionalen Prozeß

$$y_t = \begin{pmatrix} x_t \\ \dot{x}_t \\ \vdots \\ x_t^{(n-1)} \end{pmatrix}$$

zeigt jedoch, daß die Markov-Eigenschaft für y_t erfüllt ist.

(2.3.4) **Beispiel.** Wiener-Prozeß. Dies ist ein homogener, in $[0, \infty)$ definierter d-dimensionaler Markov-Prozeß W_t mit der stationären Übergangswahrscheinlichkeit

$$P(t, x, \cdot) = \begin{cases} \mathfrak{N}(x, tI), & t > 0, \\ \delta_x(\cdot), & t = 0, \end{cases}$$

d.h. es gilt für $t > 0$

$$P(t, x, B) = P(W_{t+s} \in B | W_s = x) = \int_B (2\pi t)^{-d/2} e^{-|y-x|^2/2t} dy.$$

Die Chapman-Kolmogorov-Gleichung gilt für die Dichten

$$p(t, x, y) = n(t, x, y) = (2\pi t)^{-d/2} e^{-|y-x|^2/2t}$$

auf Grund der bekannten Formel

$$\int_{R^d} n(s, x, z)\, n(t, z, y)\, dz = n(s+t, x, y).$$

In der Regel wird die Startwahrscheinlichkeit $P_0 = \delta_0$, d.h. $W_0 = 0$, angenommen. Wegen

$$n(t, x+z, y+z) = n(t, x, y), \quad \text{alle } z \in R^d,$$

liegt sowohl ein räumlich als auch zeitlich homogener Prozeß vor, den wir in Abschnitt 3.1 näher untersuchen wollen. Mit dem Kriterium (1.8.2) werden wir später leicht zeigen können, daß W_t so gewählt werden kann, daß er mit Wahrscheinlichkeit 1 *stetige Realisierungen* besitzt. Dies denken wir uns ab jetzt immer getan. W_t ist ein mathematisches Modell für die Brownsche Bewegung eines freien Partikels bei vernachlässigter Reibung.

2.4 Infinitesimaler Operator

Wie wir in Beispiel (2.3.1) einer Differentialgleichung $\dot{x}_t = f(t, x_t)$ die Familie $G_{s,t}$ von Transformationen im Zustandsraum zugeordnet haben, wobei $G_{s,t}(x) = x_t(s, x)$ der Wert einer in x zur Zeit s startenden Lösungstrajektorie zur Zeit t ist, so kann auch einem allgemeinen Markov-Prozeß X_t eine Familie von Abbildungen - nun Operatoren auf einem Funktionsraum - zugeordnet werden.

Wir beginnen zuerst mit der Diskussion des *homogenen* Falles.
Sei also $X_t, t \in [t_0, T]$, ein homogener Markov-Prozeß mit der Übergangswahrscheinlichkeit $P(t, x, B)$. Wir definieren den Operator T_t auf dem Raum $B(R^d)$ der beschränkten meßbaren skalaren Funktionen auf R^d, versehen mit der Norm

$$\|g\| = \sup_{x \in R^d} |g(x)|,$$

wie folgt: Für $t \in [0, T - t_0]$ sei $T_t g$ die Funktion mit

(2.4.1) $$T_t g(x) = E_x g(X_t) = \int_{R^d} g(y) P(t, x, dy).$$

Anschaulich ist $T_t g(x)$ der (von s unabhängige) Mittelwert von $g(X_{s+t})$ unter der Bedingung $X_s = x$. Wegen

$$T_t I_B(x) = P(t, x, B)$$

kann man die Übergangswahrscheinlichkeit aus den Operatoren T_t zurückgewinnen. Wir halten folgende Eigenschaften dieser Operatoren fest:

(2.4.2) **Satz.** Die Operatoren $T_t, t \in [0, T-t_0]$, bilden den Raum $B(R^d)$ in sich ab, sind linear, positiv und stetig und haben die Norm $\|T_t\| = 1$. Es gilt T_0 = Identität und

$$T_{s+t} = T_s T_t = T_t T_s, \quad t, s, t+s \in [0, T-t_0].$$

Insbesondere bilden die T_t im Falle $T = \infty$ eine kommutative einparametrige Halbgruppe, die sogenannte Halbgruppe der Markovschen Übergangsoperatoren.

(2.4.2) **Beispiele.** Für die durch eine autonome gewöhnliche Differentialgleichung $\dot{x}_t = f(x_t)$ erzeugte deterministische Bewegung gilt

$$T_t g(x) = g(x_t(0, x)),$$

wobei $x_t(0, x)$ die Lösung mit dem Anfangswert $x_0 = x$ ist. Für den Wiener-Prozeß W_t haben wir

$$T_t g(x) = (2\pi t)^{-d/2} \int_{R^d} g(y) e^{-|y-x|^2/2t} dy$$

$$= (2\pi)^{-d/2} \int_{R^d} e^{-|z|^2/2} g(x + \sqrt{t} z) dz, \quad t > 0.$$

Die gesamte Dynamik eines Markov-Prozesses kann durch einen einzigen Operator charakterisiert werden, der die Ableitung der Familie T_t an der Stelle $t = 0$ darstellt.

(2.4.4) **Definition.** Der infinitesimale Operator (Generator) A eines homogenen Markov-Prozesses $X_t, t_0 \leqq t \leqq T$, ist definiert durch

$$(2.4.5) \qquad A g(x) = \lim_{t \downarrow 0} \frac{T_t g(x) - g(x)}{t}, \quad g \in B(R^d),$$

wobei der gleichmäßige Limes bezüglich x (d.h. der Limes in $B(R^d)$) zu nehmen ist. Der Definitionsbereich $D_A \subset B(R^d)$ besteht aus allen Funktionen, für die der Grenzwert in (2.4.5) existiert. $A g(x)$ wird interpretiert als die mittlere infinitesimale Rate der Veränderungen von $g(X_s)$, falls $X_s = x$ ist.

A ist ein im allgemeinen unbeschränkter abgeschlossener linearer Operator. Sind die Übergangswahrscheinlichkeiten von X_t stochastisch stetig, d.h. gilt für jedes $x \in R^d$ und jedes $\varepsilon > 0$

$$\lim_{t \downarrow 0} P(t, x, U_\varepsilon) = 1, \quad U_\varepsilon = \{y : |y - x| < \varepsilon\},$$

so ist $P(t, x, B)$ durch A eindeutig bestimmt. Insbesondere haben Markov-Prozesse mit rechtsseitig stetigen (speziell stetigen) Realisierungen stochastisch stetige Übergangswahrscheinlichkeiten.

(2.4.6) **Beispiel.** Für die gleichförmige Bewegung mit der Geschwindigkeit $v \in R^d$ ist

$$T_t\, g(x) = g(x + v\,t)$$

und

$$A\, g(x) = \lim_{t \downarrow 0} \frac{g(x+v\,t) - g(x)}{t}$$

$$= \sum_{i=1}^{d} v_i \frac{\partial g(x)}{\partial x_i}.$$

Die Existenz und die geforderte Gleichmäßigkeit des Limes ist gewährleistet in D_A = alle beschränkten, gleichmäßig stetigen Funktionen mit beschränkten, gleichmäßig stetigen partiellen Ableitungen erster Ordnung.

(2.4.7) **Beispiel.** Für den d-dimensionalen Wiener-Prozeß W_t müssen wir nach (2.4.3)

$$A\, g(x) = (2\,\pi)^{-d/2} \lim_{t \downarrow 0} \int_{R^d} \mathrm{e}^{-|z|^2/2} \left(g(x + \sqrt{t}\, z) - g(x)\right) \mathrm{d}z$$

ausrechnen. Wir benutzen dazu den Taylorschen Satz, der uns für jedes zweimal stetig partiell differenzierbare g

$$g(x + \sqrt{t}\, z) - g(x) = \sqrt{t} \sum_{i=1}^{d} z_i\, g_{x_i}(x) + \frac{t}{2} \sum_{i=1}^{d} \sum_{j=1}^{d} z_i\, z_j\, g_{x_i x_j}(x)$$

$$+ \frac{t}{2} \sum_{i=1}^{d} \sum_{j=1}^{d} z_i\, z_j \left(g_{x_i x_j}(\bar{x}) - g_{x_i x_j}(x)\right)$$

liefert, wobei $\bar{x}$ eine Stelle zwischen x und $x + \sqrt{t}\, z$ ist. Dies oben eingesetzt ergibt

$$A\, g = \frac{1}{2} \sum_{i=1}^{d} \frac{\partial^2 g}{\partial x_i^2} = \frac{1}{2} \Delta g, \quad \Delta = \text{Laplace-Operator.}$$

Die Existenz und Gleichmäßigkeit des Limes ist gewährleistet für alle g aus D_A = beschränkte, zweimal stetig partiell differenzierbare Funktionen mit beschränkten und gleichmäßig stetigen partiellen Ableitungen zweiter Ordnung.

Wir fahren nun fort mit der Diskussion des *inhomogenen* Falles. Sei jetzt X_t, $t \in [t_0, T]$, ein beliebiger Markov-Prozeß mit der Übergangswahrscheinlichkeit $P(s, x, t, B)$. Wir beziehen uns auf Bemerkung (2.2.9), wonach $Y_t = (t, X_t)$ ein homogener Markov-Prozeß mit Zustandsraum $[t_0, T] \times R^d \subset R^{d+1}$ ist. Wir legen nun fest, daß die Markovschen Übergangsoperatoren T_t und der infinitesimale Operator A von X_t gleich denjenigen Größen sind, die wir für den zugehörigen homogenen Prozeß $Y_t = (t, X_t)$ aus den vorangegangenen Definitionen erhalten.

Es ist also unter Berücksichtigung von (2.2.10)

$$T_t g(s,x) = E_{s,x}\, g(s+t, X_{t+s}) = \int_{R^d} g(s+t,y)\, P(s,x,t+s,dy), \quad 0 \leqq t \leqq T-s,$$

wobei $g(s,x)$ eine in $[t_0, T] \times R^d$ definierte beschränkte meßbare Funktion ist, und

$$(2.4.8) \qquad A\, g(s,x) = \lim_{t \downarrow 0} \frac{T_t\, g(s,x) - g(s,x)}{t},$$

wobei der gleichmäßige Limes in $(s,x) \in [t_0, T] \times R^d$ zu nehmen ist. Auch jetzt sind stochastisch stetige Übergangswahrscheinlichkeiten $P(s,x,t,B)$ (insbesondere die Übergangswahrscheinlichkeiten von Markov-Prozessen mit rechtsseitig stetigen Realisierungen) eindeutig durch A bestimmt.

Häufig genügt es, die Aktionen von A nur auf solchen Funktionen g festzustellen, die unabhängig von s sind, also

$$(2.4.9) \qquad A\, g(s,x) = \lim_{t \downarrow 0} \frac{T_t\, g(s,x) - g(x)}{t}, \quad g \in B(R^d),$$

zu betrachten. Dies führt für homogene Prozesse zurück auf (2.4.5), im allgemeinen ist jedoch sowohl $T_t\, g$ als auch $A\, g$ eine Funktion von s und x.

2.5 Diffusionsprozesse

Diffusionsprozesse sind spezielle Markov-Prozesse mit stetigen Realisierungen, die als wahrscheinlichkeitstheoretische Modelle zur Beschreibung von physikalischen Diffusionsphänomenen dienen. Das einfachste und älteste Beispiel ist die Bewegung von hinreichend kleinen Partikeln wie z.B. Pollenkörnern in einer Flüssigkeit, die sogenannte Brownsche Bewegung. Der im Beispiel (2.3.4) eingeführte Wiener-Prozeß W_t ist ein mathematisches Modell für diesen zeitlich homogenen Vorgang in einem homogenen Medium (siehe Abschnitt 12.1 und Wax [51]).

Zur ursprünglichen Bedeutung der Diffusionsprozesse ist eine weitere, in diesem Buch betonte, hinzugetreten: die Beschreibung technischer Systeme, auf die "weißes Rauschen" einwirkt. Auch stetige Modelle für Irrfahrtprobleme führen auf Diffusionsprozesse.

Es gibt - entsprechend der in der Einleitung gemachten Klassifikation der Methoden - zwei grundsätzlich verschiedene Zugänge zur Klasse der Diffusionsprozesse. Einmal kann man diese festlegen durch Bedingungen an die Übergangswahrscheinlichkeiten $P(s,x,t,B)$, was wir in diesem Abschnitt tun wollen. Zum anderen kann man den Zustand X_t selbst und dessen zeitliche Veränderung studieren. Dies führt auf eine stochastische Differentialgleichung für X_t. Beide Wege enden - wie sich im Kapitel 9 zeigen wird - im wesentlichen bei derselben Prozeßklasse.

(2.5.1) **Definition.** Ein Markov-Prozeß X_t, $t_0 \leqq t \leqq T$, mit Werten im R^d und fast sicher stetigen Realisierungen heißt Diffusionsprozeß, wenn für seine Übergangswahrscheinlichkeit $P(s, x, t, B)$ für jedes $s \in [t_0, T)$, $x \in R^d$ und $\varepsilon > 0$ folgende drei Bedingungen gelten:

a) $$\lim_{t \downarrow s} \frac{1}{t-s} \int_{|y-x|>\varepsilon} P(s, x, t, dy) = 0.$$

b) Es gibt eine R^d-wertige Funktion $f(s, x)$ mit

$$\lim_{t \downarrow s} \frac{1}{t-s} \int_{|y-x| \leqq \varepsilon} (y-x) P(s, x, t, dy) = f(s, x).$$

c) Es gibt eine $d \times d$-matrixwertige Funktion $B(s, x)$ mit

$$\lim_{t \downarrow s} \frac{1}{t-s} \int_{|y-x| \leqq \varepsilon} (y-x)(y-x)' P(s, x, t, dy) = B(s, x).$$

Die Funktionen f und B heißen die Koeffizienten des Diffusionsprozesses. Speziell heißt f Driftvektor und B Diffusionsmatrix. $B(s, x)$ ist symmetrisch und nicht-negativ definit.

(2.5.2) **Bemerkung.** In den Bedingungen a) und b) der Definition (2.5.1) mußten wir abgeschnittene Momente benutzen, da $E_{s,x} X_t$ bzw. $E_{s,x} X_t X_t'$ nicht notwendig existieren müssen. Gilt jedoch für ein $\delta > 0$

$$\lim_{t \downarrow s} \frac{1}{t-s} E_{s,x} |X_t - X_s|^{2+\delta} = \lim_{t \downarrow s} \frac{1}{t-s} \int_{R^d} |y-x|^{2+\delta} P(s, x, t, dy) = 0,$$

so ist wegen

$$\int_{|y-x|>\varepsilon} |y-x|^k P(s, x, t, dy) \leqq \frac{1}{\varepsilon^{2+\delta-k}} \int_{R^d} |y-x|^{2+\delta} P(s, x, t, dy)$$

für $k = 0, 1, 2$ die Bedingung a) automatisch erfüllt, und in den Bedingungen b) und c) kann man als Integrationsbereich den R^d wählen.

(2.5.3) **Bemerkung.** Wir wollen uns klarmachen, was die Bedingung a), b) und c) in Definition (2.5.1) anschaulich bedeuten. Bedingung a) macht große Veränderungen von X_t in kurzer Zeit unwahrscheinlich,

$$P(|X_t - X_s| \leqq \varepsilon \,|\, X_s = x) = 1 - o(t-s).$$

Denken wir uns einmal in b) und c) die abgeschnittenen Momente durch gewöhnliche ersetzt, so gilt für die ersten beiden Momente des Zuwachses $X_t - X_s$ unter der Bedingung $X_s = x$ für $t \downarrow s$

$$E_{s,x}(X_t - X_s) = f(s, x)(t-s) + o(t-s)$$

und

$$E_{s,x}(X_t - X_s)(X_t - X_s)' = B(s, x)(t-s) + o(t-s),$$

also

$$\mathrm{Cov}_{s,x}(X_t - X_s) = B(s, x)(t-s) + o(t-s),$$

wobei $\mathrm{Cov}_{s,x}(X_t - X_s)$ die Kovarianzmatrix von $X_t - X_s$ bezüglich der Wahrscheinlichkeit $P(s, x, t, \cdot)$ ist. $f(s, x)$ ist also der mittlere Geschwindigkeitsvektor der durch X_t beschriebenen zufälligen Bewegung unter der Voraussetzung $X_s = x$, während $B(s, x)$ ein Maß für die lokale Stärke der Fluktuation von $X_t - X_s$ um den Mittelwert ist. Bei Vernachlässigung der $o(t-s)$-Terme kann man schreiben

$$X_t - X_s \approx f(s, X_s)(t-s) + G(s, X_s)\,\xi$$

mit $E_{s,x}\,\xi = 0$, $\mathrm{Cov}_{s,x}\,\xi = (t-s)\,I$, $G(s, x)$ irgendeine $d \times d$-Matrix mit der Eigenschaft $GG' = B$. Nun haben die Zuwächse $W_t - W_s$ des Wiener-Prozesses die Verteilung $\mathfrak{N}(0, (t-s)\,I)$. Da es uns nur auf die Verteilungen ankommt, können wir schreiben

$$X_t - X_s \approx f(s, X_s)(t-s) + G(s, X_t)(W_t - W_s).$$

Der in der Analysis übliche Übergang zu Differentialen ergibt

$$\mathrm{d}X_t = f(t, X_t)\,\mathrm{d}t + G(t, X_t)\,\mathrm{d}W_t.$$

Dies ist eine stochastische Differentialgleichung, die bei geeigneter Definition von "Lösung" den Diffusionsprozeß X_t, von dem wir ausgegangen sind, als Lösung besitzt.

(2.5.4) **Beispiele.** a) Die gleichförmige Bewegung mit der Geschwindigkeit v ist ein Diffusionsprozeß mit $f \equiv v$ und $B \equiv 0$.

b) Der Wiener-Prozeß W_t ist ein Diffusionsprozeß mit dem Driftvektor $f \equiv 0$ und der Diffusionsmatrix $B \equiv I$.

2.6 Rückwärts- und Vorwärtsgleichungen

Die entscheidende Eigenschaft der Diffusionsprozesse ist, daß ihre Übergangswahrscheinlichkeit $P(s, x, t, B)$ unter gewissen Regularitätsvoraussetzungen bereits durch die alleinige Vorgabe des Driftvektors und der Diffusionsmatrix eindeutig bestimmt ist. Dies ist insofern überraschend, als f und B nach Definition (2.5.1) nur aus den beiden ersten Momenten von $P(s, x, t, B)$ gewonnen werden, die ja im allgemeinen eine Verteilung nicht festlegen.

Jedem Diffusionsprozeß mit den Koeffizienten f und $B = (b_{ij})$ ist der Differentialoperator zweiter Ordnung

$$\mathfrak{D} \equiv \sum_{i=1}^{d} f_i(s, x)\frac{\partial}{\partial x_i} + \frac{1}{2}\sum_{i=1}^{d}\sum_{j=1}^{d} b_{ij}(s, x)\frac{\partial^2}{\partial x_i\,\partial x_j} \tag{2.6.1}$$

zugeordnet. $\mathfrak{D}\,g$ kann formal für jede zweimal partiell differenzierbare Funktion $g(x)$ gebildet werden und ist durch f und B bestimmt. Nach Abschnitt 2.4 ist jeder Diffusionsprozeß durch seinen infinitesimalen Operator A eindeutig bestimmt. Wir berechnen diesen aus

$$A g(s,x) = \lim_{t \downarrow 0} \frac{1}{t} \int_{R^d} (g(s+t,y) - g(s,x)) P(s,x,t+s,dy) \tag{2.6.2}$$

durch Taylor-Entwicklung von $g(s+t,y)$ um (s,x), unter der Voraussetzung, daß g auf $[t_0, T] \times R^d$ definiert und dort beschränkt und zweimal stetig nach den x_i und einmal nach s differenzierbar ist. Unter Ausnutzung der Bedingungen b) und c) der Definition (2.5.1) erhält man für die rechte Seite von (2.6.2) den Operator $\partial/\partial s + \mathfrak{D}$. Unter gewissen Bedingungen an f und B, die wir ausführlich erst im Abschnitt 9.4 aufführen, gilt für alle Funktionen in D_A

$$A = \frac{\partial}{\partial s} + \mathfrak{D}$$

bzw. für von der Zeit unabhängige Funktionen und den homogenen Fall

$$A = \mathfrak{D}.$$

Der Diffusionsprozeß ist also in diesem Fall durch f und B eindeutig bestimmt. Weiter zeigt sich, daß die ersten Ableitungen in $\mathfrak{D}$ durch systematische Drift, die zweiten Ableitungen jedoch durch lokal irreguläre, "chaotische" Fluktuationsbewegungen entstehen.

In den nächsten Kapiteln werden wir einen rein probabilistischen Weg zur Konstruktion eines Diffusionsprozesses zu gegebenem Operator gehen. Ein rein analytischer Weg führt über

(2.6.3) **Satz.** Sei X_t, $t_0 \leqq t \leqq T$, ein d-dimensionaler Diffusionsprozeß mit stetigen Koeffizienten $f(s,x)$ und $B(s,x)$. Es gelten Limesrelationen in Definition (2.5.1) gleichmäßig in $s \in [t_0, T)$. Sei $g(x)$ eine stetige beschränkte skalare Funktion, so daß

$$u(s,x) = E_{s,x}\, g(X_t) = \int_{R^d} g(y) P(s,x,t,dy)$$

für $s < t$, t fest, $x \in R^d$, nebst seinen Ableitungen $\partial u/\partial x_i$ und $\partial^2 u/\partial x_i \partial x_j$, $1 \leqq i, j \leqq d$, stetig und beschränkt ist. Dann ist $u(s,x)$ nach s differenzierbar und erfüllt die Kolmogorovsche Rückwärtsgleichung

$$\frac{\partial u}{\partial s} + \mathfrak{D} u = 0, \tag{2.6.4}$$

$\mathfrak{D}$ der Operator (2.6.1), mit der Endbedingung

$$\lim_{s \uparrow t} u(s,x) = g(x).$$

Einen Beweis dieses Satzes erhält man wieder durch Taylorentwicklung von u, für Details siehe Gikhman-Skorokhod [5], S. 373. Der Name "Rückwärtsgleichung" kommt daher, weil nach den zeitlich zurückgelegenen Argumenten s und x differenziert wird, im Gegensatz zur Vorwärtsgleichung (siehe Satz (2.6.9)), in der die Übergangsdichte $p(s, x, t, y)$ nach t und y differenziert wird.

(2.6.5) **Bemerkung.** Die Rückwärtsgleichung (2.6.4) gibt uns prinzipiell die Möglichkeit zur Bestimmung der Übergangswahrscheinlichkeit $P(s, x, t, \cdot)$. Diese ist eindeutig bestimmt, wenn wir alle Integrale

$$u(s, x) = \int_{R^d} g(y) \, P(s, x, t, dy)$$

kennen, wobei g eine Menge von Funktionen durchläuft, die im Raum $C(R^d)$ der stetigen und beschränkten Funktionen dicht liegt. Ist für diese g's die Lösung von (2.6.4) eindeutig, so kann man bei bekanntem f und B daraus $u(s, x)$ und damit $P(s, x, t, \cdot)$ berechnen.

(2.6.6) **Satz.** Es gelten die Voraussetzungen des Satzes (2.6.3) über X_t. Besitzt $P(s, x, t, \cdot)$ die in s stetige Dichte $p(s, x, t, y)$, und existieren die Ableitungen $\partial p/\partial x_i$ und $\partial^2 p/\partial x_i \, \partial x_j$ und sind stetig in s, so ist p eine sog. Fundamentallösung der Rückwärtsgleichung

$$\frac{\partial p}{\partial s} + \mathfrak{D} \, p = 0,$$

d. h. sie erfüllt die Endbedingung

$$\lim_{s \uparrow t} p(s, x, t, y) = \delta(x-y) \quad (\delta = \text{Diracsche Funktion}).$$

(2.6.7) **Beispiel.** Die Übergangsdichte des Wiener-Prozesses,

$$p(s, x, t, y) = (2\pi(t-s))^{-d/2} \, e^{-|y-x|^2/2(t-s)},$$

ist für festes t und y eine Fundamentallösung der Rückwärtsgleichung

$$\frac{\partial p}{\partial s} + \frac{1}{2} \sum_{i=1}^{d} \frac{\partial^2 p}{\partial x_i^2} = 0.$$

(2.6.8) **Bemerkung.** Ist X_t ein *homogener* Prozeß, dann sind die Koeffizienten $f(s, x) \equiv f(x)$ und $B(s, x) \equiv B(x)$ (und damit der Operator $\mathfrak{D}$) unabhängig von s. Wegen $P(s, x, t, B) = P(t-s, x, B)$ ändert sich in der Rückwärtsgleichung etwa für die Dichte $p(s, x, y)$ das Vorzeichen von $\partial p/\partial s$, d. h. es gilt

$$-\frac{\partial p}{\partial s} + \mathfrak{D} \, p = 0.$$

(2.6.9) **Satz.** Sei X_t, $t_0 \leqq t \leqq T$, ein d-dimensionaler Diffusionsprozeß, für den die Limesrelationen in Definition (2.5.1) gleichmäßig in s und x gelten, und der eine Übergangsdichte $p(s, x, t, y)$ besitzt. Existieren die Ableitungen $\partial p/\partial t$, $\partial(f_i(t, y) \, p)/\partial y_i$ und $\partial^2(b_{ij}(t, y) \, p)/\partial y_i \, \partial y_j$ als stetige Funktionen, dann ist für festes s und x, $s \leqq t$, $p(s, x, t, y)$ eine Fundamentallösung der Kolmogorovschen Vorwärts- oder Fokker-Planck-Gleichung

$$(2.6.10) \qquad \frac{\partial p}{\partial t}+\sum_{i=1}^{d} \frac{\partial}{\partial y_i}(f_i(t,y)\,p)-\frac{1}{2}\sum_{i=1}^{d}\sum_{j=1}^{d}\frac{\partial^2}{\partial y_i\,\partial y_j}(b_{ij}(t,y)\,p)=0.$$

Für einen Beweis verweisen wir wieder auf Gikhman-Skorokhod [5], S. 375.

Legen wir die Verteilung von X_{t_0} durch die Startwahrscheinlichkeit P_{t_0} fest, so bekommt man aus $p(s, x, t, y)$ die Wahrscheinlichkeitsdichte $p(t, y)$ von X_t selbst durch

$$p(t,y) = \int_{R^d} p(t_0, x, t, y)\, P_{t_0}(\mathrm{d}x).$$

Wenden wir die Integration bezüglich $P_{t_0}(\mathrm{d}x)$ auf (2.6.10) an, so ergibt sich, daß auch $p(t, y)$ die Vorwärtsgleichung erfüllt.

(2.6.11) **Beispiel.** Für den Wiener-Prozeß lautet die Vorwärtsgleichung für die homogene Übergangsdichte

$$p(t,x,y)=(2\pi t)^{-d/2}\, e^{-|y-x|^2/2t}$$

$$\frac{\partial p}{\partial t}=\frac{1}{2}\sum_{i=1}^{d}\frac{\partial^2 p}{\partial y_i^2},$$

die in diesem Fall identisch mit der Rückwärtsgleichung ist, wenn x durch y ersetzt wird.

Kapitel 3

Wiener-Prozeß und weißes Rauschen

3.1 Der Wiener-Prozeß

Wir wollen nun die wichtigsten Eigenschaften des im Abschnitt 2.3 definierten d-dimensionalen Wiener-Prozesses W_t zusammentragen. Dieser Prozeß, ein mathematisches Modell für die Brownsche Bewegung eines freien Partikels bei vernachlässigter Reibung, ist ein räumlich und zeitlich homogener Diffusionsprozeß mit dem Driftvektor $f \equiv 0$ und der Diffusionsmatrix $B \equiv I$. Eine anschauliche Vorstellung von diesem Prozeß ist besonders wichtig, weil er sich als fundamentaler Baustein aller (glatten) Diffusionsprozesse herausstellen wird. Dies ist bereits bei der heuristischen Ableitung der stochastischen Differentialgleichung im Abschnitt 2.5 sichtbar geworden.

Da W_t ein Markov-Prozeß ist, sind sämtliche Verteilungen von W_t nach Formel (2.2.6) durch die Anfangsbedingung

$$W_0 = 0$$

und die stationäre Übergangsdichte

$$p(t, x, y) = n(t, x, y) = (2\pi t)^{-d/2} \exp(-|y-x|^2/2t)$$

festgelegt. Daraus ergibt sich die Dichte $p(t, y)$ von W_t selbst als

$$p(t, y) = n(t, y) = n(t, 0, y) = (2\pi t)^{-d/2} \exp(-|y|^2/2t).$$

Das ist die Dichte der d-dimensionalen Normalverteilung $\mathfrak{N}(0, tI)$. Die n-dimensionale Verteilung von W_t, $P[W_{t_1} \in B_1, \dots, W_{t_n} \in B_n]$, $0 < t_1 < \dots < t_n$, besitzt dann nach Formel (2.2.6) die Dichte

Lemma (3.1.1) $$n(t_1, 0, x_1)\, n(t_2 - t_1, x_1, x_2) \dots n(t_n - t_{n-1}, x_{n-1}, x_n).$$

Daß zu diesen endlich-dimensionalen Verteilungen ein stochastischer Prozeß mit stetigen Realisierungen existiert, folgt wegen $E|W_t - W_s|^4 = (d^2 + 2d)(t-s)^2$ sofort aus dem Kriterium von Kolmogorov (Abschnitt 1.8).

Wegen

$$n(t, x, y) = \prod_{i=1}^{d} (2\pi t)^{-1/2} \exp(-|y_i - x_i|^2/2t)$$

sind die d Komponenten von W_t selbst wieder unabhängige eindimensionale Wiener-Prozesse.

Ist $\mathfrak{W}_t = \mathfrak{A}(W_s, s \leqq t)$, so gilt für $s \leqq t$

$$E(W_t | \mathfrak{W}_s) = E(W_t | W_s) = \int_{R^d} x\, n(t-s, W_s, x)\, dx = W_s,$$

d.h. W_t ist ein d-dimensionales Martingal.

Von grundlegender Wichtigkeit ist noch folgende Eigenschaft: W_t hat unabhängige Zuwächse, d.h. für $0 < t_1 < \ldots < t_n$ sind die Zufallsgrößen

$$W_{t_1}, W_{t_2} - W_{t_1}, \ldots, W_{t_n} - W_{t_{n-1}}$$

unabhängig. Dabei hat $W_t - W_s$ $(s < t)$ die nur von $t-s$ abhängige Verteilung $\mathfrak{N}(0, (t-s) I)$, d.h. die Zuwächse sind stationär. Die beiden letzten Behauptungen folgen sofort aus (3.1.1), wenn man berücksichtigt, daß $n(s, x, t, y) = n(t-s, x, y)$ in unserem Fall nur von $y-x$ und $t-s$ abhängt.

Übrigens kann der Wiener-Prozeß auch *definiert* werden als Prozeß mit unabhängigen und stationären $\mathfrak{N}(0, (t-s) I)$ - verteilten Zuwächsen $W_t - W_s$, dem Anfangswert $W_0 = 0$ und fast sicher stetigen Realisierungen.

Die Tatsache, daß W_t ein Prozeß mit unabhängigen und stationären Zuwächsen ist, gestattet die Anwendung der Grenzwertsätze für Summen unabhängiger, identisch verteilter Zufallsgrößen, woraus wir wertvolle Informationen über die Größenordnung der Realisierungen von W_t gewinnen können. Das starke Gesetz der großen Zahlen besagt

$$\lim_{t \to \infty} \frac{W_t}{t} = 0 \quad \text{mit Wahrscheinlichkeit 1.}$$

Die wahre Größenordnung der Realisierungen folgt aus dem Gesetz vom iterierten Logarithmus: Es gilt für $d = 1$ (d.h. für jede einzelne Komponente eines d-dimensionalen Wiener-Prozesses)

$$\limsup_{t \to \infty} \frac{W_t}{\sqrt{2t \log \log t}} = 1$$

und

$$\liminf_{t \to \infty} \frac{W_t}{\sqrt{2t \log \log t}} = -1,$$

beides mit Wahrscheinlichkeit 1. Dies bedeutet, daß es für jedes $\varepsilon > 0$ und für fast jede Realisierung $W_t(\omega)$ einen Zeitpunkt $t_0(\omega)$ gibt, von dem ab immer

$$-(1+\varepsilon)\sqrt{2t \log \log t} \leqq W_t(\omega) \leqq (1+\varepsilon)\sqrt{2t \log \log t}$$

gilt. Andererseits werden die Schranken $(1-\varepsilon)\sqrt{2t \log \log t}$ bzw. $-(1-\varepsilon)\sqrt{2t \log \log t}$ $(0 < \varepsilon < 1)$ für fast jede Realisierung für $t \to \infty$ immer wieder einmal überschritten.

Für den d-dimensionalen Wiener-Prozeß gilt allgemein

$$\text{(3.1.2)} \qquad \limsup_{t\to\infty} \frac{|W_t|}{\sqrt{2\,t\,\log\log t}} = 1,$$

was insofern etwas überraschend ist, als es bedeutet, daß die einzelnen (unabhängigen!) Komponenten von W_t *nicht gleichzeitig* von der Ordnung $\sqrt{2\,t\,\log\log t}$ sind. Denn sonst würde in (3.1.2) rechts $\sqrt{d}$ stehen. Für eine Verallgemeinerung siehe Satz (7.2.5).

Die Gleichung (3.1.2) wird jedoch plausibel durch die Rotationsinvarianz von W_t. Es gilt

(3.1.3) **Lemma.** a) W_t ist ein Gaußscher stochastischer Prozeß mit Erwartungswert $E\,W_t = 0$ und Kovarianzmatrix

$$E\,W_t\,W_s' = \min(t, s)\,I.$$

b) W_t ist invariant gegenüber Rotationen im R^d, d.h. mit W_t ist auch

$$V_t = U\,W_t, \quad U \text{ orthogonale Matrix},$$

ein Wiener Prozeß.

c) Mit W_t sind auch die Prozesse $-W_t$, $c\,W_{t/c^2}$ $(c \neq 0)$, $t\,W_{1/t}$ und $W_{t+s} - W_s$ (s fest, $t \geqq 0$) Wiener-Prozesse.

Mit Lemma (3.1.3 c) sind wir nun in der Lage, auch das lokale Verhalten von W_t zu studieren.

Die Anwendung des Gesetzes vom iterierten Logarithmus auf $t\,W_{1/t}$ ergibt für $d = 1$ (und damit wieder für jede Komponente eines d-dimensionalen Wiener-Prozesses)

$$\limsup_{t\downarrow 0} \frac{W_t}{\sqrt{2\,t\,\log\log 1/t}} = 1$$

und

$$\liminf_{t\downarrow 0} \frac{W_t}{\sqrt{2\,t\,\log\log 1/t}} = -1,$$

für ein d-dimensionales W_t

$$\limsup_{t\downarrow 0} \frac{|W_t|}{\sqrt{2\,t\,\log\log 1/t}} = 1,$$

für fast alle Realisierungen. Dies hat z.B. zur Folge, daß jede Komponente von W_t in einem Intervall der Form $[0, \varepsilon)$, $\varepsilon > 0$, mit Wahrscheinlichkeit 1 unendlich viele Nullstellen hat, die sich im Punkt $t = 0$ häufen. Dieses Verhalten zeigt sich an jeder Stelle $s \geqq 0$, da nach Lemma (3.1.3) c) mit W_t auch $W_{t+s} - W_s$ (s fest, $t \geqq 0$) ein (sogar von W_t, $t \leqq s$, unabhängiger) Wiener-Prozeß ist.

Fast alle Realisierungen des Wiener-Prozesses sind zwar stetig, jedoch nach einem Satz von N. Wiener *nirgends differenzierbare* Funktionen. Einen Beweis für diese und die meisten der vorher für W_t aufgeführten Tatsachen findet man z. B. bei McKean [45]. Für eine feste Stelle t macht man sich die Nicht-Differenzierbarkeit wie folgt klar: Die Verteilung des Differenzenquotienten $(W_{t+h}-W_t)/h$ ist $\mathfrak{N}(0,(1/|h|)\,I)$. Für $h\rightarrow 0$ läuft diese Normalverteilung auseinander, so daß für jede beschränkte meßbare Menge B gilt

$$P\,[(W_{t+h}-W_t)/h\in B]\longrightarrow 0\quad (h\longrightarrow 0).$$

Der Differenzenquotient kann also nicht mit positiver Wahrscheinlichkeit gegen eine endliche Zufallsgröße konvergieren.

Genauere Informationen erhalten wir aus dem Gesetz vom iterierten Logarithmus. Für $d=1$ (und damit wieder für jede einzelne Komponente eines mehrdimensionalen Prozesses) erhalten wir für fast jede Realisierung, beliebiges ε, $0<\varepsilon<1$, und $h\downarrow 0$

$$\frac{W_{t+h}-W_t}{h}\geqq(1-\varepsilon)\sqrt{\frac{2\log\log 1/h}{h}}\quad\text{unendlich oft,}$$

und gleichzeitig

$$\frac{W_{t+h}-W_t}{h}\leqq(-1+\varepsilon)\sqrt{\frac{2\log\log 1/h}{h}}\quad\text{unendlich oft.}$$

Da die rechten Seiten für $h\downarrow 0$ nach $+\infty$ bzw. $-\infty$ konvergieren, besitzt also $(W_{t+h}-W_t)/h$ mit Wahrscheinlichkeit 1 für jedes feste t die erweiterte reelle Achse $[-\infty,+\infty]$ als Menge ihrer Häufungspunkte.

Für die durch den Wiener-Prozeß beschriebene Brownsche Bewegung bedeutet die Nicht-Differenzierbarkeit, daß das betrachtete Teilchen zu keiner Zeit eine Geschwindigkeit besitzt. Dieser Nachteil wird ausgeglichen in einem im Abschnitt 8.3 behandelten Modell, dem Ornstein-Uhlenbeck-Prozeß.

Das lokale Gesetz vom iterierten Logarithmus enthüllt also enorme lokale Fluktuationen von W_t. Die für die Schwierigkeiten bei der Definition eines Stieltjes-Integrals bezüglich W_t entscheidende Eigenschaft ist, daß jedes Stück fast jeder Realisierung von W_t in einem endlichen Zeitintervall nicht von beschränkter Schwankung ist, d. h. unendliche Länge besitzt. Dies ist eine Konsequenz des folgenden präziseren Resultats.

(3.1.4) **Lemma.** Sei W_t ein d-dimensionaler Wiener-Prozeß und $s=t_0^{(n)}<t_1^{(n)}<\ldots<t_n^{(n)}=t$ eine Folge von Zerlegungen des Intervalls $[s,t]$ mit $\delta_n=\max\,(t_k^{(n)}-t_{k-1}^{(n)})$. Dann gilt (wir schreiben kurz t_k für $t_k^{(n)}$)

$$\text{(3.1.5)}\qquad \operatorname*{qm-lim}_{\delta_n\to 0}\sum_{k=1}^{n}(W_{t_k}-W_{t_{k-1}})(W_{t_k}-W_{t_{k-1}})'=(t-s)\,I,$$

wobei die Konvergenz der Matrizen elementweise verstanden wird. Insbesondere ist

$$\text{(3.1.6)} \qquad \underset{\delta_n \to 0}{\text{qm-lim}} \sum_{k=1}^{n} |W_{t_k} - W_{t_{k-1}}|^2 = d\,(t-s).$$

Geht δ_n so schnell gegen 0, daß sogar $\sum \delta_n < \infty$ ist, so findet die Konvergenz in (3.1.5) und (3.1.6) auch mit Wahrscheinlichkeit 1 statt.

Beweis. Ist W_t^i, $i=1, \ldots, d$, die i-te Komponente von W_t, so gilt mit

$$S_n^{ij} = \sum_{k=1}^{n} (W_{t_k}^i - W_{t_{k-1}}^i)(W_{t_k}^j - W_{t_{k-1}}^j)$$

$$E\,(S_n^{ij}) = (t-s)\,\delta_{ij}$$

und

$$V\,(S_n^{ij}) = \sum_{k=1}^{n} (E\,(W_{t_k}^i - W_{t_{k-1}}^i)^2 (W_{t_k}^j - W_{t_{k-1}}^j)^2 - \delta_{ij}\,(t_k - t_{k-1})^2)$$

$$= (1+\delta_{ij}) \sum_{k=1}^{n} (t_k - t_{k-1})^2$$

$$\leqq 2\,(t-s)\,\delta_n \longrightarrow 0 \quad (\delta_n \longrightarrow 0),$$

womit (3.1.5) bewiesen ist. Wendet man auf beide Seiten von (3.1.5) den Spur-Operator an, so erhält man (3.1.6).

Aus $\sum \delta_n < \infty$ folgt $\sum_n V\,(S_n^{ij}) < \infty$, was nach Abschnitt 1.4 für die fast sichere Konvergenz in (3.1.5) hinreicht, q. e. d.

Betrachten wir also z. B. die Zerlegung mit den Zwischenpunkten $t_k^{(n)} = s + (t-s)\,k/2^n$, $k=0, 1, \ldots, 2^n$, $n = 1, 2, \ldots$, so konvergiert die linke Seite in

$$\sum_{k=1}^{2^n} |W_{t_k} - W_{t_{k-1}}|^2 \leqq \max_{k=1,\ldots,2^n} |W_{t_k} - W_{t_{k-1}}| \sum_{k=1}^{2^n} |W_{t_k} - W_{t_{k-1}}|$$

wegen $\delta_n = (t-s)\,2^{-n}$, $\sum \delta_n < \infty$, für $n \longrightarrow \infty$ für fast jede Realisierung gegen die endliche Zufallsgröße $d\,(t-s)$. Aus der fast sicheren Stetigkeit der Realisierungen folgt aber

$$\max_{k=1,\ldots,2^n} |W_{t_k} - W_{t_{k-1}}| \longrightarrow 0 \quad (n \longrightarrow \infty),$$

weshalb notwendigerweise

$$\sum_{k=1}^{2^n} |W_{t_k} - W_{t_{k-1}}| \longrightarrow \infty \quad (n \longrightarrow \infty)$$

mit Wahrscheinlichkeit 1 gelten muß. D. h. fast alle Realisierungen von W_t sind in jedem endlichen Intervall nicht von beschränkter Schwankung.

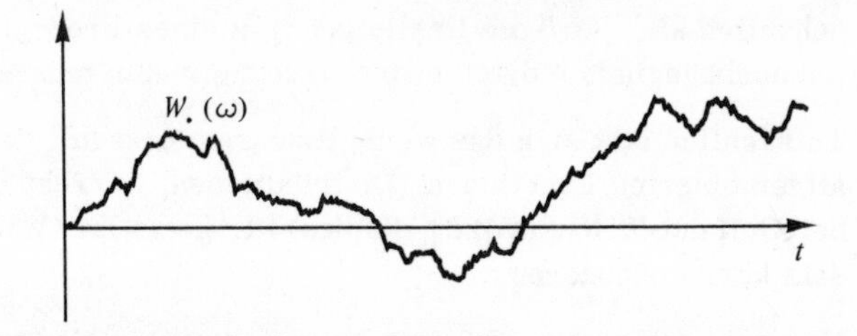

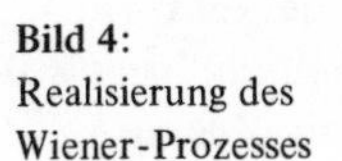
Bild 4:
Realisierung des
Wiener-Prozesses

(3.1.7) **Bemerkung.** Die Beziehungen (3.1.5) und (3.1.6) geben Anlaß zu der besonders im Fall $d = 1$ häufig benutzten symbolischen Schreibweise

$$(\mathrm{d}W_t)\,(\mathrm{d}W_t') = I\,\mathrm{d}t$$

bzw. für $d = 1$

$$(\mathrm{d}W_t)^2 = \mathrm{d}t.$$

3.2 Weißes Rauschen

Wir beschränken uns zunächst auf den eindimensionalen Fall. Das sog. (Gaußsche) weiße Rauschen wird in der Ingenieurliteratur üblicherweise aufgefaßt als stationärer Gaußscher stochastischer Prozeß ξ_t, $-\infty < t < \infty$, mit Mittelwert $E\,\xi_t = 0$ und einer auf der gesamten reellen Achse konstanten Spektraldichte $f(\lambda)$. Ist $E\,\xi_s\,\xi_{t+s} = C(t)$ die Kovarianzfunktion von ξ_t, so muß also gelten

$$(3.2.1) \qquad f(\lambda) = \frac{1}{2\pi}\int_{-\infty}^{\infty} \mathrm{e}^{-i\lambda t}\, C(t)\,\mathrm{d}t = \frac{c}{2\pi} \quad \text{für alle } \lambda \in R^1$$

mit einer gewissen positiven Konstanten c, die wir ohne Beschränkung der Allgemeinheit gleich 1 setzen.

Ein solcher Prozeß hat also ein Spektrum, an dem alle Frequenzen mit gleicher Intensität beteiligt sind, also ein "*weißes*" Spektrum (in Analogie zum "weißen Licht" in der Optik, das alle Frequenzen des sichtbaren Lichts gleichmäßig enthält). Ein derartiger Prozeß existiert jedoch nicht im traditionellen Sinne, denn (3.2.1) ist nur vereinbar mit der Wahl

$$C(t) = \delta(t), \quad \delta \text{ Diracsche Delta-Funktion.}$$

Insbesondere wäre

$$C(0) = E\,\xi_t^2 = \int_{-\infty}^{\infty} f(\lambda)\,\mathrm{d}\lambda = \infty.$$

Wegen $C(t) = 0\;(t \neq 0)$ wären die Werte ξ_s und ξ_{s+t} für beliebig kleine Werte von t unkorreliert (und da der Prozeß Gaußsch ist, sogar unabhängig), was den Namen "rein zufälliger Prozeß" erklärt. Es ist anschaulich klar, daß die Realisierungen eines Prozesses mit zu allen Zeiten unabhängigen Werten enorm irregulär sein müssen.

Tatsächlich läßt sich das weiße Rauschen erst mit der Theorie der verallgemeinerten Funktionen (Distributionen) korrekt beschreiben, was z.B. bei Gelfand-Wilenkin [22], Kapitel III, getan ist. Wir wollen diesen Ansatz kurz diskutieren.

Man geht davon aus, daß man bei jeder realen Messung der Werte einer Funktion $f(t)$ auf Grund der Trägheit des Meßinstruments lediglich einen gemittelten Wert

$$(3.2.2) \qquad \Phi_f(\varphi) = \int_{-\infty}^{\infty} \varphi(t) f(t)\, dt$$

erhält, wobei $\varphi(t)$ eine das Meßinstrument charakterisierende Funktion ist. Das Funktional Φ_f hängt linear und stetig von φ ab. Es ist die zu f gehörige verallgemeinerte Funktion.

Infolge der glättenden Wirkung des Meßinstruments erhält man einen Wert für das Integral (3.2.2) auch dann noch, wenn die Werte von f in den einzelnen Punkten gar nicht existieren. Das führt zu folgender allgemeiner Definition.

Sei K der Raum aller beliebig oft differenzierbaren Funktionen $\varphi(t)$, $t \in R^1$, die außerhalb eines beschränkten Intervalls (das im allgemeinen von $\varphi(t)$ abhängt) identisch verschwinden. Eine Folge $\varphi_1(t), \varphi_2(t), \ldots$ solcher Funktionen heißt konvergent gegen $\varphi(t) \equiv 0$, wenn alle diese Funktionen außerhalb ein und desselben beschränkten Gebiets verschwinden und nebst ihren sämtlichen Ableitungen (im üblichen Sinne) gleichmäßig gegen 0 konvergieren. Jedes stetige lineare Funktional Φ auf dem Raum K heißt verallgemeinerte Funktion (oder Distribution). Die verallgemeinerte Funktion definiert durch

$$\Phi(\varphi) = \varphi(t_0), \quad \text{alle } \varphi \in K,\ t_0 \in R^1 \text{ fest},$$

heißt Diracsche Delta-Funktion und wird mit $\delta(t-t_0)$ bezeichnet. Im Gegensatz zu den klassischen Funktionen haben verallgemeinerte Funktionen immer Ableitungen jeder Ordnung, die ebenfalls wieder verallgemeinerte Funktionen sind. Dabei verstehen wir unter der Ableitung $\dot{\Phi}$ von Φ die durch

$$\dot{\Phi}(\varphi) = -\Phi(\dot{\varphi})$$

definierte verallgemeinerte Funktion.

Ein verallgemeinerter stochastischer Prozeß ist nun einfach eine zufällige verallgemeinerte Funktion, und zwar in folgendem Sinne: Jedem $\varphi \in K$ ist eine Zufallsgröße $\Phi(\varphi)$ zugeordnet (in anderen Worten: $\Phi(\varphi)$ ist ein gewöhnlicher stochastischer Prozeß mit der Parametermenge K), so daß

1. das Funktional Φ auf K mit Wahrscheinlichkeit 1 **linear** ist, d.h. für beliebige Elemente $\varphi, \psi \in K$ und beliebige Zahlen α und β mit Wahrscheinlichkeit 1 gilt

$$\Phi(\alpha\varphi + \beta\psi) = \alpha\Phi(\varphi) + \beta\Phi(\psi),$$

und

2. $\Phi(\varphi)$ **stetig** ist in folgendem Sinne: Die Konvergenz der Funktionen φ_{kj} gegen φ_k im Raum K, $k = 1, 2, \dots, n$, $j \to \infty$, impliziert die Konvergenz der Verteilung des Vektors $(\Phi(\varphi_{1j}), \dots, \Phi(\varphi_{nj}))$ gegen die Verteilung von $(\Phi(\varphi_1), \dots, \Phi(\varphi_n))$ im Sinne der im Abschnitt 1.4 definierten Verteilungskonvergenz.

Z.B. gehört zu jedem gewöhnlichen stochastischen Prozeß mit stetigen Realisierungen über die Formel (3.2.2) ein verallgemeinerter stochastischer Prozeß.

Ein verallgemeinerter stochastischer Prozeß heißt **Gaußsch**, wenn für beliebige linear unabhängige Funktionen $\varphi_1, \dots, \varphi_n \in K$ die Zufallsgröße $(\Phi(\varphi_1), \dots, \Phi(\varphi_n))$ normalverteilt ist. Wie im klassischen Falle ist ein verallgemeinerter Gaußscher Prozeß durch das stetige lineare Mittelwertfunktional

$$E\,\Phi(\varphi) = m(\varphi)$$

und das stetige bilineare positiv definite Kovarianzfunktional

$$E\,(\Phi(\varphi) - m(\varphi))\,(\Phi(\psi) - m(\psi)) = C(\varphi, \psi)$$

eindeutig bestimmt.

Einer der wesentlichen Vorteile eines verallgemeinerten stochastischen Prozesses ist nun, daß seine Ableitung stets existiert und wieder ein verallgemeinerter stochastischer Prozeß ist, und zwar ist die Ableitung $\dot{\Phi}$ von Φ der durch die Festsetzung

$$\dot{\Phi}(\varphi) = -\Phi(\dot{\varphi})$$

definierte Prozeß. Die Ableitung eines Gaußschen Prozesses mit Mittelwert $m(\varphi)$ und Kovarianz $C(\varphi, \psi)$ ist wieder ein Gaußscher Prozeß, und zwar mit Mittelwert $\dot{m}(\varphi) = -m(\dot{\varphi})$ und Kovarianz $C(\dot{\varphi}, \dot{\psi})$.

Wir betrachten als Beispiel den Wiener-Prozeß und seine Ableitung. Aus der Darstellung

$$\Phi(\varphi) = \int_{-\infty}^{\infty} \varphi(t)\, W_t\, \mathrm{d}t$$

(wir setzen $W_t \equiv 0$ für $t < 0$) entnehmen wir sofort, daß für W_t, betrachtet als verallgemeinerter Gaußscher stochastischer Prozeß, gilt

$$m(\varphi) \equiv 0$$

und

$$C(\varphi, \psi) = \int_0^\infty \int_0^\infty \min(t, s)\, \varphi(t)\, \psi(s)\, dt\, ds.$$

Nach einigen elementaren Umformungen und partieller Integration erhält man hieraus

$$C(\varphi, \psi) = \int_0^\infty (\hat{\varphi}(t) - \hat{\varphi}(\infty))\, (\hat{\psi}(t) - \hat{\psi}(\infty))\, dt$$

mit

$$\hat{\varphi}(t) = \int_0^t \varphi(s)\, ds, \quad \hat{\psi}(t) = \int_0^t \psi(s)\, ds.$$

Wir berechnen nun die Ableitung des Wiener-Prozesses. Diese ist ein verallgemeinerter Gaußscher stochastischer Prozeß mit dem Mittelwert $\dot{m}(\varphi) \equiv 0$ und der Kovarianz

$$\begin{aligned} \dot{C}(\varphi, \psi) &= C(\dot{\varphi}, \dot{\psi}) \\ &= \int_0^\infty \varphi(t)\, \psi(t)\, dt. \end{aligned}$$

Diese Formel kann man auch in der Gestalt

$$\dot{C}(\varphi, \psi) = \int_0^\infty \int_0^\infty \delta(t-s)\, \varphi(t)\, \psi(t)\, dt$$

schreiben. Folglich ist die Kovarianzfunktion der Ableitung des Wiener-Prozesses die verallgemeinerte Funktion

$$\dot{C}(s, t) = \delta(t-s).$$

Das ist aber die Kovarianzfunktion des weißen Rauschens! Wir haben also erkannt, daß das weiße Rauschen ξ_t die Ableitung des Wiener-Prozesses W_t ist, sofern man beide Prozesse als verallgemeinerte stochastische Prozesse auffaßt. Dies rechtfertigt die in der Ingenieurliteratur häufig benutzte Schreibweise

(3.2.3a) $\quad \xi_t = \dot{W}_t.$

Natürlich ist umgekehrt auch

(3.2.3b) $\quad W_t = \int_0^t \xi_s\, ds$

im Sinne der Übereinstimmung der Kovarianzfunktionale.

Nach dem oben Gesagten können wir nun *definieren*: Gaußsches weißes Rauschen ξ_t, $t \in R^1$, ist ein verallgemeinerter Gaußscher stochastischer Prozeß Φ_ξ mit dem Mittelwert 0 und dem Kovarianzfunktional

(3.2.4) $$C_\xi(\varphi,\psi) = \int_{-\infty}^{\infty} \varphi(t)\,\psi(t)\,dt.$$

Aus (3.2.4) entnehmen wir

$$C_\xi(\varphi(t), \psi(t)) = C_\xi(\varphi(t+h), \psi(t+h)), \quad h \in R^1,$$

was zur Folge hat, daß für beliebige Funktionen $\varphi_1, \dots, \varphi_n \in K$ die Zufallsgröße $(\Phi_\xi(\varphi_1(t+h)), \dots, \Phi_\xi(\varphi_n(t+h))$ für alle h dieselbe Verteilung besitzt, d.h. das weiße Rauschen ist ein stationärer verallgemeinerter Prozeß. Man kann zeigen, daß er - abgesehen von einem Faktor - das Lebesguesche Maß als Spektralmaß besitzt, also in der Tat eine auf der gesamten reellen Achse konstante Spektraldichte hat.

Weiter entnehmen wir aus (3.2.4)

$$C_\xi(\varphi,\psi) = 0, \quad \text{falls } \varphi(t)\cdot\psi(t) \equiv 0 \text{ ist},$$

d.h. die Zufallsgrößen $\Phi_\xi(\varphi)$ und $\Phi_\xi(\psi)$ sind in diesem Falle unabhängig. Wir sagen, ein verallgemeinerter stochastischer Prozeß mit dieser Eigenschaft besitze in jedem Punkt unabhängige Werte. Die Klasse der stationären verallgemeinerten Prozesse mit in jedem Punkt unabhängigen Werten ist wohlbekannt (siehe Gelfand-Wilenkin [22]). Man erhält sie, grob gesprochen, durch Differentiation der Prozesse mit stationären und unabhängigen Zuwächsen. Alle diese Prozesse können als Modelle für "Rauschen", d.h. für stationäre und schnell fluktuierende Vorgänge dienen. Das "Rauschen" ist "weiß" (d.h. die Spektraldichte ist konstant), wenn das Kovarianzfunktional die Gestalt (3.2.4) besitzt. Neben dem bisher und auch künftig in diesem Buch ausschließlich betrachteten Gaußschen weißen Rauschen gibt es noch weitere wichtige (nicht-Gaußsche) weiße Rauschprozesse, z.B. das sog. Poissonsche weiße Rauschen, das die Ableitung des Poissonprozesses (nach der Subtraktion des Mittelwertes) darstellt.

Obwohl also ein stationärer Gaußscher Prozeß ξ_t mit überall konstanter Spektraldichte im herkömmlichen Sinne nicht existiert, erweist sich ein solches Konzept doch als sehr nützliche mathematische Idealisierung. Außerdem entnehmen wir den Gleichungen (3.2.3a) und (3.2.3b), daß ξ_t sozusagen nur eine Ableitung von einem klassischen stochastischen Prozeß entfernt ist, daß es also nur der glättenden Wirkung einer einmaligen Integration bedarf, um von ξ_t zu einem gewöhnlichen Prozeß, nämlich W_t, zurückzukommen. Letzteres ist auch der Grund dafür, daß man Differentialgleichungen, die weißes Rauschen enthalten, in Integralgleichungen umschreibt.

Für die Behandlung von Integralen der Form

$$\int_{-\infty}^{\infty} f(t)\,\xi_t\,dt,$$

wobei ξ_t nun ein beliebiger verallgemeinerter stochastischer Prozeß mit in jedem Punkt unabhängigen Werten ist, verweisen wir auf die Arbeit von D. A. Dawson [34].

Wegen der Unabhängigkeit der Werte in jedem Punkt eignet sich das weiße Rauschen zur Beschreibung von schnell fluktuierenden zufälligen Vorgängen, bei denen also die Korrelation des Zustandes zur Zeit t mit dem zur Zeit s mit wachsendem $|t-s|$ sehr schnell klein wird. Dies ist z. B. der Fall für die bei der Brownschen Bewegung auf das betrachtete Teilchen wirkende Kraft oder für die durch das thermale Rauschen in einem Stromkreis hervorgerufene Schwankung der Stromstärke.

Das weiße Rauschen ξ_t kann durch einen gewöhnlichen stationären Gaußschen Prozeß X_t, z. B. mit der Kovarianz

$$C(t) = a\,\mathrm{e}^{-b|t|} \quad (a>0,\ b>0)$$

approximiert werden. Ein solcher Prozeß hat die Spektraldichte

$$f(\lambda) = \frac{1}{\pi}\,\frac{a\,b}{b^2+\lambda^2}.$$

Strebt nun $a \to \infty$ und $b \to \infty$, aber so daß $a/b \to 1/2$ strebt, so gilt

$$f(\lambda) \to \frac{1}{2\pi} \quad \text{für alle} \quad \lambda \in R^1$$

und

$$C(t) \to \begin{cases} 0, & t \neq 0, \\ \infty, & t = 0, \end{cases}$$

aber

$$\int_{-\infty}^{\infty} C(t)\,\mathrm{d}t \to 1,$$

also

$$C(t) \to \delta(t),$$

d. h. X_t konvergiert in einem gewissen Sinne gegen ξ_t.

Betrachten wir nun das unbestimmte Integral

$$Y_t = \int_0^t X_s\,\mathrm{d}s,$$

so ist dies wieder ein Gaußscher Prozeß mit $E\,Y_t = 0$ und der Kovarianz

$$E\,Y_t\,Y_s = \int_0^t \int_0^s a\,\mathrm{e}^{-b|u-v|}\,\mathrm{d}u\,\mathrm{d}v.$$

Der obige Grenzübergang liefert

$$E\,Y_t\,Y_s \to \min(t,s),$$

d. h. die Kovarianz des eindimensionalen Wiener-Prozesses W_t, was eine weitere heuristische Rechtfertigung der Formeln (3.2.3) ist.

Nun können wir das d-dimensionale (Gaußsche) weiße Rauschen als Ableitung (im Sinne der verallgemeinerten Funktionen) des d-dimensionalen Wiener-Prozesses definieren. Es ist ein stationärer Gaußscher verallgemeinerter Prozeß mit in jedem Punkt unabhängigen Werten, dem Erwartungswertvektor 0 und der Kovarianzmatrix $\delta(t)I$. Mit anderen Worten: Weißes Rauschen im R^d ist einfach eine Zusammenfassung von d unabhängigen eindimensionalen weißen Rauschprozessen. Die Spektraldichte (nun eine Matrix!) eines solchen Prozesses ist $I/2\pi$.

Etwas allgemeiner wird von manchen Autoren (z. B. Bucy-Joseph [61], Jazwinski [66]) ein d-dimensionaler Gaußscher Rauschprozeß mit Erwartungswert 0 und der Kovarianzmatrix

$$E\,\eta_t\,\eta_s' = Q(t)\,\delta(t-s)$$

betrachtet. Dieser ist nun im allgemeinen nicht mehr stationär, hat aber als "delta-korrelierter" Prozeß in jedem Punkt unabhängige Werte. Wir werden später sehen (Bemerkungen (5.2.4) und (5.4.8)), daß wir uns ohne Beschränkung der Allgemeinheit auf den Standardfall $Q(t)=I$ beschränken können. Man erhält ja η_t aus dem Standard-Rauschprozeß ξ_t durch

$$\eta_t = G(t)\,\xi_t,$$

wobei $G(t)$ irgendeine $d\times d$-matrixwertige Funktion mit $G(t)\,G(t)'=Q(t)$ ist.

Kapitel 4

Stochastische Integrale

4.1 Einleitung

Bei der Untersuchung stochastischer dynamischer Systeme wird man häufig auf Differentialgleichungen der Form

(4.1.1) $\quad \dot{X}_t = f(t, X_t) + G(t, X_t)\, \xi_t$

geführt, wobei man annehmen kann, daß ξ_t weißes Rauschen ist. Hierbei sind X_t und f R^d-wertige Funktionen, $G(t, x) = (G_{ij}(t, x))$ ist eine $d \times m$-Matrix und ξ_t ist m-dimensionales weißes Rauschen.

Nun haben wir im Abschnitt 3.2 gesehen, daß zwar ξ_t kein gewöhnlicher stochastischer Prozeß ist, wohl aber das unbestimmte Integral über ξ_t mit dem m-dimensionalen Wiener-Prozeß W_t identifiziert werden kann,

$$W_t = \int_0^t \xi_s \, ds,$$

in kurzer, symbolischer Schreibweise

$$dW_t = \xi_t \, dt.$$

Die Lösung eines deterministischen Anfangswertproblems

$$\dot{x}_t = f(t, x_t), \quad x_{t_0} = c,$$

ist bekanntlich für eine stetige Funktion $f(t, x)$ äquivalent der Lösung der Integralgleichung

$$x_t = c + \int_{t_0}^t f(s, x_s) \, ds,$$

wofür man durch das klassische Iterationsverfahren eine Lösungskurve bestimmen kann.

Ebenso verwandeln wir nun die Gleichung (4.1.1) in eine Integralgleichung:

(4.1.2) $\quad X_t = c + \int_{t_0}^t f(s, X_s) \, ds + \int_{t_0}^t G(s, X_s)\, \xi_s \, ds.$

Hierbei ist c eine beliebige Zufallsgröße, die auch zu einer vom Zufall unabhängigen Konstanten degenerieren kann. Das erste Integral auf der rechten Seite der Gleichung (4.1.2) kann in der Regel als gewöhnliches Riemann-Integral aufgefaßt werden. Problematisch ist das zweite Integral. Auf Grund der glättenden Wirkung der Integration hoffen wir jedoch wieder, daß Integrale dieser Form für viele Funktionen $G(t, x)$ als gewöhnliche Zufallsgrößen aufgefaßt werden können, was uns die Benutzung verallgemeinerter stochastischer Prozesse ersparen würde. Wir eliminieren nun noch formal das weiße Rauschen aus (4.1.2) mit Hilfe der Beziehung $dW_t = \xi_t\, dt$, schreiben also

$$\int_{t_0}^{t} G(s, X_s)\, \xi_s\, ds = \int_{t_0}^{t} G(s, X_s)\, dW_s, \tag{4.1.3}$$

wodurch (4.1.2) die Form

$$X_t = c + \int_{t_0}^{t} f(s, X_s)\, ds + \int_{t_0}^{t} G(s, X_s)\, dW_s \tag{4.1.4}$$

erhält. Gleichung (4.1.4) wird abkürzend auch in der folgenden differentiellen Form geschrieben:

$$dX_t = f(t, X_t)\, dt + G(t, X_t)\, dW_t. \tag{4.1.5}$$

Da nach Abschnitt 3.1 fast alle Realisierungen von W_t nicht von beschränkter Schwankung sind, können wir das rechte Integral in (4.1.4) im allgemeinen nicht als gewöhnliches Riemann-Stieltjes-Integral auffassen. Man betrachte dazu das im nächsten Abschnitt behandelte Beispiel.

Für feste (d.h. von ω unabhängige) stetig differenzierbare Funktionen g könnte man unter Benutzung der Formel für partielle Integration folgende Definition geben:

$$\int_{t_0}^{t} g(s)\, dW_s = g(t)\, W_t - g(t_0)\, W_{t_0} - \int_{t_0}^{t} \dot{g}(s)\, W_s\, ds. \tag{4.1.6}$$

Dabei ist das letzte Integral ein gewöhnliches Riemann-Integral, berechnet für die einzelnen Realisierungen von W_t.

In vielen praktisch wichtigen Fällen ist die Funktion $G(t, x)$ in der Integralgleichung (4.1.2) jedoch nicht unabhängig von x. Für diesen allgemeinen Fall hat K. Itô [42] eine Definition der Integrale (4.1.3) gegeben, die, wie wir sehen werden, die Definition (4.1.6) als Spezialfall enthält.

4.2 Ein Beispiel

Unser Bestreben ist es nun, das Integral

$$X_t = X_t(\omega) = \int_{t_0}^{t} G(s)\, dW_s = \int_{t_0}^{t} G(s, \omega)\, dW_s(\omega) \quad (0 \leqq t_0 < t, \text{ fest})$$

für eine möglichst breite Klasse von $d \times m$-matrixwertigen zufälligen Funktionen G zu definieren. Hierbei ist W_t ein m-dimensionaler Wiener-Prozeß.

Ist nun $G(\cdot, \omega)$ für fast alle ω hinreichend glatt, so wird es sozusagen nicht in der Lage sein, in die lokalen Irregularitäten der Realisierungen $W_{.}(\omega)$ einzudringen und diese auszuschöpfen.

Z.B. wird man für $G \equiv 1$, $d = m = 1$,

$$\int_{t_0}^{t} 1 \, dW_s = W_t - W_{t_0}$$

setzen, da jede Approximation des Integrals durch Riemann-Stieltjes-Summen der Form

$$S_n = \sum_{i=1}^{n} G(\tau_i)(W_{t_i} - W_{t_{i-1}}), \quad t_0 \leqq t_1 \leqq \ldots \leqq t_n = t, \quad t_{i-1} \leqq \tau_i \leqq t_i,$$

auf diesen Wert führt.

Anders ist die Situation, wenn G ähnlich irregulär ist wie W_t selbst. Wir betrachten dazu als Beispiel $G(t) = W_t$, $d = m = 1$, also das Integral

$$X_t = \int_{t_0}^{t} W_s \, dW_s .$$

Die formale Anwendung der klassischen Regel der partiellen Integration ergibt

$$\int_{t_0}^{t} W_s \, dW_s = (W_t^2 - W_{t_0}^2)/2 . \qquad (4.2.1)$$

Diese Rechnung setzt aber die Existenz des Integrals als gewöhnliches Riemann-Stieltjes-Integral voraus, d.h. die Konvergenz der Summen

$$S_n = \sum_{i=1}^{n} W_{\tau_i}(W_{t_i} - W_{t_{i-1}})$$

bei feiner werdender Zerlegung und *beliebiger* Wahl der Zwischenpunkte τ_i. Wir zeigen aber jetzt, daß der Grenzwert von $\{S_n\}$ wesentlich von der Wahl der Zwischenpunkte abhängt.

Dazu schreiben wir die obige Summe S_n in der Form

$$S_n = W_t^2/2 - W_{t_0}^2/2 - \frac{1}{2} \sum_{i=1}^{n} (W_{t_i} - W_{t_{i-1}})^2$$
$$+ \sum_{i=1}^{n} (W_{\tau_i} - W_{t_{i-1}})^2 + \sum_{i=1}^{n} (W_{t_i} - W_{\tau_i})(W_{\tau_i} - W_{t_{i-1}}).$$

Nach Lemma (3.1.1) gilt mit $\delta_n = \max_i (t_i - t_{i-1})$

$$\underset{\delta_n \to 0}{\text{qm-lim}} \sum_{i=1}^{n} (W_{t_i} - W_{t_{i-1}})^2 = t - t_0.$$

Man bestätigt leicht durch Ausrechnen der beiden ersten Momente, daß gilt

$$\underset{\delta_n \to 0}{\text{qm-lim}} \sum_{i=1}^{n} (W_{t_i} - W_{\tau_i})(W_{\tau_i} - W_{t_{i-1}}) = 0.$$

Für die verbleibende Summe haben wir

$$(4.2.2) \qquad E \sum_{i=1}^{n} (W_{\tau_i} - W_{t_{i-1}})^2 = \sum_{i=1}^{n} (\tau_i - t_{i-1})$$

und

$$V\left(\sum_{i=1}^{n} (W_{\tau_i} - W_{t_{i-1}})^2\right) = 2 \sum_{i=1}^{n} (\tau_i - t_{i-1})^2$$

$$\leqq 2\,(t - t_0)\,\delta_n \longrightarrow 0 \quad (\delta_n \longrightarrow 0).$$

Die Konvergenz von $\{S_n\}$ hängt also vom Verhalten der Summen (4.2.2) ab, die bei entsprechender Wahl der τ_i jeden Wert im Intervall $[0, t - t_0]$ annehmen können. Genauer gilt

$$(4.2.3) \qquad \underset{\delta_n \to 0}{\text{qm-lim}} \left(S_n - \sum_{i=1}^{n} (\tau_i - t_{i-1})\right) = (W_t^2 - W_{t_0}^2)/2 - (t - t_0)/2.$$

Um einen eindeutigen Integralbegriff zu erhalten, ist es deshalb notwendig, eine gewisse Wahl von Zwischenpunkten τ_i *festzulegen*. Natürlich soll die Festlegung so erfolgen, daß das zugehörige Integral sinnvolle und erwünschte Eigenschaften besitzt. Wählen wir z. B.

$$\tau_i = (1 - a)\, t_{i-1} + a\, t_i, \quad 0 \leqq a \leqq 1, \; i = 1, 2, \ldots, n,$$

so erhalten wir aus (4.2.3)

$$(4.2.4) \qquad \underset{\delta_n \to 0}{\text{qm-lim}}\, S_n = (W_t^2 - W_{t_0}^2)/2 + (a - 1/2)(t - t_0)$$

$$= ((a)) \int_{t_0}^{t} W_s \, dW_s.$$

Wählen wir speziell $a = 0$, d. h. $\tau_i = t_{i-1}$, so ergibt sich das in diesem Buch fast ausschließlich behandelte Itôsche oder einfach stochastische Integral. Es ist nach (4.2.4)

$$(4.2.5) \qquad (\text{Itô}) \int_{t_0}^{t} W_s \, dW_s = ((0)) \int_{t_0}^{t} W_s \, dW_s = (W_t^2 - W_{t_0}^2)/2 - (t - t_0)/2.$$

Unter den Integralen (4.2.4) zeichnet sich das Itôsche dadurch aus, daß es (als Funktion der oberen Grenze) ein Martingal ist. Dies sieht man wie folgt: Setzen wir der Einfachheit halber $t_0 = 0$ und

$$X_t = W_t^2/2 + (a - 1/2)\, t,$$

so ist für $t \geqq s$, jeweils mit Wahrscheinlichkeit 1,

$$\begin{aligned} E(X_t|X_u, u\leqq s) &= E(W_t^2|W_u^2/2+(a-1/2)\,u, u\leqq s)/2+(a-1/2)\,t \\ &= E(E(W_t^2|W_u, u\leqq s)|W_u^2/2+(a-1/2)\,u, u\leqq s)/2+(a-1/2)\,t \\ &= E(E(W_t^2|W_s)|W_u^2/2+(a-1/2)\,u, u\leqq s)/2+(a-1/2)\,t \\ &= E(t-s+W_s^2|W_u^2/2+(a-1/2)\,u, u\leqq s)/2+(a-1/2)\,t \\ &= (t-s)/2+(a-1/2)\,t+W_s^2/2 \\ &= X_s+a\,(t-s), \end{aligned}$$

wobei wir verschiedene einfache Eigenschaften der bedingten Erwartung und des Wiener-Prozesses ausgenützt haben. Der Prozeß X_t ist also ein Martingal, d.h. es gilt

$$E(X_t|X_u, u\leqq s) = X_s \quad \text{mit Wahrscheinlichkeit 1,}$$

genau dann, wenn $a = 0$ ist, also für die Itôsche Wahl der Zwischenpunkte. Ebenso gilt $E\,X_t = a\,t \equiv 0$ genau für $a = 0$.

Unbefriedigend ist, daß (4.2.5) nicht mit dem in (4.2.1) durch formale Anwendung der klassischen Regeln erhaltenen Wert übereinstimmt. Diesen Nachteil könnte man durch die Wahl $a = 1/2$ beseitigen, wobei man sich jedoch andere schwerwiegende Nachteile dafür eintauscht.

Die Anwendbarkeit der Regeln des klassischen Riemann-Stieltjes-Kalküls war auch die Motivation für die Definition des stochastischen Integrals von R. L. Stratonovich [48]. In unserem Spezialfall ist

$$\begin{aligned} \text{(Strat)} \int_{t_0}^{t} W_s\,dW_s &= \underset{\delta_n\to 0}{\text{qm-lim}} \sum_{i=1}^{n} \frac{W_{t_{i-1}}+W_{t_i}}{2}\,(W_{t_i}-W_{t_{i-1}}) \\ &= ((1/2)) \int_{t_0}^{t} W_s\,dW_s = (W_t^2-W_{t_0}^2)/2. \end{aligned}$$

Wir werden im Kapitel 10 darauf zurückkommen und eine Umrechnungsformel angeben.

4.3 Nicht vorgreifende Funktionen

Bei dem im vorhergehenden Abschnitt betrachteten Beispiel gehört zu jeder Zerlegung des Intervalls $[t_0, t]$, $t_0<t_1<\ldots<t_n=t$ und zu jeder Wahl von Zwischenpunkten $\tau_i \in [t_{i-1}, t_i]$ eine den Integranden W_s approximierende Treppenfunktion

$$W_s^{(n)} = \begin{cases} \sum_{i=1}^{n} W_{\tau_i}\, I_{[t_{i-1}, t_i]}(s), & t_0 \leqq s < t, \\ W_t, & s=t. \end{cases}$$

Für $\delta_n = \max(t_i - t_{i-1}) \to 0$ haben wir wegen der Stetigkeit von W_s

$$\text{fs-lim}\, W_s^{(n)} = W_s \quad \text{gleichmäßig in } [t_0, t],$$

und zwar unabhängig von der Wahl der Zwischenpunkte τ_i.

Definieren wir jedoch das Integral der approximierenden Treppenfunktion $W_s^{(n)}$ bezüglich W_s vernünftigerweise durch die zugehörige Riemann-Stieltjes-Summe

$$\int_{t_0}^{t} W_s^{(n)}\, dW_s = S_n = \sum_{i=1}^{n} W_{\tau_i} (W_{t_i} - W_{t_{i-1}}),$$

so hängen Existenz und Größe des Grenzwerts der S_n wesentlich von den Zwischenpunkten τ_i ab.

Die Itôsche Wahl der Zwischenpunkte, nämlich $\tau_i = t_{i-1}$, hat nun als einzige die Eigenschaft, daß der Wert der zugehörigen approximierenden Treppenfunktion $W_.^{(n)}$ zu jeder festen Zeit $s \in [t_0, t]$ aus der Kenntnis der Werte $W_.$ von t_0 bis zum Zeitpunkt s ermittelt werden kann (tatsächlich genügt sogar die Kenntnis von $W_{t_{i-1}}$, um $W_s^{(n)}$ für $s \in [t_{i-1}, t_i)$ zu bestimmen). Mit anderen Worten: $W_s^{(n)}$ ist $\mathfrak{W}[t_0, s]$-meßbar, wobei

$$\mathfrak{W}[t_0, s] = \mathfrak{A}(W_u;\ t_0 \leqq u \leqq s) \tag{4.3.1}$$

ist. Man sagt, $W_s^{(n)}$ sei eine nicht vorgreifende Funktion von $W_.$.

Das stochastische Integral ist von K. Itô [42] für eine breite Klasse solcher nicht vorgreifenden Funktionen definiert worden, weshalb wir uns nun der allgemeinen Fassung dieses Begriffs zuwenden.

Sei W_t ein m-dimensionaler Wiener-Prozeß, definiert auf dem Wahrscheinlichkeitsraum $(\Omega, \mathfrak{A}, P)$. Sei weiter $t_0 \geqq 0$ fest und $\mathfrak{W}[t_0, t]$ die sigma-Algebra (4.3.1) und

$$\mathfrak{W}_t^+ = \mathfrak{A}(W_s - W_t;\ t \leqq s < \infty).$$

Wir erinnern an die anschauliche Bedeutung dieser beiden sigma-Unteralgebren von $\mathfrak{A}$. Grob gesprochen enthält z.B. $\mathfrak{W}[t_0, t]$ alle diejenigen Ereignisse, die durch Bedingungen an den Verlauf des Prozesses $W_.$ im Intervall $[t_0, t]$ (und nirgends sonst) festgelegt sind.

Da W_t unabhängige Zuwächse besitzt, sind $\mathfrak{W}[t_0, t]$ und $\mathfrak{W}_t^+$ unabhängig.

(4.3.2) **Definition.** Sei $t_0 \geqq 0$ fest. Eine Schar $\mathfrak{F}_t$, $t \geqq t_0$, von sigma-Unteralgebren von $\mathfrak{A}$ heißt nicht vorgreifend (engl. non-anticipating) bezüglich des m-dimensionalen Wiener-Prozesses W_t, wenn sie die drei folgenden Eigenschaften besitzt:

(a) $\mathfrak{F}_s \subset \mathfrak{F}_t \ (t_0 \leqq s \leqq t)$,

(b) $\mathfrak{F}_t \supset \mathfrak{W}[t_0, t] \; (t \geqq t_0)$,

(c) $\mathfrak{F}_t$ ist unabhängig von $\mathfrak{W}_t^+ \; (t \geqq t_0)$.

Bedingung (c) bedeutet z. B. für $t = 0$ wegen $\mathfrak{W}_0^+ = \mathfrak{W}[0, \infty)$ (abgesehen von Nullmengen), daß $\mathfrak{F}_0$ nur Ereignisse enthalten darf, die vom gesamten Wiener-Prozeß W_t, $t \geqq 0$, unabhängig sind.

(4.3.3) **Beispiel.** Die Schar

$$\mathfrak{F}_t = \mathfrak{W}[t_0, t]$$

ist die kleinstmögliche nicht vorgreifende Schar von sigma-Algebren. Doch ist es oft notwendig und zweckmäßig, $\mathfrak{W}[t_0, t]$ durch weitere Ereignisse, die von $\mathfrak{W}_t^+$ unabhängig sind (z. B. Anfangsbedingungen), zu vergrößern. Im Fall stochastischer Differentialgleichungen ist üblicherweise

$$\mathfrak{F}_t = \mathfrak{A}(\mathfrak{W}[t_0, t], c),$$

wobei c eine von $\mathfrak{W}_{t_0}^+$ unabhängige Zufallsgröße ist.

(4.3.4) **Definition.** Eine auf $[t_0, t] \times \Omega$ definierte, in (s, ω) meßbare $d \times m$-matrixwertige Funktion $G = G(s, \omega)$ heißt n i c h t v o r g r e i f e n d (bezüglich einer Schar $\mathfrak{F}_s$ nicht vorgreifender sigma-Algebren), wenn gilt:

$$G(s, .) \text{ ist } \mathfrak{F}_s\text{-meßbar für alle } s \in [t_0, t].$$

Die Menge derjenigen auf $[t_0, t] \times \Omega$ definierten nicht vorgreifenden Funktionen, für die mit Wahrscheinlichkeit 1 die Realisierungen $G(., \omega)$ aus $L_2[t_0, t]$ sind, d. h. mit Wahrscheinlichkeit 1

$$\int_{t_0}^{t} |G(s, \omega)|^2 \, ds < \infty$$

gilt, wird mit $M_2^{d,m}[t_0, t] = M_2[t_0, t]$ bezeichnet. Dabei ist das letzte Integral als Lebesguesches Integral zu interpretieren (das z. B. für stetige Funktionen mit dem Riemannschen Integral übereinstimmt), und es bezeichnet

$$|G| = \left(\sum_{i=1}^{d} \sum_{j=1}^{m} G_{ij}^2 \right)^{1/2} = (\operatorname{tr} G G')^{1/2}$$

die Norm der Matrix G. Es ist $G \in M_2^{d,m}[t_0, t]$ genau dann, wenn für alle i, j $G_{ij} \in M_2^{1,1}[t_0, t]$ ist.

Es gilt außerdem

$$M_2[t_0, s] \supset M_2[t_0, t], \quad t_0 < s \leqq t.$$

Wir setzen

$$M_2 = M_2^{d,m} = \bigcap_{t > t_0} M_2[t_0, t].$$

(4.3.5) **Beispiel.** Jede von ω überhaupt unabhängige Funktion $G(t, \omega) \equiv G(t)$

ist natürlich immer nicht vorgreifend. Eine solche Funktion gehört zu $M_2[t_0, t]$ genau dann, wenn sie zu $L_2[t_0, t]$ gehört.

(4.3.6) **Beispiel.** Die Funktion G ist wegen $\mathfrak{F}_s \supset \mathfrak{W}[t_0, s]$ sicher dann nicht vorgreifend für jede Wahl von $\mathfrak{F}_s$, wenn $G(s,.)$ sogar $\mathfrak{W}[t_0, s]$-meßbar ist, d.h.

$$G(s, \omega) = \bar{G}(s; W_r(\omega), t_0 \leqq r \leqq s), \quad t_0 \leqq s \leqq t,$$

gilt. In diesem Fall ist also $G(s,.)$ ein Funktional der Realisierungen von W_r im Intervall $[t_0, s]$. Ein Beispiel hierfür ist der im Abschnitt 4.2 diskutierte Fall $G(s,.) = W_s$, ein kompliziertes Beispiel

$$G(s,.) = \max_{t_0 \leqq r \leqq s} |W_r|.$$

(4.3.7) **Beispiel.** Für $\mathfrak{F}_s = \mathfrak{W}[t_0, s]$ ist die Funktion

$$G(s,.) = \max_{t_0 \leqq r \leqq 2s} |W_r|$$

sicher *nicht* $\mathfrak{F}_s$-meßbar, d.h. G ist vorgreifend.

(4.3.8) **Bemerkung.** Ist G nicht vorgreifend, so jede meßbare Funktion $g(t, G)$. Außerdem ist $M_2[t_0, t]$ ein linearer Raum.

4.4 Definition des stochastischen Integrals

Das Ziel dieses Abschnitts ist es, das stochastische Integral

$$\int_{t_0}^{t} G \, dW = \int_{t_0}^{t} G(s) \, dW_s = \int_{t_0}^{t} G(s, \omega) \, dW_s(\omega)$$

für beliebige $t \geqq t_0$ und alle $G \in M_2^{d,m}[t_0, t] = M_2[t_0, t]$ zu definieren. Dies wird in zwei Schritten geschehen. In einem ersten Schritt definieren wir das Integral für Treppenfunktionen in $M_2[t_0, t]$. In einem zweiten Schritt wird diese Definition auf ganz $M_2[t_0, t]$ durch Approximation einer beliebigen Funktion durch Treppenfunktionen fortgesetzt.

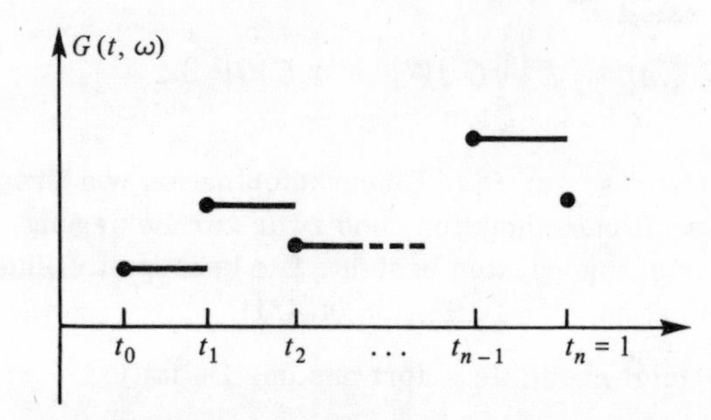

Bild 5:
Nicht vorgreifende Treppenfunktion

Schritt 1. Eine Funktion $G \in M_2[t_0, t]$ heißt Treppenfunktion, wenn es eine Zerlegung $t_0 < t_1 < \ldots < t_n = t$ gibt mit $G(s) = G(t_{i-1})$ (wir unterdrücken die Variable ω!) für alle $s \in [t_{i-1}, t_i)$, $i=1, \ldots, n$. Für solche Treppenfunktionen definieren wir das **stochastische Integral** von G bezüglich W_t als die R^d-wertige Zufallsgröße

$$(4.4.1) \qquad \int_{t_0}^{t} G \, dW = \int_{t_0}^{t} G(s) \, dW_s = \sum_{i=1}^{n} G(t_{i-1}) (W_{t_i} - W_{t_{i-1}}).$$

Einige wichtige Eigenschaften dieses Integrals fassen wir zusammen in

(4.4.2) **Satz.** Es gilt für das stochastische Integral (4.4.1) für jedes feste $t \geqq t_0$

a) $$\int_{t_0}^{t} (a G_1 + b G_2) \, dW = a \int_{t_0}^{t} G_1 \, dW + b \int_{t_0}^{t} G_2 \, dW,$$

$a, b \in R^1$, G_1, G_2 Treppenfunktionen $\in M_2[t_0, t]$.

b) Es ist

$$\int_{t_0}^{t} G \, dW = \begin{pmatrix} \sum_{k=1}^{m} \int_{t_0}^{t} G_{1k}(s) \, dW_s^k \\ \vdots \\ \sum_{k=1}^{m} \int_{t_0}^{t} G_{dk}(s) \, dW_s^k \end{pmatrix}, \quad W_t = \begin{pmatrix} W_t^1 \\ \vdots \\ W_t^m \end{pmatrix}.$$

c) Für $E|G(s)| < \infty$ (alle $t_0 \leqq s \leqq t$) gilt

$$E\left(\int_{t_0}^{t} G \, dW\right) = 0.$$

d) Für $E|G(s)|^2 < \infty$ (alle $t_0 \leqq s \leqq t$) gilt für die $d \times d$-Kovarianzmatrix des stochastischen Integrals (4.4.1)

$$(4.4.3) \qquad E\left(\int_{t_0}^{t} G \, dW\right)\left(\int_{t_0}^{t} G \, dW\right)' = \int_{t_0}^{t} E\, G(s) \, G(s)' \, ds,$$

speziell

$$(4.4.4) \qquad E\left|\int_{t_0}^{t} G \, dW\right|^2 = \int_{t_0}^{t} E\, |G|^2 \, ds.$$

B e w e i s. a) Eine Linearkombination von Treppenfunktionen ist wieder eine Treppenfunktion, und zwar zur Zerlegung, die aus allen beteiligten Zerlegungspunkten besteht. Die behauptete Linearität des Integrals folgt sofort aus der Definition (4.4.1).

b) folgt ebenfalls sofort aus der Definition.

c) Nach (4.4.1) ist

$$E\left(\int_{t_0}^{t} G\,\mathrm{d}W\right)=\sum_{i=1}^{n} E\,G(t_{i-1})\,E(W_{t_i}-W_{t_{i-1}}),$$

weil $G(t_{i-1})$ unabhängig von $W_{t_i}-W_{t_{i-1}}$ ist. Wegen $E(W_{t_i}-W_{t_{i-1}})=0$ folgt die Behauptung.

d) Nach (4.4.1) ist

$$\begin{aligned}E\left(\int_{t_0}^{t} G\,\mathrm{d}W\right)\left(\int_{t_0}^{t} G\,\mathrm{d}W\right)' &= \sum_{i=1}^{n}\sum_{j=1}^{n} E\left[G(t_{i-1})(W_{t_i}-W_{t_{i-1}})(W_{t_j}-W_{t_{j-1}})'\,G(t_{j-1})'\right]\\ &= \sum_{i=1}^{n} E\left[G(t_{i-1})(W_{t_i}-W_{t_{i-1}})(W_{t_i}-W_{t_{i-1}})'\,G(t_{i-1})'\right]\\ &\quad+2\sum_{i<j} E\left[G(t_{i-1})(W_{t_i}-W_{t_{i-1}})(W_{t_j}-W_{t_{j-1}})'\,G(t_{j-1})'\right]\\ &= S_1+S_2.\end{aligned}$$

Ausführlich ist das (k, h)-te Matrixelement c_{kh}^{i} im i-ten Summanden von S_1 gleich

$$\begin{aligned}c_{kh}^{i} &= \sum_{p=1}^{m}\sum_{q=1}^{m} E\,G_{kp}(t_{i-1})(W_{t_i}^{p}-W_{t_{i-1}}^{p})(W_{t_i}^{q}-W_{t_{i-1}}^{q})\,G_{hq}(t_{i-1})\\ &= \sum_{p=1}^{m}\sum_{q=1}^{m} E\left(G_{kp}(t_{i-1})\,G_{hq}(t_{i-1})\right)E\left((W_{t_i}^{p}-W_{t_{i-1}}^{p})(W_{t_i}^{q}-W_{t_{i-1}}^{q})\right),\end{aligned}$$

wobei wir ausgenützt haben, daß G nicht vorgreifend ist. Nun hat W_t-W_s die Verteilung $\mathfrak{N}(0, |t-s|\,I)$, woraus

$$\begin{aligned}c_{kh}^{i} &= \sum_{p=1}^{m} E\left(G_{kp}(t_{i-1})\,G_{hp}(t_{i-1})\right)(t_i-t_{i-1})\\ &= E\left(G(t_{i-1})\,G(t_{i-1})'\right)_{kh}(t_i-t_{i-1})\end{aligned}$$

folgt, also

$$S_1=\sum_{i=1}^{n} E\left(G(t_{i-1})\,G(t_{i-1})'\right)(t_i-t_{i-1})=\int_{t_0}^{t} E\,G(s)\,G(s)'\,\mathrm{d}s.$$

Behandeln wir nun S_2 auf die gleiche Weise und nützen wir wieder aus, daß die Terme $G_{kp}(t_{i-1})(W_{t_i}^{p}-W_{t_{i-1}}^{p})\,G_{hq}(t_{j-1})$ und $W_{t_j}^{q}-W_{t_{j-1}}^{q}$ für $i<j$ unabhängig sind, so erhalten wir

$$S_2=0,$$

insgesamt also das gewünschte Ergebnis. Wegen $\operatorname{tr}(G\,G')=|G|^2$ folgt die Gleichung (4.4.4) aus (4.4.3) mit Hilfe der Spur-Operation, q. e. d.

Man beachte, daß in Satz (4.4.2c) nicht etwa $E\,G(s)=0$ gefordert wird. Das stochastische Integral (4.4.1) hat vielmehr *in jedem Fall* den Erwartungswert 0. Auch die Form der Kovarianzmatrix (4.4.3) ist erstaunlich einfach.

Schritt 2: Definition des stochastischen Integrals für beliebige Funktionen aus $M_2[t_0, t]$:

Dazu beweisen wir zunächst, daß die Treppenfunktionen in $M_2[t_0, t]$ dicht liegen, und zwar im Sinne des folgenden Lemmas.

(4.4.5) **Lemma.** Zu jeder Funktion $G \in M_2[t_0, t]$ gibt es eine Folge von Treppenfunktionen $G_n \in M_2[t_0, t]$, so daß gilt

$$\operatorname*{fs-lim}_{n\to\infty} \int_{t_0}^{t} |G(s)-G_n(s)|^2 \, ds = 0.$$

Beweis. Ist $G(., \omega)$ stetig mit Wahrscheinlichkeit 1, so können wir diese Funktion gleichmäßig und damit erst recht im Sinne des Quadratmittels durch die nicht vorgreifenden Treppenfunktionen

$$G_n(s) = G(t_0 + k(t-t_0)/n),$$
$$t_0 + k(t-t_0)/n \leqq s < t_0 + (k+1)(t-t_0)/n, \quad 0 \leqq k \leqq n,$$

approximieren. Ist G beschränkt durch eine von s und ω unabhängige Konstante c, so gibt es eine Folge $\{G_n\}$ von stetigen Funktionen aus $M_2[t_0, t]$, z.B.

$$G_n(s) = n \int_{t_0}^{s} e^{n(u-s)} G(u) \, du,$$

die gleichmäßig durch die feste Konstante c beschränkt ist und für Lebesgue-fast alle $s \in [t_0, t]$ gegen G konvergiert, dies alles mit Wahrscheinlichkeit 1. Aus dem Satz von der majorisierten Konvergenz angewandt auf die Variable s (s. Abschnitt 1.3) folgt dann auch mit Wahrscheinlichkeit 1 die Konvergenz von G_n gegen G im Sinne von $L_2[t_0, t]$.

Ist G schließlich eine beliebige Funktion aus $M_2[t_0, t]$, so kann man diese durch eine Funktion aus $M_2[t_0, t]$, deren Realisierungen durch eine Konstante c beschränkt sind, beliebig genau im Sinne von $L_2[t_0, t]$ approximieren, etwa durch Übergang zu $G(t, \omega) I_{[|G(t,\omega)| \leqq c]}$.

Damit ist insgesamt bewiesen, daß die Treppenfunktionen im Sinne der in $M_2[t_0, t]$ betrachteten Konvergenz dicht liegen, q.e.d.

Gilt für ein $G \in M_2[t_0, t]$ und eine Folge $\{G_n\}$ von Treppenfunktionen die Aussage von Lemma (4.4.5), so hat dies natürlich auch die schwächere Aussage

$$\operatorname*{st-lim}_{n\to\infty} \int_{t_0}^{t} |G(s)-G_n(s)|^2 \, ds = 0$$

zur Folge (s. Abschnitt 1.4). Wir wollen nun zeigen, daß letzteres die stochastische Konvergenz der Folge der Integrale

$$\int_{t_0}^{t} G_n(s)\, \mathrm{d}W_s$$

selbst gegen eine gewisse Zufallsgröße zur Folge hat. Dazu benötigen wir noch die folgende Abschätzung für das stochastische Integral von Treppenfunktionen.

(4.4.6) **Lemma.** Ist $G \in M_2[t_0, t]$ eine Treppenfunktion, so gilt für alle $N > 0$ und $c > 0$

$$P\left[\left|\int_{t_0}^{t} G(s)\, \mathrm{d}W_s\right| > c\right] \leqq N/c^2 + P\left[\int_{t_0}^{t} |G(s)|^2\, \mathrm{d}s > N\right].$$

Beweis. Sei $G(s) = G(t_{i-1})$ für $t_{i-1} \leqq s < t_i$, wobei $t_0 < t_1 < \ldots < t_n = t$ ist. Die Funktion

$$G_N(s) = \begin{cases} G(s), & \text{falls } \int_{t_0}^{t_i} |G(s)|^2\, \mathrm{d}s \leqq N,\ t_{i-1} \leqq s < t_i, \\ 0, & \text{falls } \int_{t_0}^{t_i} |G(s)|^2\, \mathrm{d}s > N,\ t_{i-1} \leqq s < t_i, \end{cases}$$

ist eine Treppenfunktion, die nicht vorgreift, also zu $M_2[t_0, t]$ gehört, da gilt:

$$\int_{t_0}^{t_i} |G(s)|^2\, \mathrm{d}s \quad \text{ist } \mathfrak{F}_{t_{i-1}}\text{-meßbar.}$$

Wegen

$$\int_{t_0}^{t} |G_N(s)|^2\, \mathrm{d}s = \sum_{i=1}^{n} |G_N(t_{i-1})|^2 (t_i - t_{i-1}) \leqq N$$

ist $|G_N(t_{i-1})|^2 \leqq N/(t_i - t_{i-1})$, also $E\,|G_N(s)|^2 < \infty$.

Nach Satz (4.4.2d) ist deshalb

$$(4.4.7) \qquad E\left|\int_{t_0}^{t} G_N(s)\, \mathrm{d}W_s\right|^2 = \int_{t_0}^{t} E\,|G_N(s)|^2\, \mathrm{d}s \leqq N.$$

Schließlich ist $G_N \not\equiv G$ genau dann, wenn

$$\int_{t_0}^{t} |G(s)|^2\, \mathrm{d}s > N$$

gilt, also

$$(4.4.8) \qquad P\left[\sup_{t_0 \leqq s \leqq t} |G_N(s) - G(s)| > 0\right] = P\left[\int_{t_0}^{t} |G(s)|^2\, \mathrm{d}s > N\right].$$

Unter Benutzung der beiden Beziehungen (4.4.7) und (4.4.8), des Satzes (4.4.2a), der Dreiecks- und Tschebyscheffschen Ungleichung erhalten wir

$$P\left[\left|\int_{t_0}^{t} G(s)\,\mathrm{d}W_s\right|>c\right]$$

$$\leqq P\left[\left|\int_{t_0}^{t} G_N(s)\,\mathrm{d}W_s\right|>c\right]+P\left[\left|\int_{t_0}^{t}(G(s)-G_N(s))\,\mathrm{d}W_s\right|>0\right]$$

$$\leqq E\left|\int_{t_0}^{t} G_N(s)\,\mathrm{d}W_s\right|^2\Big/c^2+P\left[\int_{t_0}^{t}|G(s)|^2\,\mathrm{d}s>N\right]$$

$$\leqq N/c^2+P\left[\int_{t_0}^{t}|G(s)|^2\,\mathrm{d}s>N\right],$$

q.e.d.

(4.4.9) **Lemma.** Sei $G\in M_2[t_0, t]$, sei weiter $G_n\in M_2[t_0, t]$ eine Folge von Treppenfunktionen, für die

$$\text{(4.4.10)}\qquad \operatorname*{st-lim}_{n\to\infty}\int_{t_0}^{t}|G(s)-G_n(s)|^2\,\mathrm{d}s=0$$

gilt. Definiert man $\int_{t_0}^{t} G_n(s)\,\mathrm{d}W_s$ durch die Gleichung (4.4.1), so gilt

$$\operatorname*{st-lim}_{n\to\infty}\int_{t_0}^{t} G_n(s)\,\mathrm{d}W_s=I(G),$$

wobei $I(G)$ eine Zufallsgröße ist, die nicht von der speziellen Wahl der Folge $\{G_n\}$ abhängt.

Beweis. Wegen

$$\int_{t_0}^{t}|G_n-G_m|^2\,\mathrm{d}s\leqq 2\int_{t_0}^{t}|G-G_n|^2\,\mathrm{d}s+2\int_{t_0}^{t}|G-G_m|^2\,\mathrm{d}s$$

folgt aus der Voraussetzung für $n, m\longrightarrow\infty$

$$\operatorname{st-lim}\int_{t_0}^{t}|G_n-G_m|^2\,\mathrm{d}s=0.$$

Dies ist äquivalent mit

$$\lim_{n,m\to\infty} P\left[\int_{t_0}^{t}|G_n(s)-G_m(s)|^2\,\mathrm{d}s>\varepsilon\right]=0,\quad \text{alle } \varepsilon>0.$$

Die Anwendung von Lemma (4.4.6) auf G_n-G_m liefert deshalb

$$\limsup_{n,m\to\infty} P\left[\left|\int_{t_0}^{t} G_n(s)\,dW_s - \int_{t_0}^{t} G_m(s)\,dW_s\right| > \delta\right] \leqq \varepsilon/\delta^2$$

$$+\limsup_{n,m\to\infty} P\left[\int_{t_0}^{t} |G_n(s)-G_m(s)|^2\,ds > \varepsilon\right]$$

$$= \varepsilon/\delta^2.$$

Da $\varepsilon > 0$ beliebig ist, gilt sogar

$$\lim_{n,m\to\infty} P\left[\left|\int_{t_0}^{t} G_n(s)\,dW_s - \int_{t_0}^{t} G_m(s)\,dW_s\right| > \delta\right] = 0.$$

Da jede stochastische Cauchy-Folge auch stochastisch konvergiert, gibt es eine Zufallsgröße $I(G)$ mit

$$\int_{t_0}^{t} G_n(s)\,dW_s \longrightarrow I(G)\ \text{(stochastisch)}.$$

Der Grenzwert ist fast sicher eindeutig bestimmt und unabhängig von der speziellen Wahl der Folge $\{G_n\}$, für die (4.4.10) gilt. Denn wenn $\{G_n\}$ und $\{\overline{G}_n\}$ solche Folgen sind, können wir sie zu einer kombinieren, woraus die fast sichere Übereinstimmung der beiden zugehörigen Grenzwerte folgt, q. e. d.

Nach Lemma (4.4.9) liegt nun folgende Definition auf der Hand.

(4.4.11) **Definition.** Für jede $d\times m$-matrixwertige Funktion $G\in M_2[t_0, t]$ wird das stochastische Integral (oder Itô-Integral) von G bezüglich des m-dimensionalen Wiener-Prozesses W_t im Intervall $[t_0, T]$ definiert als die nach Lemma (4.4.9) fast sicher eindeutig bestimmte Zufallsgröße $I(G)$, also

$$\int_{t_0}^{t} G\,dW = \int_{t_0}^{t} G(s)\,dW_s = \operatorname*{st-lim}_{n\to\infty} \int_{t_0}^{t} G_n\,dW,$$

wobei $\{G_n\}$ eine Folge von Treppenfunktionen aus $M_2[t_0, t]$ ist, die G im Sinne von

$$\operatorname*{st-lim}_{n\to\infty} \int_{t_0}^{t} |G(s)-G_n(s)|^2\,ds = 0$$

approximiert.

Für spezielle Funktionen aus $M_2[t_0, t]$ können wir das stoschastische Integral noch stärker als nur stochastisch approximieren, nämlich sogar im Quadratmittel, was aus dem folgenden Lemma hervorgeht.

(4.4.12) **Lemma.** Zu jeder Funktion $G\in M_2[t_0, t]$ mit der Eigenschaft

$$(4.4.13) \qquad \int_{t_0}^{t} E\,|G(s)|^2\,ds < \infty$$

gibt es eine Folge $\{G_n\}$ von Treppenfunktionen aus $M_2[t_0, t]$ mit derselben Eigenschaft, so daß gilt

$$\lim_{n\to\infty} \int_{t_0}^{t} E\,|G_n(s) - G(s)|^2\,ds = 0$$

und

$$\text{qm-}\lim_{n\to\infty} \int_{t_0}^{t} G_n(s)\,dW_s = \int_{t_0}^{t} G(s)\,dW_s.$$

B e w e i s. Ist $\{\overline{G}_n\}$ eine nach Lemma (4.4.9) immer existierende Folge von Treppenfunktionen mit

$$\text{st-lim} \int_{t_0}^{t} |G - \overline{G}_n|^2\,ds = 0$$

und

$$g_N(x) = \begin{cases} x, & |x| \leqq N, \\ N\,x/|x|, & |x| > N, \end{cases}$$

so gilt wegen $|g_N(x) - g_N(y)| \leqq |x - y|$ für $n \to \infty$

$$\int_{t_0}^{t} |g_N(G(s)) - g_N(\overline{G}_n(s))|^2\,ds \leqq \int_{t_0}^{t} |G(s) - \overline{G}_n(s)|^2\,ds \longrightarrow 0 \text{ (stochastisch)}.$$

Wegen

$$\int_{t_0}^{t} |g_N(G(s)) - g_N(\overline{G}_n(s))|^2\,ds \leqq 4\,N^2\,t$$

folgt aus dem Satz von der majorisierten Konvergenz (bezüglich der Variablen ω) für $n \to \infty$

$$E \int_{t_0}^{t} |g_N(G) - g_N(\overline{G}_n)|^2\,ds = \int_{t_0}^{t} E\,|g_N(G) - g_N(\overline{G}_n)|^2\,ds \longrightarrow 0.$$

Nach dem gleichen Satz folgt auch, nun für $N \to \infty$ (und angewandt auf die Variable $(s, \omega) \in [t_0, t] \times \Omega$)

$$\int_{t_0}^{t} E\,|g_N(G(s)) - G(s)|^2\,ds \longrightarrow 0,$$

denn wir haben $|g_N(G(s)) - G(s)|^2 \leqq |G(s)|^2$ und die Voraussetzung (4.4.13). Es gibt also Folgen $\{N_k\}$ und $\{n_k\}$ mit

$$\int_{t_0}^{t} E\,|G(s)-g_{N_k}(\overline{G}_{n_k}(s))|^2\,\mathrm{d}s \leqq 2\int_{t_0}^{t} E\,|G(s)-g_{N_k}(G(s))|^2\,\mathrm{d}s$$

$$+2\int_{t_0}^{t} E\,|g_{N_k}(G(s))-g_{N_k}(\overline{G}_{n_k}(s))|^2\,\mathrm{d}s$$

$$\longrightarrow 0 \quad (k \longrightarrow \infty).$$

Wir können demnach

$$G_k(s) = g_{N_k}(\overline{G}_{n_k}(s))$$

wählen, um eine Folge von Treppenfunktionen mit

$$\lim_{k\to\infty} \int_{t_0}^{t} E\,|G_k(s)-G(s)|^2\,\mathrm{d}s = 0$$

zu erhalten. Für diese Folge gilt natürlich

$$\operatorname*{st-lim}_{k\to\infty} \int_{t_0}^{t} G_k\,\mathrm{d}W = \int_{t_0}^{t} G\,\mathrm{d}W,$$

aber wegen Satz (4.4.2d) und dem gerade Bewiesenen für $k, p \longrightarrow \infty$

$$E\left|\int_{t_0}^{t} G_k\,\mathrm{d}W - \int_{t_0}^{t} G_p\,\mathrm{d}W\right|^2 = \int_{t_0}^{t} E\,|G_k - G_p|^2\,\mathrm{d}s \longrightarrow 0$$

und damit sogar

$$\operatorname*{qm-lim}_{k\to\infty} \int_{t_0}^{t} G_k\,\mathrm{d}W = \int_{t_0}^{t} G\,\mathrm{d}W,$$

q. e. d.

Bei der Erweiterung des Integralbegriffs von Treppenfunktionen auf beliebige Funktionen in $M_2[t_0, t]$ übertragen sich natürlich auch die wichtigsten Eigenschaften. Wir fassen sie zusammen im folgenden

(4.4.14) **Satz.** Seien G, G_1, G_2, G_n $d \times m$-matrixwertige Funktionen aus $M_2[t_0, t]$ und W_t ein m-dimensionaler Wiener-Prozeß. Dann besitzt das durch Definition (4.4.11) festgelegte stochastische Integral folgende Eigenschaften:

a) $$\int_{t_0}^{t} (a\,G_1 + b\,G_2)\,\mathrm{d}W = a\int_{t_0}^{t} G_1\,\mathrm{d}W + b\int_{t_0}^{t} G_2\,\mathrm{d}W, \quad a, b \in R^1.$$

b) $$\int_{t_0}^{t} G\,\mathrm{d}W = \sum_{k=1}^{m} \begin{pmatrix} \int_{t_0}^{t} G_{1k}\,\mathrm{d}W^k \\ \vdots \\ \int_{t_0}^{t} G_{dk}\,\mathrm{d}W^k \end{pmatrix}, \quad W_t = \begin{pmatrix} W_t^1 \\ \vdots \\ W_t^m \end{pmatrix}.$$

c) Für $N>0$, $c>0$ gilt

$$P\left[\left|\int_{t_0}^{t} G\,\mathrm{d}W\right| > c\right] \leqq N/c^2 + P\left[\int_{t_0}^{t} |G|^2\,\mathrm{d}s > N\right].$$

d) Aus

$$\operatorname*{st-lim}_{n\to\infty} \int_{t_0}^{t} |G(s) - G_n(s)|^2\,\mathrm{d}s = 0$$

folgt

$$\operatorname*{st-lim}_{n\to\infty} \int_{t_0}^{t} G_n\,\mathrm{d}W = \int_{t_0}^{t} G\,\mathrm{d}W$$

(die G_n sind im allgemeinen keine Treppenfunktionen!).

e) Ist

$$\int_{t_0}^{t} E\,|G(s)|^2\,\mathrm{d}s < \infty,$$

so gilt für den Erwartungswertvektor des stochastischen Integrals immer

$$E\left(\int_{t_0}^{t} G\,\mathrm{d}W\right) = 0$$

und für seine Kovarianzmatrix

$$E\left(\int_{t_0}^{t} G\,\mathrm{d}W\right)\left(\int_{t_0}^{t} G\,\mathrm{d}W\right)' = \int_{t_0}^{t} E\,G\,G'\,\mathrm{d}s,$$

speziell also

$$E\left|\int_{t_0}^{t} G\,\mathrm{d}W\right|^2 = \int_{t_0}^{t} E\,|G|^2\,\mathrm{d}s.$$

Beweis. Teil a) und b) folgen sofort aus Teil a) und b) des Satzes (4.4.2) durch Grenzübergang, ebenso folgt Teil c) aus Lemma (4.4.6). Teil d) kann nun aus Teil c) wie im Beweis von Lemma (4.4.9) gewonnen werden.

Für den Beweis von Teil e) benutzen wir eine nach Lemma (4.4.12) immer existierende Folge von Treppenfunktionen $\{G_n\}$ mit

$$\lim_{n\to\infty} \int_{t_0}^{t} E\,|G_n - G|^2\, ds = 0$$

und

$$\text{qm-}\lim_{n\to\infty} \int_{t_0}^{t} G_n\, dW = \int_{t_0}^{t} G\, dW.$$

Aus der letzten Zeile folgt unter Benutzung von Satz (4.4.2), Teil c) und d),

$$E\left(\int_{t_0}^{t} G_n\, dW\right) = 0 \to E\left(\int_{t_0}^{t} G\, dW\right) = 0$$

und

$$E\left(\int_{t_0}^{t} G_n\, dW\right)\left(\int_{t_0}^{t} G_n\, dW\right)' = \int_{t_0}^{t} E\, G_n\, G_n'\, ds$$

$$\to \int_{t_0}^{t} E\, G\, G'\, ds = E\left(\int_{t_0}^{t} G\, dW\right)\left(\int_{t_0}^{t} G\, dW\right)',$$

q. e. d.

Eine andere Frage ist die faktische Berechnung von stochastischen Integralen. Das analoge Problem besteht für gewöhnliche Integrale natürlich auch. Man kann sich jederzeit aus der Definition, die konstruktiv ist, einen beliebig genauen Näherungswert für jedes stochastische Integral beschaffen. Der Satz von K. Itô, der im Abschnitt 5.3 behandelt werden wird, ist ein wichtiges Werkzeug für die explizite Berechnung vieler stochastischer Integrale.

4.5 Beispiele und Bemerkungen

Unser in Abschnitt 4.2 behandeltes Integral

(4.5.1) $$X_t = \int_{t_0}^{t} W_s\, dW_s$$

kann nun mühelos berechnet werden, und zwar z.B. nach folgendem

(4.5.2) **Korollar.** Ist $G \in M_2\,[t_0, t]$ mit Wahrscheinlichkeit 1 stetig, so gilt

$$\int_{t_0}^{t} G\, dW = \text{st-}\lim_{\delta_n \to 0} \sum_{k=1}^{n} G(t_{k-1})\,(W_{t_k} - W_{t_{k-1}}),$$

$$t_0 < t_1 < \ldots < t_n = t, \quad \delta_n = \max\,(t_k - t_{k-1}).$$

Beweis. Es gilt

$$\int_{t_0}^{t} G_n \, dW = \sum_{k=1}^{n} G(t_{k-1})(W_{t_k} - W_{t_{k-1}})$$

für die nicht vorgreifenden Treppenfunktionen

(4.5.3) $$G_n(s) = \sum_{k=1}^{n} G(t_{k-1}) \, I_{[t_{k-1}, t_k)}(s).$$

Was also nach Lemma (4.4.9) zu zeigen ist, ist

$$\operatorname*{st-lim}_{n \to \infty} \int_{t_0}^{t} |G(s) - G_n(s)|^2 \, ds = 0.$$

Dies gilt aber wegen der Stetigkeit von $G(\cdot, \omega)$ sogar mit Wahrscheinlichkeit 1, q.e.d.

Korollar (4.5.2) besagt also, daß für fast sicher stetiges G die einfachsten, aus der Funktion selbst gewonnenen nicht vorgreifenden Treppenfunktionen der Form (4.5.3) zur Approximation des stochastischen Integrals verwendet werden können. Korollar (4.5.2) bleibt richtig, wenn in der Voraussetzung fast sichere Stetigkeit durch stochastische Stetigkeit ersetzt wird.

Wenden wir das Korollar auf (4.5.1) an, so erhalten wir

$$\int_{t_0}^{t} W \, dW = \operatorname*{st-lim}_{\delta_n \to 0} \sum_{k=1}^{n} W_{t_{k-1}} (W_{t_k} - W_{t_{k-1}})$$

$$= (W_t^2 - W_{t_0}^2)/2 - (t - t_0)/2,$$

was wir z.B. aus (4.2.4) entnehmen können.

Für einen m-dimensionalen Wiener-Prozeß ergibt sich analog

$$\int_{t_0}^{t} W_s' \, dW_s = (|W_t|^2 - |W_{t_0}|^2)/2 - m(t - t_0)/2.$$

(4.5.4) **Korollar.** Gilt für $G \in M_2[t_0, t]$

$$\int_{t_0}^{t} |G|^2 \, ds = 0 \quad \text{mit Wahrscheinlichkeit 1,}$$

so ist auch

$$\int_{t_0}^{t} G \, dW = 0 \quad \text{mit Wahrscheinlichkeit 1.}$$

B e w e i s. Die Folge der Treppenfunktion $G_n \equiv 0$ approximiert G und liefert das Ergebnis, q.e.d.

Das letzte Korollar besagt z. B., daß man jede Funktion G für alle s aus einer festen Lebesgueschen Nullmenge in $[t_0, t]$ völlig verändern kann, ohne ihr stochastisches Integral zu verändern. Insbesondere kommt es auf die Funktionswerte in endlich oder abzählbar vielen s-Punkten nicht an.

(4.5.5) **Korollar.** Gilt für $G \in M_2\,[t_0, t]$

$$\int_{t_0}^{t} E\,|G(s)|^2\,ds < \infty,$$

so ist für jedes $c > 0$

$$P\left[\left|\int_{t_0}^{t} G\,dW\right| > c\right] \leqq \int_{t_0}^{t} E\,|G(s)|^2\,ds/c^2.$$

Dies ist einfach die Tschebyscheffsche Ungleichung. Sie gilt insbesondere für jedes von ω unabhängige $G \in L_2\,[t_0, t]$. Doch in diesem Fall können wir die Verteilung des stochastischen Integrals sogar exakt bestimmen.

(4.5.6) **Korollar.** Ist G unabhängig von ω und aus $L_2\,[t_0, t]$, so ist es aus $M_2\,[t_0, t]$ für beliebige Wahl der sigma-Unteralgebren $\mathfrak{F}_s \supset \mathfrak{W}\,[t_0, s]$, und das stochastische Integral $\int_{t_0}^{t} G\,dW$ ist eine normalverteilte d-dimensionale Zufallsgröße mit der Verteilung

$$\mathfrak{N}\left(0, \int_{t_0}^{t} G(s)\,G(s)'\,ds\right).$$

Beweis. Ist G unabhängig von ω, so können wir eine Folge $\{G_n\}$ von ebenfalls von ω unabhängigen Treppenfunktionen finden, für die gilt

$$\int_{t_0}^{t} |G - G_n|^2\,ds \rightarrow 0 \tag{4.5.7}$$

und (nach Lemma (4.4.4))

$$\text{qm-lim} \int_{t_0}^{t} G_n\,dW = \int_{t_0}^{t} G\,dW. \tag{4.5.8}$$

Nun ist

$$\int_{t_0}^{t} G_n\,dW = \sum_{i=1}^{n} G_n(t_{i-1})\,(W_{t_i} - W_{t_{i-1}})$$

sicher $\mathfrak{N}\left(0, \int_{t_0}^{t} G_n\,G_n'\,ds\right)$-verteilt. Da wegen (4.5.7)

$$\int_{t_0}^{t} G_n\,G_n'\,ds \rightarrow \int_{t_0}^{t} G\,G'\,ds$$

gilt, ist der Limes in (4. 5. 8) ebenfalls normalverteilt mit den angegebenen ersten und zweiten Momenten, q. e. d.

(4. 5. 9) **Bemerkung.** Auch wenn Treppenfunktionen $\{G_n\}$ so ausgewählt werden, daß sogar

$$\operatorname*{fs-lim}_{n\to\infty} \int_{t_0}^{t} |G_n(s) - G(s)|^2 \, ds = 0$$

gilt, hat dies im allgemeinen *nicht* die fast sichere Konvergenz der Integrale $\int_{t_0}^{t} G_n \, dW$ gegen $\int_{t_0}^{t} G \, dW$ zur Folge.

Wir wollen nun zeigen, daß die als Definition des stochastischen Integrals für glatte, von ω unabhängige G benutzte Formel (4. 1. 6) sich für das wesentlich allgemeinere Itôsche stochastische Integral beweisen läßt. Mit anderen Worten: Das Itôsche und das stochastische Integral (4. 1. 6) sind konsistent, sie stimmen dort überein, wo das letztere definiert ist. Wir zeigen etwas allgemeiner

(4. 5. 10) **Korollar.** Ist G aus $M_2^{d,m}[t_0, t]$ und $G(\cdot, \omega)$ in $[t_0, t]$ fast sicher von beschränkter Schwankung, so gilt

$$\int_{t_0}^{t} G(s) \, dW_s = G(t) W_t - G(t_0) W_{t_0} - \left(\int_{t_0}^{t} W_s' \, dG(s)' \right)', \tag{4. 5. 11}$$

wobei das letzte Integral ein gewöhnliches Riemann-Stieltjes-Integral ist. Ist $G(., \omega)$ sogar fast sicher stetig differenzierbar in $[t_0, t]$ (allgemeiner: absolut-stetig) mit der Ableitung $\dot{G}$, so gilt

$$\int_{t_0}^{t} G(s) \, dW_s = G(t) W_t - G(t_0) W_{t_0} - \int_{t_0}^{t} \dot{G}(s) W_s \, ds. \tag{4. 5. 12}$$

Beweis. Unter unseren Voraussetzungen und auf Grund der Stetigkeit von $W_.$ existieren beide Integrale in (4. 5. 11) als gewöhnliche Riemann-Stieltjes-Integrale, und (4. 5. 11) ist die übliche Regel für partielle Integration, die für stetig differenzierbares G die Form (4. 5. 12) annimmt. Das stochastische Integral von G bezüglich $W_.$ stimmt natürlich mit dem Riemann-Stieltjes-Integral überein, falls letzteres existiert, q. e. d.

Man beachte, daß in Korollar (4. 5. 10) G nicht notwendig unabhängig von ω sein muß.

Kapitel 5

Das stochastische Integral als stochastischer Prozeß – stochastische Differentiale

5.1 Das stochastische Integral als Funktion der oberen Grenze

Es sei wieder W_t ein m-dimensionaler Wiener-Prozeß, $t_0 \geqq 0$ fest, $\{\mathfrak{F}_t;\, t \geqq t_0\}$ eine Schar nicht vorgreifender sigma-Algebren und $M_2[t_0, T]$ die in Definition (4.3.4) festgelegte Menge von nicht vorgreifenden $d \times m$-matrixwertigen Funktionen, für die wir das R^d-wertige stochastische Integral

$$\int_{t_0}^{T} G\, \mathrm{d}W = \int_{t_0}^{T} G(s, \omega)\, \mathrm{d}W_s(\omega)$$

definiert haben.

Ist G aus $M_2[t_0, T]$, $A \subset [t_0, T]$ eine Borelsche Menge, und I_A ihre Indikatorfunktion, so ist auch

$$G\, I_A \in M_2[t_0, T].$$

Wir definieren deshalb

$$\int_{A} G\, \mathrm{d}W = \int_{t_0}^{T} G\, I_A\, \mathrm{d}W.$$

Nach Satz (4.4.14a) gilt dann für zwei *disjunkte* Mengen $A, B \subset [t_0, T]$

$$\int_{A \cup B} G\, \mathrm{d}W = \int_{A} G\, \mathrm{d}W + \int_{B} G\, \mathrm{d}W,$$

insbesondere für $t_0 \leqq a \leqq b \leqq c \leqq T$ (auf endlich viele Punkte kommt es nach Korollar (4.5.4) nicht an!)

$$\int_{a}^{c} G\, \mathrm{d}W = \int_{a}^{b} G\, \mathrm{d}W + \int_{b}^{c} G\, \mathrm{d}W.$$

Für jedes G aus $M_2[t_0, T]$ ist insbesondere

$$X_t = \int_{t_0}^{t} G(s)\, \mathrm{d}W_s = \int_{t_0}^{T} G(s)\, I_{[0,t]}\, \mathrm{d}W_s$$

ein für alle $t \in [t_0, T]$ definierter R^d-wertiger stochastischer Prozeß mit

$$X_{t_0} = 0 \quad \text{fast sicher,}$$

der bis auf stochastische Äquivalenz eindeutig festgelegt ist. Es gilt

$$X_t - X_s = \int_s^t G(u)\, dW_u, \quad t_0 \leqq s \leqq t \leqq T.$$

Ist nun G sogar aus M_2, d.h. aus $M_2[t_0, t]$ für alle $t \geqq t_0$, so ist X_t für alle $t \geqq t_0$ definiert. Alle in diesem Kapitel gemachten Aussagen über X_t gelten dann - wenn die entsprechenden Voraussetzungen erfüllt sind - ohne jede zeitliche Begrenzung nach oben, bzw. für beliebig große Intervalle $[t_0, T]$.

Wir wollen nun für festes $G \in M_2[t_0, T]$ den Prozeß X_t untersuchen. Dazu denken wir uns immer eine *separable* Version von X_t (siehe Abschnitt 1.8) gewählt, was immer möglich ist.

(5.1.1) **Satz.** Sei G eine Funktion aus $M_2[t_0, T]$ und

$$X_t = \int_{t_0}^t G(s)\, dW_s, \quad t_0 \leqq t \leqq T.$$

Dann gilt:

a) X_t ist $\mathfrak{F}_t$-meßbar (also nicht vorgreifend).

b) Im Falle

$$\int_{t_0}^t E|G(s)|^2\, ds < \infty, \quad \text{alle } t \leqq T, \tag{5.1.2}$$

ist $(X_t, \mathfrak{F}_t)$, $t \in [t_0, T]$, ein R^d-wertiges *Martingal*, d.h. es ist für $t_0 \leqq s \leqq t \leqq T$

$$E(X_t | \mathfrak{F}_s) = X_s.$$

Speziell gilt dann für $t, s \in [t_0, T]$

$$E X_t = 0,$$

$$E X_t X_s' = \int_{t_0}^{\min(t,s)} E G(u) G(u)'\, du, \tag{5.1.3}$$

insbesondere

$$E|X_t|^2 = \int_{t_0}^t E|G(u)|^2\, du, \tag{5.1.3a}$$

und für alle $c > 0$, $t_0 \leqq a \leqq b \leqq T$,

$$P[\sup_{a \leqq t \leqq b} |X_t - X_a| > c] \leqq \int_a^b E|G(s)|^2\, ds / c^2 \tag{5.1.4}$$

und

$$E\left(\sup_{a \leqq t \leqq b} |X_t - X_a|^2\right) \leqq 4 \int_a^b E\,|G(s)|^2\,ds. \tag{5.1.5}$$

c) X_t hat mit Wahrscheinlichkeit 1 *stetige* Realisierungen.

d) Falls für eine natürliche Zahl k gilt

$$\int_a^t E\,|G(s)|^{2k}\,ds < \infty, \quad t_0 \leqq a \leqq t \leqq T,$$

so ist

$$E\,|X_t - X_a|^{2k} \leqq (k(2k-1))^{k-1}\,(t-a)^{k-1} \int_a^t E\,|G(s)|^{2k}\,ds. \tag{5.1.6}$$

Beweis. a) Die $\mathfrak{F}_t$-Meßbarkeit von X_t folgt aus der Definition

$$X_t^{(n)} = \int_{t_0}^t G_n\,dW \longrightarrow \int_{t_0}^t G\,dW = X_t \quad \text{(stochastisch)}$$

und der offensichtlichen $\mathfrak{F}_t$-Meßbarkeit des Integrals $X_t^{(n)}$ der Treppenfunktionen G_n.

b) $\mathfrak{F}_t$ ist eine aufsteigende Familie von sigma-Unteralgebren von $\mathfrak{A}$, nach Teil a) dieses Satzes ist X_t $\mathfrak{F}_t$-meßbar, und nach Satz (4.4.14e) besitzt X_t unter der Voraussetzung (5.1.2) endliche erste und zweite Momente. Es ist also (siehe Abschnitt 1.9) noch zu zeigen, daß für $t_0 \leqq s \leqq t \leqq T$ gilt:

$$E(X_t \mid \mathfrak{F}_s) = X_s,$$

oder, äquivalent damit,

$$E(X_t - X_s \mid \mathfrak{F}_s) = E\left(\int_s^t G\,dW \,\Big|\, \mathfrak{F}_s\right) = 0.$$

Dies gilt sicher für Treppenfunktionen, denn $\mathfrak{F}_s$ und $\mathfrak{W}_s^+$ sind unabhängig und $E(W_{t_i} - W_{t_{i-1}}) = 0$, also auch allgemein. Auch Formel (5.1.3) für die Kovarianzmatrix des Prozesses X_t beweist man wieder leicht zuerst für Treppenfunktionen und dann allgemein durch Grenzübergang.

Wir wissen nun, daß $(X_t, \mathfrak{F}_t)$ ein Martingal ist. Dann ist auch $(X_t - X_a, \mathfrak{F}_t)$, $t \geqq a$, ein Martingal und damit $(|X_t - X_a|^2, \mathfrak{F}_t)$ ein Submartingal (siehe Abschnitt 1.9). Für dieses liefert die Ungleichung (1.9.1) für jedes $c > 0$, $t_0 \leqq a \leqq b \leqq T$ und $p = 2$

$$P\left[\sup_{a \leqq t \leqq b} |X_t - X_a| > c\right] \leqq \frac{1}{c^2}\,E\,|X_b - X_a|^2. \tag{5.1.7}$$

Aus (5.1.3) entnehmen wir

$$E\,|X_t - X_a|^2 = E\,X_t' X_t - E\,X_t' X_a - E\,X_a' X_t + E\,X_a' X_a = \int_a^t E\,|G(s)|^2\,ds,$$

also

$$E|X_b - X_a|^2 = \int_a^b E|G(s)|^2 \, ds.$$

Setzen wir dies in (5.1.7) ein, so erhalten wir (5.1.4). Die Abschätzung (5.1.5) folgt aus der Ungleichung (1.9.2) für $p = 2$.

c) Der Beweis der Stetigkeit von X_t erfolgt in drei Schritten. Sei $T < \infty$, aber beliebig.

Schritt 1. Ist G in $[t_0, T]$ eine Treppenfunktion, so gilt

$$X_t = \int_{t_0}^{T} G\, I_{[0,t]} \, dW = \sum_{t_i \leqq t} G(t_{i-1})(W_{t_i} - W_{t_{i-1}}) + G(\max_{t_i \leqq t} t_i)(W_t - W_{\max_{t_i \leqq t} t_i}).$$

Aus dieser Formel und der Stetigkeit von W_t folgt die Stetigkeit von X_t.

Schritt 2. Ist G nun eine Funktion aus $M_2[t_0, T]$ mit

$$\int_{t_0}^{T} E|G|^2 \, ds < \infty,$$

so wählen wir nach Lemma (4.4.12) eine Folge von Treppenfunktionen G_n mit

$$\lim_{n\to\infty} \int_{t_0}^{T} E|G(s) - G_n(s)|^2 \, ds = 0.$$

Nach (5.1.4) gilt mit

$$X_t^{(n)} = \int_{t_0}^{t} G_n \, dW$$

$$P[\sup_{t_0 \leqq t \leqq T} |X_t - X_t^{(n)}| > c] \leqq \int_{t_0}^{T} E|G - G_n|^2 \, ds / c^2.$$

Wählen wir zu $c_k \longrightarrow 0$ eine Teilfolge n_k mit

$$\sum_k \int_{t_0}^{T} E|G - G_{n_k}|^2 \, ds / c_k^2 < \infty,$$

so gilt

$$\sum_k P[\sup_{t_0 \leqq t \leqq T} |X_t - X_t^{(n_k)}| > c_k] < \infty.$$

Nach dem Lemma von Borel und Cantelli (Abschnitt 1.6) gibt es deshalb für fast alle $\omega \in \Omega$ ein $k_0 = k_0(\omega)$ mit

$$\sup_{t_0 \leqq t \leqq T} |X_t(\omega) - X_t^{(n_k)}(\omega)| \leqq c_k \quad \text{für alle} \quad k \geqq k_0(\omega).$$

Damit ist X_t mit Wahrscheinlichkeit 1 der gleichmäßige Limes stetiger Funktionen und als solcher selbst stetig.

Schritt 3. Ist schließlich $G \in M_2[t_0, T]$ beliebig, so approximieren wir G durch eine Funktion G_N, $N > 0$, definiert durch

$$G_N(t) = \begin{cases} G(t), & \text{falls } \int_{t_0}^{t} |G|^2 \, ds \leqq N, \\ 0, & \text{falls } \int_{t_0}^{t} |G|^2 \, ds > N. \end{cases}$$

Der Prozeß

$$X_t^{(N)} = \int_{t_0}^{t} G_N \, dW$$

ist nach Schritt 2 stetig, und wir haben

$$X_t(\omega) = X_t^{(N)}(\omega) \quad \text{für alle } t \in [t_0, T]$$

in der Menge

$$A_N = \left\{ \omega : \int_{t_0}^{T} |G|^2 \, ds \leqq N \right\} \subset \Omega.$$

Nun kann jedoch $P(\Omega - A_N)$ durch Wahl eines großen N beliebig klein gemacht werden, so daß diejenigen ω, für die $X_.(\omega)$ in $[t_0, T]$ unstetig ist, Wahrscheinlichkeit 0 haben.

d) Für $k = 1$ haben wir das genauere Resultat

$$E|X_t - X_a|^2 = \int_a^t E|G(s)|^2 \, ds.$$

Für $k = 2$ beweist man (5.1.6) wieder zuerst für Treppenfunktionen und anschließend für allgemeines G durch Auswahl einer Folge von Treppenfunktionen G_n mit der Eigenschaft

$$\int_a^t E|G(s) - G_n(s)|^4 \, ds \longrightarrow 0$$

(siehe Gikhman-Skorokhod [5], S. 385 - 386). Für einen Beweis für allgemeines k verweisen wir auf Gikhman-Skorokhod [36], S. 26 - 27.

5.2 Beispiele und Bemerkungen

Wir haben bereits an dem im Abschnitt 4.2 behandelten Beispiel demonstriert, daß nur das Itôsche stochastische Integral die Martingal-Eigenschaft besitzt, woraus die einfachen, jedoch sehr nützlichen Ungleichungen (5.1.4) und (5.1.5) folgen.

Eine weitere Konsequenz der Martingal-Eigenschaft ist das folgende

(5.2.1) **Korollar.** Im Falle

$$\int_{t_0}^{T} E\,|G(s)|^2\,\mathrm{d}s < \infty$$

besitzt der Prozeß

$$X_t = \int_{t_0}^{t} G\,\mathrm{d}W, \quad t_0 \leqq t \leqq T,$$

orthogonale Zuwächse, d.h. es gilt für $t_0 \leqq r \leqq s \leqq t \leqq u \leqq T$

(5.2.2) $$E\,(X_u - X_t)(X_s - X_r)' = 0.$$

Beweis. Wir benutzen entweder die Martingal-Eigenschaft oder verifizieren (5.2.2) direkt durch Ausmultiplizieren unter Verwendung der Formel (5.1.3) für die Kovarianzmatrix:

$$\begin{aligned} E\,(X_u - X_t)(X_s - X_r)' &= E\,X_u X_s' - E\,X_t X_s' - E\,X_u X_r' + E\,X_t X_r' \\ &= \left(\int_{t_0}^{s} - \int_{t_0}^{s} - \int_{t_0}^{r} - \int_{t_0}^{r} \right) E\,G(v)\,G(v)'\,\mathrm{d}v \\ &= 0, \end{aligned}$$

q.e.d.

Noch schneller hätte man die Orthogonalität der Zuwächse aus folgender allgemeiner Formel entnehmen können:

(5.2.3) **Korollar.** Seien G und H aus $M_2^{d,m}[t_0, T]$ und

$$\int_{t_0}^{T} E\,|G|^2\,\mathrm{d}s < \infty, \quad \int_{t_0}^{T} E\,|H|^2\,\mathrm{d}s < \infty.$$

Sind dann $A, B \subset [t_0, T]$ zwei beliebige Borelsche Mengen, so gilt

$$E\left(\int_A G\,\mathrm{d}W \right) \left(\int_B H\,\mathrm{d}W \right)' = \int_{A \cap B} E\,G(u)\,H(u)'\,\mathrm{d}u,$$

speziell

$$E\left(\int_{t_0}^{t} G\,\mathrm{d}W \right) \left(\int_{t_0}^{s} H\,\mathrm{d}W \right)' = \int_{t_0}^{\min(t,s)} E\,G(u)\,H(u)'\,\mathrm{d}u, \quad s, t \in [t_0, T].$$

Beweis. Nach der Definition im Abschnitt 5.1 ist

$$\int_A G\,\mathrm{d}W = \int_{t_0}^{T} G\,I_A\,\mathrm{d}W, \quad \int_B H\,\mathrm{d}W = \int_{t_0}^{T} H\,I_A\,\mathrm{d}W.$$

Wir gehen auf die einzelnen Matrixelemente zurück. Es gilt

$$E\left(\int_{t_0}^{T} I_A G_{ij}\, \mathrm{d}W^j\right)\left(\int_{t_0}^{T} I_B H_{kp}\, \mathrm{d}W^p\right) = \delta_{jp} \int_{A\cap B} E\,(G_{ij} H_{kp})\, \mathrm{d}s$$

(sicher für Treppenfunktionen, also auch allgemein), woraus sofort die Behauptung folgt, q. e. d.

(5.2.4) **Bemerkung.** Obwohl unter der Voraussetzung des Korollars (5.2.1) das stochastische Integral orthogonale, also sicher unkorrelierte Zuwächse besitzt, so sind diese Zuwächse im allgemeinen nicht unabhängig. Eine Ausnahme bildet der Fall, wo $G \in M_2\,[t_0, T]$ unabhängig von ω ist. Dann ist

(5.2.5) $$X_t = \int_{t_0}^{t} G\, \mathrm{d}W, \quad G \in M_2\,[t_0, T] \text{ unabhängig von } \omega,$$

nach Korollar (4.5.6) ein Gaußscher Prozeß im Intervall $[t_0, T]$ mit dem Erwartungswert $E\,X_t = 0$ und der Kovarianzmatrix

$$E\,X_t X_s' = \int_{t_0}^{\min(t,s)} G(u)\, G(u)'\, \mathrm{d}u.$$

Da aus der Unkorreliertheit normalverteilter Zufallsgrößen sogar deren Unabhängigkeit folgt, ist X_t ein Prozeß mit unabhängigen Zuwächsen.

Umgekehrt lassen sich *alle* (glatten) d-dimensionalen Gaußschen Prozesse mit $E\,X_t = 0$, $X_{t_0} = 0$ und unabhängigen Zuwächsen im Intervall $[t_0, T]$ als stochastische Integrale der Form (5.2.5) darstellen. Ist nämlich die Varianz

$$E\,X_t X_t' = Q\,(t)$$

eine absolut-stetige (oder sogar stetig differenzierbare) Funktion von t, so können wir schreiben

$$E\,X_t X_t' = \int_{t_0}^{t} q\,(s)\, \mathrm{d}s, \quad q\,(s) = \dot{Q}\,(s).$$

Nun ist $Q\,(t)$ eine nicht-negativ definite symmetrische $d \times d$-Matrix, die mit t monoton wächst, d.h. es gilt auch

$$Q\,(t) - Q\,(s) \geqq 0, \quad t \geqq s.$$

Deshalb ist auch $q\,(s)$ eine nicht-negativ definite symmetrische $d \times d$-Matrix, kann also in der Form

$$q\,(s) = G\,(s)\, G\,(s)', \quad G\,(s) \;\; d \times d\text{-Matrix},$$

geschrieben werden. Z.B. können wir immer

$$G\,(s) = U\,(s)\, \Lambda\,(s)^{1/2}\, U\,(s)'$$

oder

$$G(s) = U(s)\,\Lambda(s)^{1/2}$$

setzen, wobei in

$$q(s) = U(s)\,\Lambda(s)\,U(s)'$$

$\Lambda(s)$ die Diagonalmatrix der (wachsend angeordneten) Eigenwerte und $U(s)$ die orthogonale Matrix der (Spalten-) Eigenvektoren von $q(s)$ ist. Bei der ersten Wahl ist $G(s)$ wieder nicht-negativ definit. Ist nun W_t ein d-dimensionaler Wiener-Prozeß, so stimmt der Prozeß

$$Y_t = \int_{t_0}^{t} G(s)\,\mathrm{d}W_s, \quad t_0 \leqq t \leqq T,$$

mit dem gegebenen Prozeß X_t verteilungsmäßig überein, was man sofort durch Ausrechnen der beiden ersten Momente verifiziert.

(5.2.6) **Bemerkung.** Der in Bemerkung (5.2.4) behandelte Gaußsche Prozeß ist im Falle $d = m = 1$ und $t_0 = 0$ "im Wesentlichen", d.h. bis auf eine Transformation der Zeitachse, ein Stück des Wiener-Prozesses. Um dies einzusehen, setzen wir

$$\tau(t) = \int_{0}^{t} G(s)^2\,\mathrm{d}s, \quad 0 \leqq t \leqq T.$$

Es gibt dann einen Wiener-Prozeß $\overline{W}_t$ mit

$$X_t = \int_0^t G\,\mathrm{d}W = \overline{W}_{\tau(t)},$$

oder

(5.2.7) $$X_{\tau^{-1}(t)} = \overline{W}_t,$$

was man sofort durch Ausrechnen der ersten beiden Momente bestätigt. Deshalb nennt man $\tau(t)$ die *intrinsische Zeit* von X_t. Hierbei ist $\tau^{-1}(t) = \min(s : \tau(s) = t)$ definiert für $t \leqq \tau(T)$.

Diese Betrachtung läßt sich übertragen auf den Fall eines beliebigen $G \in M_2^{1,m}[t_0, T]$, wenn man die intrinsische Zeit durch

$$\tau(t) = \int_{t_0}^{t} |G(s)|^2\,\mathrm{d}s, \quad t_0 \leqq t \leqq T,$$

definiert. Nun ist $\tau(t)$ selbst eine (nicht vorgreifende) zufällige Funktion, siehe McKean [45], S. 29-31. Aus der Darstellung (5.2.7) folgt z.B. sofort das Gesetz vom iterierten Logarithmus für das eindimensionale stochastische Integral

$$X_t = \int_{t_0}^{t} G\,\mathrm{d}W, \quad G \in M_2^{1,m}[t_0, T],$$

in der Form

$$\limsup_{t \downarrow t_0} \frac{X_t}{\sqrt{2\,\tau(t) \log \log 1/\tau(t)}} = 1.$$

(5.2.8) **Bemerkung.** Auch die Eigenschaft, in keinem endlichen Intervall endliche Länge zu besitzen, überträgt sich von den Realisierungen von W_t auf die des stochastischen Integrals X_t. Dies folgt wie im Abschnitt (3.1) für W_t aus dem folgenden genaueren Resultat (siehe J. A. Goldstein [37a], Theorem 4.1): Sei $G \in M_2^{d,m}[t_0, T]$, $t_0 < t_1 < \ldots < t_n = T < \infty$, $\delta_n = \max_k (t_k - t_{k-1})$. Dann gilt für

$$X_t = \int_{t_0}^{t} G\,dW$$

(5.2.9)
$$\underset{\delta_n \to 0}{\text{st-lim}} \sum_{k=1}^{n} (X_{t_k} - X_{t_{k-1}})(X_{t_k} - X_{t_{k-1}})' = \int_{t_0}^{T} G(s)\,G(s)'\,ds,$$

insbesondere

(5.2.10)
$$\underset{\delta_n \to 0}{\text{st-lim}} \sum_{k=1}^{n} |X_{t_k} - X_{t_{k-1}}|^2 = \int_{t_0}^{T} |G(s)|^2\,ds.$$

Man beachte, daß nun auf den rechten Seiten von (5.2.9) und (5.2.10) im allgemeinen Zufallsgrößen stehen. Wir haben also die Alternative: $X_t \equiv 0$ (alle $t \in [t_0, T]$) bzw. X_t ist nicht von beschränkter Schwankung in $[t_0, T]$ genau dann, wenn die rechte Seite von (5.2.10) verschwindet bzw. nicht verschwindet.

5.3 Stochastische Differentiale. Der Satz von Itô

Die Beziehung

$$X_t(\omega) = \int_{t_0}^{t} G(s, \omega)\,dW_s(\omega)$$

kann man auch abkürzend

$$dX_t = G(t)\,dW_t$$

schreiben. Das ist ein spezielles sog. stochastisches Differential. Wir wollen solche Differentiale nun allgemein definieren und untersuchen. Dazu betrachten wir etwas allgemeiner stochastische Prozesse der Form

(5.3.1)
$$X_t(\omega) = X_{t_0}(\omega) + \int_{t_0}^{t} f(s, \omega)\,ds + \int_{t_0}^{t} G(s, \omega)\,dW_s(\omega).$$

Hierbei ist wieder die übliche Situation vorausgesetzt: W_t ist ein m-dimensionaler Wiener-Prozeß, $\mathfrak{F}_t$ die begleitende Familie von sigma-Algebren mit von $\mathfrak{W}_t^+$ unabhängigen Ereignissen, G eine $d \times m$-matrixwertige Funktion aus $M_2^{d,m}[t_0, T] = M_2[t_0, T]$. Damit ist das stochastische Integral in (5.3.1) für $t_0 \leqq t \leqq T$ wohldefiniert.

Über X_{t_0} und f machen wir nun noch folgende Voraussetzungen:

a) X_{t_0} ist eine $\mathfrak{F}_{t_0}$-meßbare Zufallsgröße (und damit von $\mathfrak{W}_{t_0}^+$, also von $W_t - W_{t_0}$, $t \geqq t_0$, unabhängig). Dies ist insbesondere dann erfüllt, wenn X_{t_0} nicht zufällig ist.

b) f ist eine R^d-wertige, in (s, ω) meßbare und nicht vorgreifende Funktion, d.h. $f(t,.)$ ist $\mathfrak{F}_t$-meßbar für alle $t \in [t_0, T]$, und es gilt mit Wahrscheinlichkeit 1

$$\int_{t_0}^{T} |f(s, \omega)| \, ds < \infty .$$

Dabei fassen wir das letzte Integral - ebenso wie das entsprechende Integral über f in (5.3.1) - als gewöhnliches (Lebesguesches, nach Möglichkeit Riemannsches) Integral über die Realisierungen $f(\cdot, \omega)$ auf.

(5.3.2) **Bemerkung.** Beide Integrale in (5.3.1) sind stetige Funktionen der oberen Grenze (das Integral über f ist sogar absolut-stetig!), so daß der Prozeß X_t ein R^d-wertiger Prozeß ist, der mit Wahrscheinlichkeit 1 stetige Realisierungen besitzt. Außerdem ist X_t $\mathfrak{F}_t$-meßbar, also nicht vorgreifend, und es gilt für jedes s mit $t_0 \leqq s \leqq t \leqq T$

$$X_t = X_s + \int_s^t f(u) \, du + \int_s^t G(u) \, dW_u .$$

Stochastische Differentiale sind nun einfach eine kompaktere, symbolische Schreibweise für Zusammenhänge der Form (5.3.1).

(5.3.3) **Definition.** Wir sagen, daß ein durch die Gleichung (5.3.1) definierter stochastischer Prozeß X_t in $[t_0, T]$ das stochastische Differential $f(t)\,dt + G(t)\,dW_t$ besitzt und schreiben

(5.3.4) $$dX_t = f(t)\,dt + G(t)\,dW_t = f\,dt + G\,dW .$$

(5.3.5) **Bemerkung.** Beim Übergang von (5.3.1) zum stochastischen Differential (5.3.4) geht die Anfangsgröße X_{t_0} verloren, so daß wir aus (5.3.4) lediglich die Differenzen

$$X_t - X_s = \int_s^t f(u) \, du + \int_s^t G(u) \, dW_u$$

gewinnen können und X_{t_0} - sofern es nicht gleich 0 ist - immer extra aufführen müssen.

(5.3.6) **Beispiel.** Sei $d=m=1$, $t_0=0$ und $T>0$ beliebig. Die differentielle Schreibweise von

$$\int_0^t W_s \, dW_s = W_t^2/2 - t/2$$

lautet

$$d(W_t^2) = dt + 2 W_t \, dW_t. \tag{5.3.7}$$

Bilden wir das Differential von W_t^2 formal nach dem Taylorschen Satz, so erhalten wir

$$d(W_t^2) = 2 W_t \, dW_t + (dW_t)^2.$$

Ein Vergleich mit (5.3.7) zeigt, daß wir für das *stochastische* Differential von W_t^2 die *ersten beiden* Terme als Terme erster Ordnung berücksichtigen und $(dW_t)^2$ durch dt ersetzen müssen (siehe Bemerkung (3.1.9)).

Dieses Phänomen findet seine allgemeine Erklärung in dem nun folgenden Satz von K. Itô [42]. Er sagt in der Sprache der stochastischen Differentiale, daß glatte Funktionen von Prozessen, die durch (5.3.1) definiert sind, wieder Prozesse dieses Typs sind. Nun zunächst der Satz von K. Itô in seiner allgemeinsten Form.

(5.3.8) **Satz von K. Itô.** Sei $u = u(t, x)$ eine auf $[t_0, T] \times R^d$ definierte stetige Funktion mit Werten in R^k und den stetigen partiellen Ableitungen (k-Vektoren!)

$$\frac{\partial}{\partial t} u(t, x) = u_t,$$

$$\frac{\partial}{\partial x_i} u(t, x) = u_{x_i}, \quad x = (x_1, \dots, x_d)',$$

$$\frac{\partial^2}{\partial x_i \, \partial x_j} u(t, x) = u_{x_i x_j}, \quad i, j \leqq d.$$

Ist der d-dimensionale stochastische Prozeß X_t in $[t_0, T]$ durch das stochastische Differential

$$dX_t = f(t) \, dt + G(t) \, dW_t, \quad W_t \ m\text{-dimensional},$$

gegeben, so besitzt auch der in $[t_0, T]$ definierte k-dimensionale Prozeß

$$Y_t = u(t, X_t)$$

mit dem Anfangswert $Y_{t_0} = u(0, X_{t_0})$ ein stochastisches Differential bezüglich *desselben Wienerprozesses* W_t, und zwar gilt

$$\begin{aligned} dY_t = &\left(u_t(t, X_t) + u_x(t, X_t) \, f(t) + \frac{1}{2} \sum_{i=1}^{d} \sum_{j=1}^{d} u_{x_i x_j}(t, X_t) \, (G(t) \, G(t)')_{ij} \right) dt \\ &+ u_x(t, X_t) \, G(t) \, dW_t. \end{aligned} \tag{5.3.9a}$$

Hierbei ist $u_x = (u_{x_1}, \dots, u_{x_d})$ eine $k \times d$-Matrix und $u_{x_i x_j}$ ein k-dimensionaler Spaltenvektor.

(5.3.10) **Bemerkung.** Die Doppelsumme in (5.3.9a) kann auch wie folgt geschrieben werden:

$$\sum_{i=1}^{d} \sum_{j=1}^{d} u_{x_i x_j} (G\,G')_{ij} = \mathrm{tr}\,(u_{xx}\,G\,G') = \mathrm{tr}\,(G\,G'\,u_{xx}),$$

wobei $u_{xx} = (u_{x_i x_j})$ eine $d \times d$-Matrix ist, deren Elemente k-Vektoren sind. Damit nimmt (5.3.9a) die folgende Gestalt an:

(5.3.9b) $$\mathrm{d}Y_t = u_t\,\mathrm{d}t + u_x\,\mathrm{d}X_t + \frac{1}{2}\,\mathrm{tr}\,(G\,G'\,u_{xx})\,\mathrm{d}t.$$

Wir spezialisieren nun Satz (5.3.8) auf den für viele Anwendungen wichtigen Fall $k = m = 1$.

(5.3.11) **Satz** von K. Itô für $k = m = 1$. Sei $u = u(t, x_1, \dots, x_d)$ eine auf $[t_0, T] \times R^d$ definierte stetige Funktion mit den stetigen partiellen Ableitungen u_t, u_{x_i} und $u_{x_i x_j}$, $i, j \leqq d$. Weiter seien d eindimensionale stochastische Prozesse $X_i(t)$ in $[t_0, T]$ durch die stochastischen Differentiale

$$\mathrm{d}X_i(t) = f_i(t)\,\mathrm{d}t + G_i(t)\,\mathrm{d}W_t, \quad i = 1, 2, \dots, d,$$

bezüglich ein und desselben eindimensionalen Wiener-Prozesses gegeben. Dann besitzt der Prozeß

$$Y_t = u(t, X_1(t), \dots, X_d(t))$$

ebenfalls ein stochastisches Differential in $[t_0, T]$, und zwar gilt

$$\mathrm{d}Y_t = u_t\,\mathrm{d}t + \sum_{i=1}^{d} u_{x_i}\,\mathrm{d}X_i + \frac{1}{2} \sum_{i=1}^{d} \sum_{j=1}^{d} u_{x_i x_j}\,\mathrm{d}X_i\,\mathrm{d}X_j.$$

Hierbei ist das Produkt $\mathrm{d}X_i\,\mathrm{d}X_j$ nach der folgenden Multiplikationstabelle zu berechnen:

$\times$	$\mathrm{d}W$	$\mathrm{d}t$
$\mathrm{d}W$	$\mathrm{d}t$	0
$\mathrm{d}t$	0	0

D.h. es gilt

$$\mathrm{d}X_i\,\mathrm{d}X_j = G_i\,G_j\,\mathrm{d}t, \quad i, j \leqq d,$$

und

$$\mathrm{d}Y_t = \left(u_t + \sum_{i=1}^{d} u_{x_i} f_i + \frac{1}{2} \sum_{i=1}^{d} \sum_{j=1}^{d} u_{x_i x_j} G_i G_j\right) \mathrm{d}t + \left(\sum_{i=1}^{d} u_{x_i} G_i\right) \mathrm{d}W_t.$$

Den noch spezielleren Fall $k=m=d=1$ führen wir gesondert auf als

(5.3.12) **Korollar.** (Satz von K. Itô für $k=m=d=1$). Sei $u=u(t,x)$ eine in $[t_0, T]\times R^1$ definierte skalare stetige Funktion mit stetigen partiellen Ableitungen u_t, u_x und u_{xx}. Ist X_t ein Prozeß in $[t_0, T]$ mit dem stochastischen Differential

$$dX_t = f\,dt + G\,dW, \quad f, G, W_t \text{ skalare Funktionen,}$$

so besitzt $Y_t = u(t, X_t)$ in $[t_0, T]$ das stochastische Differential

$$dY_t = \left(u_t(t,X_t) + u_x(t,X_t) f(t) + \frac{1}{2} u_{xx}(t,X_t) G(t)^2\right) dt + u_x(t,X_t) G(t)\,dW_t.$$

Bevor wir einen Beweis für Satz (5.3.8) geben, veranschaulichen wir dessen Reichweite und Brauchbarkeit durch verschiedene Beispiele.

5.4 Beispiele und Bemerkungen zum Satz von Itô

Der bemerkenswerte, im Vergleich zur gewöhnlichen Differentialbildung neu hinzutretende Term in (5.3.9) ist der aus den zweiten Ableitungen $u_{x_i x_j}$ gebildete. Dieser Term ist die häufigste Fehlerursache bei der rein formalen Handhabung stochastischer Differentialgleichungen.

(5.4.1) **Beispiel.** Satz (5.3.11) liefert im Falle

$$u = x_1 x_2$$

das folgende Resultat: Ist

$$dX_1(t) = f_1(t)\,dt + G_1(t)\,dW_t,$$

$$dX_2(t) = f_2(t)\,dt + G_2(t)\,dW_t,$$

so gilt

$$\begin{aligned} d(X_1(t) X_2(t)) &= X_1(t)\,dX_2(t) + X_2(t)\,dX_1(t) + G_1(t) G_2(t)\,dt \\ &= (X_1 f_2 + X_2 f_1 + G_1 G_2)\,dt + (X_1 G_2 + X_2 G_1)\,dW_t. \end{aligned}$$

Dies ist die R e g e l f ü r d i e p a r t i e l l e I n t e g r a t i o n s t o c h a s t i s c h e r I n t e g r a l e und bedeutet ausführlich

$$X_1(t) X_2(t) = X_1(t_0) X_2(t_0) + \int_{t_0}^{t} X_1\,dX_2 + \int_{t_0}^{t} X_2\,dX_1 + \int_{t_0}^{t} G_1 G_2\,ds, \quad t_0 \leqq t \leqq T.$$

Im Vergleich zur entsprechenden Formel für gewöhnliche Integrale bzw. Differentiale tritt also hier der Zusatzterm

$$G_1 G_2 (dW)^2 = G_1 G_2\,dt$$

auf. Die Wahl $X_1(t) = t$, $X_2(t) = W_t$ ergibt

$$d(t W_t) = W_t\,dt + t\,dW_t,$$

die Wahl $X_1(t) = X_2(t) = W_t$ liefert das altbekannte Resultat

$$d(W_t^2) = dt + 2\, W_t\, dW_t.$$

(5.4.2) **Beispiel.** Wir studieren speziell glatte Funktionen des Wiener-Prozesses selbst. Für die skalare Situation ergibt sich mit $X_t = W_t$ und für $0 \leqq t < \infty$ aus Korollar (5.3.12):

$$du(t, W_t) = \left(u_t(t, W_t) + \frac{1}{2} u_{xx}(t, W_t)\right) dt + u_x(t, W_t)\, dW_t.$$

Ist speziell $u = u(x)$ unabhängig von t und zweimal stetig nach x differenzierbar, so erhalten wir

(5.4.3a) $$du(W_t) = u'(W_t)\, dW_t + \frac{1}{2} u''(W_t)\, dt$$

oder, was dasselbe bedeutet,

(5.4.3b) $$u(W_t) = u(0) + \int_0^t u'(W_s)\, dW_s + \frac{1}{2} \int_0^t u''(W_s)\, ds.$$

Der meistens interessierende Term in (5.4.3b) ist das stochastische Integral bezüglich W_t, für das wir damit einen Ausdruck gefunden haben, der nur noch ein gewöhnliches Integral enthält.

In den Formeln (5.4.3a) und (5.4.3b) erscheint deutlich das wesentliche Charakteristikum des Kalküls für stochastische Integrale, nämlich das Auftreten eines weiteren Terms erster Ordnung bei der Bildung des Differentials von glatten Funktionen des Wiener-Prozesses W_t. Gleichung (5.4.3b) wird manchmal "Fundamentalsatz des Kalküls der (Itôschen) stochastischen Integrale" genannt.

(5.4.4) **Beispiel.** Formel (5.4.3a) liefert für $u(x) = x^n$, $n = 1, 2, \ldots$, und $t \geqq 0$

$$d(W_t^n) = n\, W_t^{n-1}\, dW_t + \frac{n(n-1)}{2} W_t^{n-2}\, dt.$$

(5.4.5) **Beispiel.** Wir betrachten wieder den eindimensionalen Fall $d = m = 1$, starten mit dem Prozeß

$$X_t = X_{t_0} - \frac{1}{2} \int_{t_0}^t G(s)^2\, ds + \int_{t_0}^t G(s)\, dW_s, \quad G \in M_2^{1,1}[t_0, T]$$

und berechnen das stochastische Differential für den Prozeß

$$Y_t = e^{X_t}.$$

Korollar (5.3.12) ergibt für $u(x) = e^x$

$$dY_t = e^{X_t}\, G(t)\, dW_t$$

oder

(5.4.6) $\quad dY_t = Y_t G(t)\, dW_t, \quad Y_{t_0} = e^{X_{t_0}} = c > 0.$

Das ist eine stochastische Differentialgleichung für den Prozeß Y_t mit der Anfangsbedingung $Y_{t_0} > 0$. Wir wissen aus der obigen Ableitung der Gleichung, daß der Prozeß

$$Y_t = Y_{t_0} \exp\left(-\frac{1}{2}\int_{t_0}^{t} G(s)^2\, ds + \int_{t_0}^{t} G(s)\, dW_s\right)$$

diese Gleichung für $t \in [t_0, T]$ erfüllt.

Für $G \equiv 1$ und $t_0 = 0$ ergibt sich: Die Gleichung

(5.4.7) $\quad dY_t = Y_t\, dW_t, \quad Y_0 = 1,$

hat die Lösung

$$Y_t = \exp(W_t - t/2), \quad t \geqq 0.$$

Interpretieren wir Gleichung (5.4.7) als gewöhnliche Differentialgleichung für stetig differenzierbare Funktionen, so erhalten wir $Y_t = c \exp(W_t)$ als Lösung. Wir können also sagen, daß die Rolle der gewöhnlichen Exponentialfunktion im Kalkül der stochastischen Differentiale von der Funktion $\exp(W_t - t/2)$ übernommen wird.

(5.4.8) **Bemerkung.** Wir kehren zur allgemeinen Gleichung (5.3.1) zurück. Ist X_{t_0} normalverteilt oder eine Konstante, und sind die Funktionen f und G *unabhängig von* ω, so können wir in Erweiterung von Bemerkung (5.2.4) folgendes feststellen: Der Prozeß

$$X_t(\omega) = X_{t_0}(\omega) + \int_{t_0}^{t} f(s)\, ds + \int_{t_0}^{t} G(s)\, dW_s(\omega), \quad t_0 \leqq t \leqq T,$$

ist ein d-dimensionaler Gaußscher Prozeß mit unabhängigen Zuwächsen, dem Erwartungswert

$$E X_t = E X_{t_0} + \int_{t_0}^{t} f\, ds$$

und der Kovarianzmatrix

$$E(X_t - E X_t)(X_s - E X_s)' = \mathrm{Cov}(X_0, X_0') + \int_{t_0}^{\min(t,s)} G(u) G(u)'\, du.$$

Umgekehrt lassen sich wieder alle glatten d-dimensionalen Gaußschen Prozesse mit unabhängigen Zuwächsen in dieser Form darstellen. Ist nämlich

$$E(X_t - X_{t_0}) = F(t), \quad t_0 \leqq t \leqq T,$$

z.B. stetig differenzierbar, so können wir schreiben

$$E(X_t - X_{t_0}) = \int_{t_0}^{t} f(s)\, ds, \quad f(s) = \dot{F}(s).$$

Der Prozeß

$$Y_t = X_t - X_{t_0} - \int_{t_0}^{t} f(s)\,\mathrm{d}s$$

erfüllt die in Bemerkung (5.2.4) gemachten Voraussetzungen $Y_{t_0} = 0$ und $E\,Y_t = 0$. Ist also die $d \times d$-Matrix

$$E\,Y_t Y_t' = Q(t)$$

z.B. stetig differenzierbar, so gibt es eine (nicht eindeutig bestimmte) $d \times d$-Matrix G mit

$$Q(t) = \int_{t_0}^{t} q(s)\,\mathrm{d}s = \int_{t_0}^{t} G(s)\,G(s)'\,\mathrm{d}s, \quad q(s) = \dot{Q}(s).$$

Ist dann W_t ein d-dimensionaler Wiener-Prozeß, so daß X_{t_0} und $W_t - W_{t_0}$, $t \geqq t_0$, unabhängig sind, so stimmt der Prozeß

$$Z_t = X_{t_0} + \int_{t_0}^{t} f(s)\,\mathrm{d}s + \int_{t_0}^{t} G(s)\,\mathrm{d}W_s, \quad t_0 \leqq t \leqq T,$$

verteilungsmäßig mit X_t überein. Es sei bemerkt, daß W_t im allgemeinen m-dimensional ($m \gtreqless d$) sein kann, wenn man nur eine $d \times m$-Matrix G mit $\dot{Q}(t) = G(t)\,G(t)'$ wählt.

Manche Autoren (siehe z.B. Bucy-Joseph [61]) betrachten stochastische Differentiale bezüglich eines m-dimensionalen Gaußschen Prozesses V_t mit unabhängigen Zuwächsen, $V_0 = 0$, $E\,V_t = 0$ und der Kovarianz

$$E\,V_t V_s' = \int_{0}^{\min(t,s)} q(u)\,\mathrm{d}u.$$

Nach dem oben Gesagten können wir V_t jedoch jederzeit in der Form

$$\mathrm{d}V_t = G_0(t)\,\mathrm{d}W_t, \quad G_0(t)\,G_0(t)' = q(t),$$

darstellen. Es gilt also

$$\mathrm{d}X_t = f\,\mathrm{d}t + G\,\mathrm{d}V_t = f\,\mathrm{d}t + G\,G_0\,\mathrm{d}W_t,$$

d.h. wir können uns auf Differentiale bezüglich W_t beschränken.

(5.4.9) **Beispiel.** $u(x) = |x|^2 = x'x$ ergibt mit (5.3.9b) für $k = 1$ und beliebiges d und m

$$\mathrm{d}|X_t|^2 = 2\,X_t'\,\mathrm{d}X_t + |G(t)|^2\,\mathrm{d}t.$$

5.5 Beweis des Satzes von Itô

Da sich der Beweis des Satzes (5.3.8) von dem des nachfolgenden Korollars (5.3.12) nur durch kompliziertere Schreibweise unterscheidet, beschränken wir uns hier auf den Beweis des Korollars. Wir können die Situation jedoch noch weiter vereinfachen, ohne die grundlegende Beweisidee zu verändern.

Die Itôsche Differentialformel ist eine Kurzschreibweise für einen Integralausdruck für den Prozeß $Y_t = u(t, X_t)$. Es genügt, die Formel für Treppenfunktionen f und G zu beweisen. Den allgemeinen Fall erhält man wie üblich durch einen Grenzübergang. Da der Definitionsbereich einer Treppenfunktion in endlich viele Intervalle zerfällt, in denen diese konstant ist (als Funktion von t), genügt es sogar für den Beweis, sich auf den Fall eines konstanten $f(t, \omega) \equiv f(\omega)$ und $G(t, \omega) \equiv G(\omega)$ zu beschränken.

Unser Ausgangsprozeß X_t hat also die Gestalt

$$X_t = X_{t_0} + f(t - t_0) + G(W_t - W_{t_0}), \quad t_0 \leqq t \leqq T,$$

wobei X_{t_0}, f und G Zufallsgrößen sind. Aus der $\mathfrak{F}_{t_0}$-Meßbarkeit von X_{t_0}, f und G folgt, daß sie *unabhängig* von $W_t - W_{t_0}$, $t \geqq t_0$, (sonst jedoch beliebig) sind.

Der Prozeß Y_t hat die Gestalt

$$Y_t = u(t, X_t) = u(t, X_{t_0} + f(t - t_0) + G(W_t - W_{t_0}))$$

mit

$$Y_{t_0} = u(t_0, X_{t_0}).$$

Sei $t_0 < t_1 < \ldots < t_n = t \leqq T$. Dann ist

$$(5.5.1) \qquad Y_t - Y_{t_0} = \sum_{k=1}^{n} (u(t_k, X_{t_k}) - u(t_{k-1}, X_{t_{k-1}})).$$

Die Taylorsche Formel ergibt mit unseren Annahmen über $u(t, x)$

$$(5.5.2) \qquad \begin{aligned} u(t_k, X_{t_k}) - u(t_{k-1}, X_{t_{k-1}}) &= u_t(t_{k-1} + d_k(t_k - t_{k-1}), X_{t_{k-1}})(t_k - t_{k-1}) \\ &\quad + u_x(t_{k-1}, X_{t_{k-1}})(X_{t_k} - X_{t_{k-1}}) \\ &\quad + \frac{1}{2} u_{xx}(t_{k-1}, X_{t_{k-1}} + \bar{d}_k(X_{t_k} - X_{t_{k-1}}))(X_{t_k} - X_{t_{k-1}})^2, \end{aligned}$$

wobei $0 < d_k, \bar{d}_k < 1$ ist. Berücksichtigt man die Stetigkeit von X_t, u_t und u_{xx}, so sieht man, daß es Zufallsgrößen α_n und β_n gibt, die mit Wahrscheinlichkeit 1 gegen 0 konvergieren, wenn

$$\delta_n = \max_{1 \leqq k \leqq n} (t_k - t_{k-1}) \longrightarrow 0$$

gilt, und die Ungleichungen

$$\max_{1 \leqq k \leqq n} |u_t(t_{k-1} + d_k(t_k - t_{k-1}), X_{t_{k-1}}) - u_t(t_{k-1}, X_{t_{k-1}})| \leqq \alpha_n$$

und

$$\max_{1 \leqq k \leqq n} |u_{xx}(t_{k-1}, X_{t_{k-1}} + \bar{d}_k(X_{t_k} - X_{t_{k-1}})) - u_{xx}(t_{k-1}, X_{t_{k-1}})| \leqq \beta_n$$

erfüllen. Setzen wir also (5.5.2) in (5.5.1) ein, so dürfen wir für $\delta_n \to 0$ wegen

$$\sum_{k=1}^{n} (t_k - t_{k-1}) = t - t_0$$

und

$$\underset{\delta_n \to 0}{\text{st-lim}} \sum_{k=1}^{n} (X_{t_k} - X_{t_{k-1}})^2 = G^2 (t - t_0)$$

die d_k und $\bar{d}_k$ durch 0 ersetzen, ohne den Grenzwert $Y_t - Y_{t_0}$ in (5.5.1) zu verändern. Zu zeigen ist also

$$\underset{\delta_n \to 0}{\text{st-lim}} \sum_{k=1}^{n} \Big[u_t (t_{k-1}, X_{t_{k-1}}) (t_k - t_{k-1}) + u_x (t_{k-1}, X_{t_{k-1}})(X_{t_k} - X_{t_{k-1}})$$

$$+ \frac{1}{2} u_{xx} (t_{k-1}, X_{t_{k-1}}) (X_{t_k} - X_{t_{k-1}})^2 \Big] =$$

$$= \int_{t_0}^{t} \left(u_t (s, X_s) + u_x (s, X_s) f + \frac{1}{2} u_{xx} (s, X_s) G^2 \right) \mathrm{d}s + \int_{t_0}^{t} u_x (s, X_s) G \, \mathrm{d}W_s .$$

Es gilt auf Grund der Stetigkeitsvoraussetzungen

$$\underset{\delta_n \to 0}{\text{fs-lim}} \sum_{k=1}^{n} u_t (t_{k-1}, X_{t_{k-1}}) (t_k - t_{k-1}) = \int_{t_0}^{t} u_t (s, X_s) \, \mathrm{d}s$$

und

$$\underset{\delta_n \to 0}{\text{st-lim}} \sum_{k=1}^{n} u_x (t_{k-1}, X_{t_{k-1}}) (X_{t_k} - X_{t_{k-1}}) = \int_{t_0}^{t} u_x (s, X_s) f \, \mathrm{d}s + \int_{t_0}^{t} u_x (s, X_s) G \, \mathrm{d}W_s .$$

Wir müssen noch die Summe

$$\sum_{k=1}^{n} u_{xx} (t_{k-1}, X_{t_{k-1}}) (X_{t_k} - X_{t_{k-1}})^2 = f^2 \sum_{k=1}^{n} u_{xx} (t_{k-1}, X_{t_{k-1}}) (t_k - t_{k-1})^2$$

$$+ 2 f G \sum_{k=1}^{n} u_{xx} (t_{k-1}, X_{t_{k-1}}) (t_k - t_{k-1}) (W_{t_k} - W_{t_{k-1}})$$

$$+ G^2 \sum_{k=1}^{n} u_{xx} (t_{k-1}, X_{t_{k-1}}) (W_{t_k} - W_{t_{k-1}})^2$$

behandeln. Da die ersten beiden Summen auf der rechten Seite wegen der Stetigkeit von u_{xx} und W_t mit Wahrscheinlichkeit 1 gegen 0 konvergieren, bleibt noch zu zeigen

$$\underset{\delta_n \to 0}{\text{st-lim}} \sum_{k=1}^{n} u_{xx} (t_{k-1}, X_{t_{k-1}}) (W_{t_k} - W_{t_{k-1}})^2 = \int_{t_0}^{t} u_{xx} (s, X_s) \, \mathrm{d}s . \tag{5.5.3}$$

Wegen

$$\underset{\delta_n \to 0}{\text{fs-lim}} \sum_{k=1}^{n} u_{xx}(t_{k-1}, X_{t_{k-1}})(t_k - t_{k-1}) = \int_{t_0}^{t} u_{xx}(s, X_s)\, ds$$

reduziert sich (5.5.3) auf

$$\underset{\delta_n \to 0}{\text{st-lim}}\, S_n = 0$$

mit

$$S_n = \sum_{k=1}^{n} u_{xx}(t_{k-1}, X_{t_{k-1}})((W_{t_k} - W_{t_{k-1}})^2 - (t_k - t_{k-1})).$$

Nun schalten wir große Werte von u_{xx} durch eine Abschneidetechnik aus. Sei $N>0$,

$$I_k^N(\omega) = \begin{cases} 1, & \text{falls } |X_{t_i}| \leqq N \text{ für alle } i \leqq k, \\ 0, & \text{sonst,} \end{cases}$$

$$\varepsilon_k = (W_{t_k} - W_{t_{k-1}})^2 - (t_k - t_{k-1})$$

und

$$S_n^N = \sum_{k=1}^{n} u_{xx}(t_{k-1}, X_{t_{k-1}})\, I_{k-1}^N\, \varepsilon_k.$$

Wir haben wegen $E\,\varepsilon_k = 0$, $E\,\varepsilon_k^2 = 2\,(t_k - t_{k-1})^2$ und der Unabhängigkeit der ε_k untereinander und von $u_{xx}(t_{k-1}, X_{t_{k-1}})\, I_{k-1}^N$

$$E\, S_n^N = 0$$

und

$$E\,(S_n^N)^2 = \sum_{k=1}^{n} E\,(u_{xx}(t_{k-1}, X_{t_{k-1}})\, I_{k-1}^N)^2\, E\,\varepsilon_k^2$$

$$\leqq 2 \max_{t_0 \leqq s \leqq t,\, |y| \leqq N} |u_{xx}(s, y)| \sum_{k=1}^{n} (t_k - t_{k-1})^2$$

$$\to 0 \quad (\delta_n \to 0).$$

Deshalb gilt für jedes feste $N>0$

$$\underset{\delta_n \to 0}{\text{qm-lim}}\, S_n^N = \underset{\delta_n \to 0}{\text{st-lim}}\, S_n^N = 0.$$

Der Fehler beim Abschneiden ist

$$(5.5.4) \qquad P\,[S_n \neq S_n^N] = P\,[\max_{t_0 \leqq s \leqq t} |X_s| > N].$$

Nun ist

$$\max_{t_0 \leqq s \leqq t} |X_s| = \max_{t_0 \leqq s \leqq t} |X_{t_0} + f\,(s - t_0) + G\,(W_s - W_{t_0})|$$

$$\leqq |X_{t_0}| + |f|\,(t - t_0) + |G| \max_{t_0 \leqq s \leqq t} |W_s - W_{t_0}|$$

eine fast sicher endliche Zufallsgröße, weshalb die rechte Seite in (5.5.4) durch Wahl eines hinreichend großen N beliebig klein gemacht werden kann. Wegen

$$P[|S_n| > \varepsilon] \leqq P[|S_n^N| > \varepsilon] + P[S_n \neq S_n^N]$$

gilt deshalb sogar

$$\operatorname*{st-lim}_{\delta_n \to 0} S_n = 0,$$

q. e. d.

Kapitel 6

Stochastische Differentialgleichungen – Existenz und Eindeutigkeit von Lösungen

6.1 Definition und Beispiele

Wir betrachten ein stochastisches Differential der Form

(6.1.1a) $\quad dX_t = f(t, X_t)\, dt + G(t, X_t)\, dW_t, \quad X_{t_0} = c, \quad t_0 \leqq t \leqq T < \infty,$

oder, ausführlich

(6.1.1b) $\quad X_t = c + \int_{t_0}^{t} f(s, X_s)\, ds + \int_{t_0}^{t} G(s, X_s)\, dW_s, \quad t_0 \leqq t \leqq T < \infty,$

wobei X_t ein (vorerst als bekannt vorausgesetzter) R^d-wertiger stochastischer Prozeß in $[t_0, T]$ und W_t ein m-dimensionaler Wiener-Prozeß sind. Die R^d-wertige Funktion f und die $d \times m$-matrixwertige Funktion G seien auf $[t_0, T] \times R^d$ definiert und meßbar. Für festes (t, x) seien $f(t, x)$ und $G(t, x)$ unabhängig von $\omega \in \Omega$. Der Zufallsparameter gehe also nur indirekt in der Form $f(t, X_t(\omega))$ und $G(t, X_t(\omega))$ in die Koeffizienten von (6.1.1) ein! Für eine Verallgemeinerung siehe Bemerkung (6.1.5).

Nun muß der als bekannt vorausgesetzte Prozeß X_t natürlich so beschaffen sein, daß nach seiner Einsetzung in (6.1.1a) die rechte Seite ein stochastisches Differential im Sinne des Abschnitts 5.3 wird. Insbesondere darf X_t nicht vorgreifen (siehe Bemerkung (5.3.2)), d.h. es muß $\mathfrak{F}_t$-meßbar sein.

Die Gleichungen (6.1.1) können auch als Bestimmungsgleichungen für einen unbekannten stochastischen Prozeß X_t mit vorgegebenem Anfangswert $X_{t_0} = c$ aufgefaßt werden. Was die begleitende Schar der Ereignis-sigma-Algebren $\mathfrak{F}_t$ betrifft, so treffen wir ein für allemal folgende

(6.1.2) **Festsetzung.** Zum Zwecke der Behandlung stochastischer Differentialgleichungen im Intervall $[t_0, T]$ reicht es immer aus, für $\mathfrak{F}_t$ die kleinste sigma-Algebra zu wählen, bezüglich der der Anfangswert c und die Zufallsgrößen W_s, $s \leqq t$, meßbar sind, also

$$\mathfrak{F}_t = \mathfrak{A}(c; W_s, s \leqq t).$$

Nach Definition muß $\mathfrak{F}_t$ für alle $t \geqq t_0$ von

$$\mathfrak{W}_t^+ = \mathfrak{A}(W_s - W_t, s \geqq t)$$

unabhängig sein. Für $t = t_0$ besagt dies insbesondere: Der Anfangswert c und der Wiener Prozeß $W_t - W_{t_0}$ müssen statistisch unabhängig sein.

Ist speziell c mit Wahrscheinlichkeit 1 eine Konstante, so ist die Unabhängigkeit von $W_t - W_{t_0}$ trivialerweise erfüllt. In diesem Falle ist (abgesehen von Ereignissen mit Wahrscheinlichkeit 0)

$$\mathfrak{F}_t = \mathfrak{W}[0, t] = \mathfrak{A}(W_s, s \leqq t).$$

Natürlich kann $\mathfrak{F}_t$ immer durch alle Ereignisse vergrößert werden, die von $\mathfrak{W}_t^+$ unabhängig sind. Sofern jedoch $\mathfrak{F}_t$ nicht erwähnt wird, denken wir uns immer die obige Wahl getroffen.

(6.1.3) **Definition.** Ein stochastisches Differential der Form (6.1.1a) heißt (Itôsche) stochastische Differentialgleichung. Die Zufallsgröße c heißt Anfangswert zur Zeit t_0. Dabei ist (6.1.1a) zusammen mit dem Anfangswert lediglich eine symbolische Schreibweise der stochastischen Integralgleichung (6.1.1b). Ein stochastischer Prozeß X_t heißt Lösung der Gleichung (6.1.1a) bzw. (6.1.1b) im Intervall $[t_0, T]$, wenn er folgende Eigenschaften besitzt:

a) X_t ist $\mathfrak{F}_t$-meßbar, d.h. nicht vorgreifend, $t \in [t_0, T]$.

b) Die (nach a) nicht vorgreifenden) Funktionen $\overline{f}(t, \omega) = f(t, X_t(\omega))$ und $\overline{G}(t, \omega) = G(t, X_t(\omega))$ sind so beschaffen, daß mit Wahrscheinlichkeit 1 gilt

$$\int_{t_0}^{T} |\overline{f}(s, \omega)| \, ds < \infty$$

und

$$\int_{t_0}^{T} |\overline{G}(s, \omega)|^2 \, ds < \infty$$

(d.h. $\overline{G}$ ist aus $M_2^{d,m}[t_0, T]$). Dann ist nach Abschnitt 5.3 die rechte Seite von (6.1.1a) sinnvoll.

c) Die Gleichung (6.1.1b) gilt für jedes $t \in [t_0, T]$ mit Wahrscheinlichkeit 1.

(6.1.4) **Bemerkung.** Wir haben also folgende Situation: Gegeben sind einerseits die beiden festen Funktionen f und G, die das "System" determinieren, und andererseits die beiden unabhängigen zufälligen Elemente c und $W_.$. Für fast jede Wahl von $c(\omega)$ und fast jede Wienersche Realisierung $W_.(\omega)$ erhalten wir via f und G im Falle der Existenz und Eindeutigkeit einer Lösung von (6.1.1) die Realisierung $X_.(\omega)$ eines neuen Prozesses in $[t_0, T]$, der (6.1.1) erfüllt. Nach (6.1.3a) und unserer Festlegung von $\mathfrak{F}_t$

ist X_t sogar ein Funktional von c und W_s, $s \leqq t$, d.h. es gibt eine (durch f und G allein eindeutig bestimmte) Funktion g mit

$$X_t = g\,(c;\, W_s,\, s \leqq t).$$

So kann also (6.1.1) aufgefaßt werden als (im allgemeinen sehr komplizierte) durch die Funktionen f und G festgelegte Vorschrift, mit deren Hilfe aus c und $W_.$ der Prozeß $X_.$ konstruiert wird. Dabei werden für die Konstruktion des Wertes $X_t(\omega)$ nur $c(\omega)$ und die Werte $W_s(\omega)$, $s \leqq t$, verwendet.

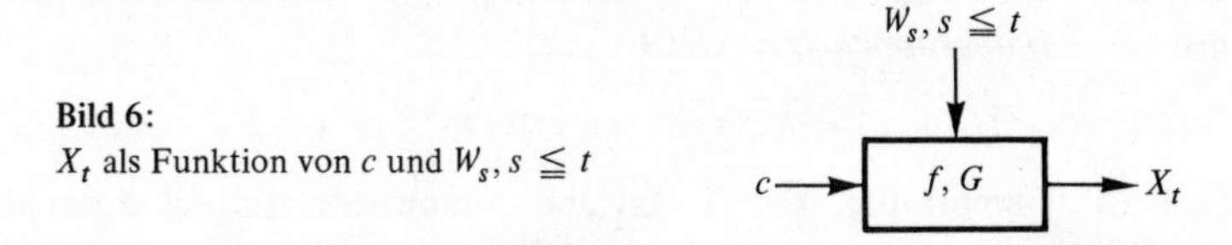

Bild 6:
X_t als Funktion von c und W_s, $s \leqq t$

(6.1.5) **Bemerkung.** Stochastische Differentialgleichungen der Form

$$dY_t = f(t, Y_t, W_t)\,dt + G(t, Y_t, W_t)\,dW_t, \quad Y_{t_0} = c,$$

können auf solche des Typs (6.1.1a) zurückgeführt werden, und zwar durch Hinzunahme der Gleichung

$$dW_t = dW_t$$

und Übergang zum $(d+m)$-dimensionalen Zustandsvektor

$$X_t = \begin{pmatrix} Y_t \\ W_t \end{pmatrix},$$

also zur Gleichung

$$dX_t = \begin{pmatrix} f \\ 0 \end{pmatrix} dt + \begin{pmatrix} G \\ I_m \end{pmatrix} dW_t, \quad X_{t_0} = \begin{pmatrix} c \\ 0 \end{pmatrix}.$$

Die Koeffizienten f und G können noch allgemeiner von ω abhängen, solange sie nicht vorgreifen, siehe Gikhman-Skorokhod [36], S. 50-53.

(6.1.6) **Bemerkung.** Differentialgleichungen n-ter Ordnung der Form

$$Y_t^{(n)} = f(t, Y_t, \dots, Y_t^{(n-1)}) + G(t, Y_t, \dots, Y_t^{(n-1)})\,\xi_t$$

mit den Anfangswerten $Y_{t_0}^{(i)} = c_i$, $i = 0, 1, \dots, n-1$, Y_t R^d-wertig, ξ_t m-dimensionales weißes Rauschen, werden wie üblich durch

$$dX_t = d\begin{pmatrix} Y_t \\ \dot{Y}_t \\ \vdots \\ Y_t^{(n-1)} \end{pmatrix} = \begin{pmatrix} \dot{Y}_t \\ \ddot{Y}_t \\ \vdots \\ f(t, Y_t, \dots, Y_t^{(n-1)}) \end{pmatrix} dt + \begin{pmatrix} 0 \\ 0 \\ \vdots \\ G(t, Y_t, \dots, Y_t^{(n-1)}) \end{pmatrix} dW_t$$

in eine stochastische Differentialgleichung (erster Ordnung) vom Typ (6.1.1a) für den R^{dn}-wertigen Prozeß X_t mit dem Anfangswert $X_{t_0} = (c_0, \dots, c_{n-1})'$ überführt. Den Fall $n = 2$ behandeln wir ausführlich im Abschnitt 7.1. (Beispiel (7.1.6)).

(6.1.7) **Bemerkung.** Gleichung (6.1.1b) ist äquivalent mit

$$X_t - X_s = \int_s^t f(u, X_u)\,\mathrm{d}u + \int_s^t G(u, X_u)\,\mathrm{d}W_u, \quad X_{t_0} = c,$$

$t_0 \leqq s \leqq t \leqq T$. Daraus folgt: Erfüllt $X_t(t_0, c)$ die Gleichung (6.1.1b) so gilt die "*Halbgruppeneigenschaft*"

$$X_t(t_0, c) = X_t(s, X_s(t_0, c)), \quad t_0 \leqq s \leqq t \leqq T.$$

(6.1.8) **Bemerkung.** Mit X_t ist auch jeder stochastisch äquivalente Prozeß $\overline{X}_t$ eine Lösung von (6.1.1). Gilt nämlich für jedes feste $t \in [t_0, T]$

$$X_t = \overline{X}_t \quad \text{mit Wahrscheinlichkeit 1}$$

(wobei die Ausnahmemenge aus $\mathfrak{F}_t$ sein muß), so ist wegen der immer stillschweigend vorausgesetzten Separabilität aller Prozesse sogar für fast alle ω

$$X_{.}(\omega) = \overline{X}_{.}(\omega) \quad \text{in } [t_0, T].$$

Dies hat

$$\int_{t_0}^t f(s, X_s)\,\mathrm{d}s = \int_{t_0}^t f(s, \overline{X}_s)\,\mathrm{d}s$$

und nach Korollar (4.5.4) auch

$$\int_{t_0}^t G(s, X_s)\,\mathrm{d}W_s = \int_{t_0}^t G(s, \overline{X}_s)\,\mathrm{d}W_s$$

zur Folge.

Setzen wir nun eine (im Moment als existent vorausgesetzte) Lösung in die rechte Seite von (6.1.1b) ein, so liefert diese nach Bemerkung (5.3.2) eine stetige Funktion von t und ist gleichzeitig als Lösung fast sicher gleich der linken Seite. Daraus folgt, daß es zu jeder Lösung von (6.1.1) eine stochastisch äquivalente Lösung mit fast sicher stetigen Realisierungen gibt. ***Wir betrachten deshalb immer stetige Lösungen von stochastischen Differentialgleichungen.***

(6.1.9) **Beispiel.** Ist $G \equiv 0$, so fällt in (6.1.1) der Fluktuationsterm weg. Wir interpretieren (6.1.1) als gewöhnliche Differentialgleichung

$$\dot{X}_t = f(t, X_t), \quad t_0 \leqq t \leqq T,$$

mit der Anfangsbedingung $X_{t_0}=c$. Ein zufälliger Einfluß kann lediglich durch den Anfangswert c ins Spiel kommen.

(6.1.10) **Beispiel.** Sind die Funktionen $f(t,x)\equiv f(t)$ und $G(t,x)\equiv G(t)$ unabhängig von $x\in R^d$, und gilt $f\in L_1[t_0,T]$ und $G\in L_2[t_0,T]$, so ist

$$dX_t = f(t)\,dt + G(t)\,dW_t$$

ein stochastisches Differential, dessen Koeffizienten unabhängig von X_t und damit unabhängig von ω sind. Die eindeutig existierende Lösung von (6.1.1) lautet also in $[t_0,T]$

$$X_t(\omega) = c(\omega) + \int_{t_0}^{t} f(s)\,ds + \int_{t_0}^{t} G(s)\,dW_s(\omega).$$

Nach Bemerkung (5.4.8) ist im Falle eines normalverteilten oder konstanten c der Prozeß X_t ein d-dimensionaler stetiger Gaußscher Prozeß mit unabhängigen Zuwächsen, dem Erwartungswert

$$E\,X_t = E\,c + \int_{t_0}^{t} f(s)\,ds$$

und der Kovarianzmatrix ($X_{t_0}=c$ und $X_t-X_{t_0}$ sind unabhängig!)

$$E\,(X_t - E\,X_t)(X_s - E\,X_s)' = \operatorname{Cov}(c,c') + \int_{t_0}^{\min(t,s)} G(u)G(u)'\,du,$$

$s,t\in[t_0,T]$.

(6.1.11) **Beispiel:** Das Beispiel (5.4.5) zeigt: Wählen wir $d=m=1$ und eine Funktion $g\in L_2[t_0,T]$, so ist der Prozeß

$$X_t = \exp\left(-\frac{1}{2}\int_{t_0}^{t} g(s)^2\,ds + \int_{t_0}^{t} g(s)\,dW_s\right)$$

eine Lösung der Gleichung

$$dX_t = g(t)\,X_t\,dW_t,\quad X_{t_0}=1.$$

Hier ist also $f(t,x)\equiv 0$ und $G(t,x)=g(t)\,x$. Aus Abschnitt 6.2 wird die Eindeutigkeit der Lösung für alle in $[t_0,T]$ beschränkten g's folgen. Der Spezialfall $g\equiv 1$ liefert für jedes beliebige Intervall $[t_0,T]\subset[0,\infty)$ für

$$dX_t = X_t\,dW_t,\quad X_{t_0}=1,$$

die Lösung

$$X_t = \exp\left(W_t - W_{t_0} - (t-t_0)/2\right),\quad t\geqq t_0.$$

6.2 Existenz und Eindeutigkeit der Lösung

Um die Existenz und Eindeutigkeit der Lösung einer gewöhnlichen Differentialgleichung

(6.2.1) $$\dot{X}_t = f(t, X_t), \quad X_{t_0} = c,$$

im Intervall $[t_0, T]$ sicherzustellen, fordert man von $f(t, x)$ üblicherweise eine sogenannte Lipschitz-Bedingung bezüglich x und Beschränktheit bezüglich t für jedes x. Diese Bedingungen sind hinreichend dafür, daß das Iterationsverfahren von Picard-Lindelöf,

$$X_t^{(n)} = c + \int_{t_0}^{t} f(s, X_s^{(n-1)})\, ds, \quad X_t^{(0)} = c,$$

gegen eine Lösung der mit (6.2.1) äquivalenten Integralgleichung

$$X_t = c + \int_{t_0}^{t} f(s, X_s)\, ds$$

konvergiert. Da eine gewöhnliche Differentialgleichung ein Spezialfall ($G \equiv 0$) einer stochastischen Differentialgleichung ist und wir die Lösung einer stochastischen Differentialgleichung ebenfalls durch ein Iterationsverfahren gewinnen wollen, sind unsere hinreichenden Bedingungen den klassischen nachgebildet. Es gilt folgender, künftig als **Existenz- und Eindeutigkeitssatz** zitierter

(6.2.2) **Satz.** Gegeben sei eine stochastische Differentialgleichung

(6.2.3) $$dX_t = f(t, X_t)\, dt + G(t, X_t)\, dW_t, \quad X_{t_0} = c, \quad t_0 \leqq t \leqq T < \infty,$$

wobei W_t ein R^m-wertiger Wiener-Prozeß und c eine von $W_t - W_{t_0}$, $t \geqq t_0$, unabhängige Zufallsgröße ist. Die R^d-wertige Funktion $f(t, x)$ und die $d \times m$-matrixwertige Funktion $G(t, x)$ seien in $[t_0, T] \times R^d$ definiert, meßbar und haben die folgenden weiteren Eigenschaften: Es existiert eine Konstante $K > 0$, so daß gilt:

a) (Lipschitz-Bedingung) Für alle $t \in [t_0, T]$, $x \in R^d$, $y \in R^d$:

(6.2.4) $$|f(t, x) - f(t, y)| + |G(t, x) - G(t, y)| \leqq K\, |x - y|$$

(es ist $|G|^2 = \operatorname{tr} G G'$).

b) (Wachstumsbeschränkung) Für alle $t \in [t_0, T]$, $x \in R^d$:

(6.2.5) $$|f(t, x)|^2 + |G(t, x)|^2 \leqq K^2 (1 + |x|^2).$$

Dann besitzt die Gleichung (6.2.3) in $[t_0, T]$ eine eindeutige, mit Wahrscheinlichkeit 1 stetige R^d-wertige Lösung X_t mit dem Anfangswert $X_{t_0} = c$. D.h. sind X_t und Y_t stetige Lösungen von (6.2.3) mit demselben Anfangswert c, so gilt

$$P[\sup_{t_0 \leqq t \leqq T} |X_t - Y_t| > 0] = 0.$$

Beweis. Zuerst beweisen wir die Eindeutigkeit, anschließend mit Hilfe eines Iterationsverfahrens die Existenz einer Lösung.

a) Eindeutigkeit. Seien X_t und Y_t zwei stetige Lösungen von (6.2.3). Wir möchten gerne zeigen

$$E|X_t - Y_t|^2 = 0 \quad \text{für alle} \quad t \in [t_0, T].$$

Da jedoch die zweiten Momente von X_t und Y_t nicht notwendig endlich sind, müssen wir wieder mit einer Abschneidetechnik arbeiten. Sei für $N > 0$, $t \in [t_0, T]$

$$I_N(t) = \begin{cases} 1, & \text{falls } |X_s| \leqq N \text{ und } |Y_s| \leqq N \text{ für } t_0 \leqq s \leqq t, \\ 0, & \text{sonst.} \end{cases}$$

Wegen

$$I_N(t) = I_N(t)\, I_N(s), \quad s \leqq t,$$

gilt

$$I_N(t)(X_t - Y_t) = I_N(t) \left(\int_{t_0}^{t} I_N(s)(f(s, X_s) - f(s, Y_s))\, \mathrm{d}s \right.$$

(6.2.6)

$$\left. + \int_{t_0}^{t} I_N(s)(G(s, X_s) - G(s, Y_s))\, \mathrm{d}W_s \right).$$

Das letzte Integral ist sinnvoll, da $I_N(s)$ nicht vorgreifend ist (ebenso nach Voraussetzung X_s, Y_s und damit $G(s, X_s)$ und $G(s, Y_s)$, siehe Bemerkung (4.3.8)).

Für $s \in [t_0, t]$ folgt aus der Lipschitz-Bedingung (6.2.4)

$$I_N(s)(|f(s, X_s) - f(s, Y_s)| + |G(s, X_s) - G(s, Y_s)|)$$
$$\leqq K\, I_N(s)\, |X_s - Y_s| \leqq 2KN.$$

Deshalb existieren die zweiten Momente der beiden Integrale in (6.2.6). Mit $|x+y|^2 \leqq 2(|x|^2 + |y|^2)$, der Schwarzschen Ungleichung und Formel (5.1.3a) erhalten wir aus (6.2.6)

$$
\begin{aligned}
E\, I_N(t)\, |X_t - Y_t|^2 &\leqq 2\, E \left| \int_{t_0}^{t} I_N(s)\, (f(s, X_s) - f(s, Y_s))\, \mathrm{d}s \right|^2 \\
&\quad + 2\, E \left| \int_{t_0}^{t} I_N(s)\, (G(s, X_s) - G(s, Y_s))\, \mathrm{d}W_s \right|^2 \\
&\leqq 2\, (T - t_0) \int_{t_0}^{t} E\, I_N(s)\, |f(s, X_s) - f(s, Y_s)|^2\, \mathrm{d}s \\
&\quad + 2 \int_{t_0}^{t} E\, I_N(s)\, |G(s, X_s) - G(s, Y_s)|^2\, \mathrm{d}s.
\end{aligned}
$$

Nun benutzen wir die Bedingung (6.2.4) für die Integranden und erhalten mit $L = 2\,(T - t_0 + 1)\, K^2$

$$
(6.2.7) \qquad E\, I_N(t)\, |X_t - Y_t|^2 \leqq L \int_{t_0}^{t} E\, I_N(s)\, |X_s - Y_s|^2\, \mathrm{d}s.
$$

Daraus möchten wir gerne schließen

$$
(6.2.8) \qquad E\, I_N(t)\, |X_t - Y_t|^2 = 0, \quad t \in [t_0, T],
$$

was auch mit Hilfe des folgenden Lemmas von Bellman und Gronwall möglich ist: Sind $g \geqq 0$ und h integrabel in $[t_0, T]$, und gilt mit $L > 0$

Beweis des Lemmas siehe Parkus.

$$
g(t) \leqq L \int_{t_0}^{t} g(s)\, \mathrm{d}s + h(t), \quad t_0 \leqq t \leqq T,
$$

so ist

$$
g(t) \leqq h(t) + L \int_{t_0}^{t} e^{L(t-s)}\, h(s)\, \mathrm{d}s, \quad t_0 \leqq t \leqq T.
$$

Einen Beweis dafür findet man z.B. bei Gikhman-Skorokhod [5], S. 393. Die Wahl $h(t) \equiv 0$ und

$$
g(t) = E\, I_N(t)\, |X_t - Y_t|^2
$$

ergibt (6.2.8), d.h.

$$
I_N(t)\, X_t = I_N(t)\, Y_t \quad \text{mit Wahrscheinlichkeit 1}
$$

für jedes feste $t \in [t_0, T]$. Wegen

$$
P\,[I_N(t) \not\equiv 1 \text{ in } [t_0, T]] \leqq P\,[\sup_{t_0 \leqq t \leqq T} |X_t| > N] + P\,[\sup_{t_0 \leqq t \leqq T} |Y_t| > N]
$$

und der Stetigkeit (und damit Beschränktheit) von X_t und Y_t kann man die rechte Seite der letzten Ungleichung für $N \to \infty$ beliebig klein machen, woraus

$$
X_t = Y_t \quad \text{mit Wahrscheinlichkeit 1}
$$

für jedes feste $t \in [t_0, T]$ und damit für eine abzählbare und dichte Menge M in $[t_0, T]$ folgt. Nun sind X_t und Y_t fast sicher stetig vorausgesetzt, wodurch die Übereinstimmung in M diejenige in ganz $[t_0, T]$ zur Folge hat, also

$$P[\sup_{t_0 \leqq t \leqq T} |X_t - Y_t| > 0] = 0.$$

Damit ist die Eindeutigkeit der stetigen Lösung bewiesen, und zwar unter alleiniger Benutzung der Lipschitz-Bedingung (6.2.4).

b) Existenz. Wir behandeln zunächst den Fall

$$E|c|^2 < \infty.$$

Wir starten nun ein Iterationsverfahren mit $X_t^{(0)} \equiv c$ und setzen für $n \geqq 1$ und $t \in [t_0, T]$

$$X_t^{(n)} = c + \int_{t_0}^{t} f(s, X_s^{(n-1)})\, ds + \int_{t_0}^{t} G(s, X_s^{(n-1)})\, dW_s. \tag{6.2.9}$$

Ist $X_t^{(n-1)}$ nicht vorgreifend und stetig, so ist wegen Voraussetzung (6.2.5) die rechte Seite von (6.2.9) ein stochastisches Differential, definiert also nach Bemerkung (5.3.2) einen nicht vorgreifenden und stetigen Prozeß X_t in $[t_0, T]$. Nun ist $X_t^{(0)}$ nicht vorgreifend und stetig, und damit alle Prozesse $X_t^{(n)}$, $n \geqq 1$.

Wir wollen nun zeigen, daß $X_t^{(n)}$ gleichmäßig in $[t_0, T]$ gegen eine Lösung X_t der Gleichung (6.2.3) (im Sinne der Definition (6.1.3)) konvergiert.

Wegen der Voraussetzung $E|c|^2 < \infty$ gilt

$$\sup_{t_0 \leqq t \leqq T} E|X_t^{(0)}|^2 < \infty.$$

Auch dies überträgt sich auf die nachfolgenden Prozesse $X_t^{(n)}$, was man wie folgt einsieht: Mit $|x+y+z|^2 \leqq 3(|x|^2 + |y|^2 + |z|^2)$ und (6.2.5) folgt aus (6.2.9)

$$\begin{aligned} E|X_t^{(n)}|^2 &\leqq 3E|c|^2 + 3(T-t_0) \int_{t_0}^{t} K^2 (1 + E|X_s^{(n-1)}|^2)\, ds \\ &\quad + 3 \int_{t_0}^{t} K^2 (1 + E|X_s^{(n-1)}|^2)\, ds \\ &\leqq 3E|c|^2 + 3(T - t_0 + 1) K^2 (T - t_0)(1 + \sup_{t_0 \leqq t \leqq T} E|X_t^{(n-1)}|^2), \end{aligned}$$

also

$$\sup_{t_0 \leqq t \leqq T} E|X_t^{(n)}|^2 < \infty \quad \text{für alle} \quad n \geqq 1, \tag{6.2.10}$$

da dies für $n = 0$ richtig ist.

Gleichung (6.2.7) läßt sich nun wegen $E|c|^2<\infty$ für $X_t^{(n+1)}-X_t^{(n)}$ ohne $I_N(t)$ ableiten, d.h. es gilt nun

$$E|X_t^{(n+1)}-X_t^{(n)}|^2 \leqq L\int_{t_0}^{t} E|X_s^{(n)}-X_s^{(n-1)}|^2\,ds$$

mit derselben Konstanten $L=2(T-t_0+1)K^2$. Iterieren wir diese Ungleichung unter Benutzung der bekannten Cauchyschen Formel

$$\int_{t_0}^{t}\int_{t_0}^{t_{n-1}}\dots\int_{t_0}^{t_1} g(s)\,ds\,dt_1\dots dt_{n-1}=\int_{t_0}^{t} g(s)\frac{(t-s)^{n-1}}{(n-1)!}\,ds,$$

so erhalten wir

$$E|X_t^{(n+1)}-X_t^{(n)}|^2 \leqq L^n\int_{t_0}^{t}\frac{(t-s)^{n-1}}{(n-1)!}E|X_s^{(1)}-X_s^{(0)}|^2\,ds. \tag{6.2.11}$$

Nun ist mit Voraussetzung (6.2.5)

$$\begin{aligned}E|X_t^{(1)}-X_t^{(0)}|^2 &\leqq 2(T-t_0+1)K^2\int_{t_0}^{t}(1+E|c|^2)\,ds\\ &\leqq L(T-t_0)(1+E|c|^2)=C.\end{aligned}$$

Deshalb folgt aus (6.2.11)

$$\sup_{t_0\leqq t\leqq T} E|X_t^{(n+1)}-X_t^{(n)}|^2\leqq C(L(T-t_0))^n/n!,\quad n\geqq 0. \tag{6.2.12}$$

Um die gleichmäßige Konvergenz von $X_t^{(n)}$ selbst zu zeigen, müssen wir

$$d_n=\sup_{t_0\leqq t\leqq T}|X_t^{(n+1)}-X_t^{(n)}|$$

abschätzen. Es folgt aus (6.2.9)

$$\begin{aligned}d_n\leqq &\int_{t_0}^{T}|f(s,X_s^{(n)})-f(s,X_s^{(n-1)})|\,ds\\ &+\sup_{t_0\leqq t\leqq T}\left|\int_{t_0}^{t}(G(s,X_s^{(n)})-G(s,X_s^{(n-1)}))\,dW_s\right|.\end{aligned}$$

Benutzen wir zur weiteren Abschätzung die Ungleichung (5.1.5) und die Lipschitz-Bedingung, so erhalten wir

$$E\,d_n^2\leqq 2(T-t_0)K^2\int_{t_0}^{T}E|X_s^{(n)}-X_s^{(n-1)}|^2\,ds+2\cdot 4K^2\int_{t_0}^{T}E|X_s^{(n)}-X_s^{(n-1)}|^2\,ds,$$

also mit (6.2.12) für $n\geqq 0$

$$E\, d_n^2 \leqq (2\,(T-t_0)+8)\, K^2\, (T-t_0)\, C\, (L\,(T-t_0))^{n-1}/(n-1)!$$
$$= C_1\, (L\,(T-t_0))^{n-1}/(n-1)!.$$

Aus der Konvergenz der Reihe

$$\sum_{n=1}^{\infty} P\,[d_n > n^{-2}] \leqq C_1 \sum_{n=1}^{\infty} (L\,(T-t_0))^{n-1}\, n^4/(n-1)!$$

folgt nach dem Lemma von Borel und Cantelli und dem Weierstraßschen Konvergenzkriterium

$$\underset{n\to\infty}{\text{fs-lim}} \left(X_t^{(0)} + \sum_{i=1}^{n} (X_t^{(i)} - X_t^{(i-1)}) \right) = \underset{n\to\infty}{\text{fs-lim}}\, X_t^{(n)} = X_t$$

gleichmäßig in $[t_0, T]$. Als Grenzwert von nicht vorgreifenden Funktionen und als gleichmäßiger Grenzwert stetiger Funktionen ist X_t selbst nicht vorgreifend und stetig. Wegen der Wachstumsbeschränkung von f und G und der Stetigkeit von X_t ist die rechte Seite von (6.2.3) nach Einsetzung von X_t jedenfalls ein sinnvolles stochastisches Differential. Es ist also nach Definition (6.1.3) noch zu zeigen, daß X_t die Gleichung

$$X_t = c + \int_{t_0}^{t} f\,(s, X_s)\, ds + \int_{t_0}^{t} G\,(s, X_s)\, ds \tag{6.2.13}$$

für alle $t \in [t_0, T]$ erfüllt. Für $t = t_0$ ist das wegen $X_{t_0}^{(n)} = c\ (n \geqq 0)$ klar. Für $t \in [t_0, T]$ gehen wir in Gleichung (6.2.9) zur Grenze über. Wegen (6.2.4) und der gleichmäßigen Konvergenz von $X_t^{(n)}$ gilt mit Wahrscheinlichkeit 1

$$\left| \int_{t_0}^{t} f\,(s, X_s^{(n)})\, ds - \int_{t_0}^{t} f\,(s, X_s)\, ds \right| \leqq K \int_{0}^{t} |X_s^{(n)} - X_s|\, ds \longrightarrow 0$$

und

$$\int_{t_0}^{t} |G\,(s, X_s^{(n)}) - G\,(s, X_s)|^2\, ds \leqq K^2 \int_{t_0}^{t} |X_s^{(n)} - X_s|^2\, ds \longrightarrow 0,$$

woraus

$$\underset{n\to\infty}{\text{fs-lim}} \int_{t_0}^{t} f\,(s, X_s^{(n)})\, ds = \int_{t_0}^{t} f\,(s, X_s)\, ds$$

und nach Satz (4.4.14d)

$$\underset{n\to\infty}{\text{st-lim}} \int_{t_0}^{t} G\,(s, X_s^{(n)})\, dW_s = \int_{t_0}^{t} G\,(s, X_s)\, dW_s$$

und damit (6.2.13) folgt. X_t ist also eine Lösung der Gleichung (6.2.3).

Der Fall einer allgemeinen Anfangsbedingung c wird auf den Fall $E\,|c|^2 < \infty$ durch Betrachten von

$$c_N = \begin{cases} c, & \text{falls } |c| \leqq N, \\ 0, & \text{sonst,} \end{cases}$$

und anschließenden Grenzübergang $N \longrightarrow \infty$ zurückgeführt. Näheres siehe z. B. bei Gikhman-Skorokhod [5], S. 395-397.

6.3 Ergänzungen zum Existenz- und Eindeutigkeitssatz

Die Beweistechnik für Satz (6.2.2) besteht grundsätzlich aus der Picard-Lindelöf-Iteration, wobei die Brücke von der Fehlerabschätzung zur Konvergenz durch das Lemma von Borel und Cantelli geschlagen wird.

Die Lipschitz-Bedingung (6.2.4) garantiert, daß $f(t, x)$ und $G(t, x)$ sich bei Veränderung von x nicht schneller verändern als die Funktion x selbst. Insbesondere folgt daraus die Stetigkeit von $f(t, \cdot)$ und $G(t, \cdot)$ für alle $t \in [t_0, T]$. Dadurch sind in x unstetige Funktionen, aber auch stetige Funktionen der Art

$$f(t, x) = |x|^\alpha, \quad 0 < \alpha < 1,$$

als Koeffizienten ausgeschlossen. Es ist bekannt, daß das klassische Problem $(d=1)$

$$X_t = \int_{t_0}^{t} |X_s|^\alpha \, ds$$

für $\alpha \geqq 1$ nur die Lösung $X_t \equiv 0$, für $0 < \alpha < 1$, $1 - \alpha = \beta$, daneben noch die Lösung

$$X_t = (\beta(t - t_0))^{1/\beta}$$

besitzt. I. V. Girsanov [37] hat gezeigt: Die Gleichung

$$X_t = \int_0^t |X_s|^\alpha \, dW_s \quad (d = m = 1)$$

hat genau eine nicht vorgreifende Lösung, sofern $\alpha \geqq 1/2$ ist, jedoch unendlich viele für $0 < \alpha < 1/2$.

Um Funktionen der Form $\sin(x^2)$ (die für große x immer steiler werden!) als Koeffizienten zulassen zu können, benötigen wir folgendes

(6.3.1) **Korollar.** Der Existenz- und Eindeutigkeitssatz bleibt gültig, wenn man die Lipschitz-Bedingung durch die folgende allgemeine Bedingung ersetzt: Für jedes $N > 0$ gibt es eine Konstante K_N, so daß für alle $t \in [t_0, T]$, $|x| \leqq N$, $|y| \leqq N$ gilt:

(6.3.2) $$|f(t, x) - f(t, y)| + |G(t, x) - G(t, y)| \leqq K_N |x - y|.$$

Für den Beweis dieser Aussage benutzt man wieder die bereits mehrfach praktizierte Abschneidetechnik und einen anschließenden Grenzübergang für $N \rightarrow \infty$, siehe z. B. Gikhman-Skorokhod [36], S. 45-47.

Eine bequeme hinreichende Bedingung für das Erfülltsein der Lipschitz-Bedingung folgt aus dem Mittelwertsatz der Differentialrechnung, wonach für eine skalare Funktion $g(x)$, $x \in R^d$, mit den stetigen partiellen Ableitungen g_{x_i}, $g_x = (g_{x_1}, \ldots, g_{x_d})'$, gilt

$$g(b) - g(a) = g_x(a + \vartheta(b-a))'(b-a); \quad 0 < \vartheta < 1; \; a, b \in R^d.$$

Ist nun g_x beschränkt in R^d, etwa $|g_x| \leqq C$, so folgt daraus für alle $x, y \in R^d$

$$|g(y) - g(x)| \leqq \sup_{z \in R^d} |g_x(z)| \, |y-x| \leqq C \, |y-x|,$$

also eine Lipschitz-Bedingung. Dies angewandt auf jede Komponente von f und G ergibt

(6.3.3) **Korollar.** Hinreichend für die Lipschitz-Bedingung im Existenz- und Eindeutigkeitssatz (bzw. ihre Verallgemeinerung (6.3.2)) ist: $f(t, x)$ und $G(t, x)$ besitzen für jedes $t \in [t_0, T]$ stetige partielle Ableitungen erster Ordnung nach den Komponenten von x, die in $[t_0, T] \times R^d$ (bzw. in $[t_0, T] \times \{|x| \leqq N\}$) beschränkt sind.

Wir diskutieren nun den Sinn der zweiten Voraussetzung (Gleichung (6.2.5) im Existenz- und Eindeutigkeitssatz. Diese beschränkt f und G gleichmäßig bezüglich $t \in [t_0, T]$ und auf höchstens lineares Wachstum bezüglich x. Ist die Bedingung verletzt, so tritt der von den gewöhnlichen Differentialgleichungen her bekannte Effekt der "Explosion" der Lösung ein. Wir veranschaulichen dies an dem skalaren gewöhnlichen Differentialgleichungs-Anfangswertproblem

$$dX_t = X_t^2 \, dt, \quad X_0 = c.$$

Die Lösung ist

$$X_t = \begin{cases} 0, & \text{falls } c = 0, \\ (1/c - t)^{-1}, & \text{falls } c \neq 0. \end{cases}$$

Die Trajektorie X_t ist also für $c > 0$ nur im Intervall $[0, 1/c)$ definiert, bei $t = 1/c$ findet eine sog. Explosion statt. Für gegebenes $[0, T]$ gibt es immer Anfangswerte, nämlich solche mit $c \geqq 1/T$, für die die Lösung X_t nicht im ganzen Intervall $[0, T]$ definiert ist. Die Wachstumsbeschränkung für f und G garantiert nun, daß mit Wahrscheinlichkeit 1 die Lösung X_t im Intervall $[t_0, T]$ nicht explodiert, was auch immer der Anfangswert $X_{t_0} = c$ ist. Weiteres über die Explosion findet man bei McKean [45] und in (6.3.6), (6.3.7) und (6.3.8).

(6.3.4) **Bemerkung über globale Lösungen.** Sind die Funktionen f und G in $[t_0, \infty) \times R^d$ definiert, und gelten die Voraussetzungen des Existenz-

und Eindeutigkeitssatzes in *jedem* endlichen Teilintervall $[t_0, T] \subset [t_0, \infty)$, so existiert sogar eine eindeutige Lösung X_t von

$$X_t = c + \int_{t_0}^{t} f(s, X_s)\, ds + \int_{t_0}^{t} G(s, X_s)\, dW_s,$$

die auf der ganzen Halbgeraden $[t_0, \infty)$ definiert ist (eine sog. globale Lösung). Diese Voraussetzungen sind insbesondere erfüllt im folgenden Spezialfall:

(6.3.5) **Korollar.** Sei

$$dX_t = f(X_t)\, dt + G(X_t)\, dW_t, \quad X_{t_0} = c,$$

eine autonome stochastische Differentialgleichung, d.h. $f(t, x) \equiv f(x)$ und $G(t, x) \equiv G(x)$, wobei $f(x) \in R^d$ und $G(x)$ eine $d \times m$-Matrix ist. Dann besitzt diese Gleichung für jeden von dem m-dimensionalen Wiener-Prozeß $W_t - W_{t_0}$, $t \geqq t_0$, unabhängigen Anfangswert c genau eine stetige globale Lösung X_t im gesamten Intervall $[t_0, \infty)$ mit $X_{t_0} = c$, falls nur die folgende Lipschitz-Bedingung gilt: Es existiert eine Konstante $K > 0$, so daß für alle $x, y \in R^d$ gilt:

$$|f(x) - f(y)| + |G(x) - G(y)| \leqq K\, |x - y|.$$

Aus dieser globalen Lipschitz-Bedingung folgt nämlich (man halte $y = y_0$ fest) die Wachstumsbeschränkung für f und G.

(6.3.6) **Beispiel.** Sei $d = m = 1$

$$dX_t = -\frac{1}{2} \exp(-2 X_t)\, dt + \exp(-X_t)\, dW_t.$$

Die Koeffizienten dieser autonomen Gleichung erfüllen für $x < 0$ keine Lipschitz-Bedingung (und keine Wachstumsbeschränkung). Wir müssen also mit Explosionen der Realisierungen von X_t (falls existent) rechnen. Tatsächlich ist

$$X_t = \log(W_t - W_{t_0} + e^c)$$

eine eindeutige lokale Lösung im Intervall $[t_0, \eta)$, wobei die Explosionszeit

$$\eta = \inf(t: W_t - W_{t_0} = -e^c) > 0$$

ist. Man verifiziert dies formal mit Hilfe des Satzes von Itô, während Existenz und Eindeutigkeit aus folgendem Satz von McKean ([45], S. 54) folgen:

(6.3.7) **Satz.** Sei $d = m = 1$. Die autonome stochastische Differentialgleichung

$$dX_t = f(X_t)\, dt + G(X_t)\, dW_t, \quad X_{t_0} = c,$$

wobei f und G stetig differenzierbare Funktionen sind, besitzt eine eindeutige lokale Lösung, die bis zu einer (zufälligen) Explosionszeit η, $t_0 < \eta \leqq \infty$, definiert ist. Im Falle $\eta < \infty$ gilt $X_{\eta-0} = -\infty$ oder $+\infty$.

(6.3.8) **Bemerkung.** Nach Korollar (6.3.5) ist die Gültigkeit einer Lipschitz-Bedingung (tatsächlich die Wachstumsbeschränkung) für f und G hinreichend für

$$\eta = \infty \quad \text{mit Wahrscheinlichkeit } 1$$

Eine weitere hinreichende Bedingung dafür, daß im Falle eines stetig differenzierbaren G's keine Explosion stattfindet, ist $f \equiv 0$, d.h. das Fehlen des systematischen Teils. Dies folgt durch Anwendung eines empfindlichen Tests für Explosion von W. Feller, den man bei McKean [45], S. 65, findet, ebenso wie ein d-dimensionales Analogon dieses Tests von Hasminskii. Es sei hervorgehoben, daß für $d \geqq 2$ die Bedingung $f \equiv 0$ im allgemeinen nicht mehr hinreicht, um eine Explosion zu verhindern (s. McKean [45], S. 106 (Problem 3)), sofern nicht das Wachstum von G beschränkt wird.

(6.3.9) **Bemerkung.** Das eingangs zitierte Beispiel von Girsanov,

$$dX_t = |X_t|^\alpha \, dW_t, \quad d = m = 1, \quad c = 0,$$

suggeriert, daß die Lipschitz-Bedingung für G im skalaren autonomen Fall eventuell durch die sog. Hölder-Bedingung mit dem Exponent $\alpha > 1/2$,

$$|G(x) - G(y)| \leqq K\,|x-y|^\alpha, \quad x, y \in R^1, \quad \alpha > 1/2, \quad K \geqq 0,$$

ersetzt werden kann. Dies ist der Fall, siehe z.B. W.J. Anderson [30], S. 76.

(6.3.10) **Bemerkung.** Nach Definition ist die Lösung X_t einer stochastischen Differentialgleichung nicht vorgreifend, also insbesondere für jedes $t \in [t_0, T]$ statistisch unabhängig von $W_s - W_t$, $s \geqq t$, ebenso wie $X_t - X_u$, $t \geqq u \geqq t_0$. Wir betonen nochmals den funktionalen Standpunkt und verweisen auf Bemerkung (6.1.4). Aus der Art der Konstruktion der Lösung durch ein Iterationsverfahren geht hervor, daß X_t nicht nur $\mathfrak{F}_t$-meßbar ist, sondern sogar meßbar bezüglich der von c und $W_s - W_{t_0}$, $t_0 \leqq s \leqq t$, erzeugten sigma-Algebra. Das in Bemerkung (6.1.4) erwähnte Funktional g hängt also nur von c und $W_s - W_{t_0}$, $t_0 \leqq s \leqq t$, ab:

$$X_t(\omega) = g(c(\omega); W_s(\omega) - W_{t_0}(\omega), \quad t_0 \leqq s \leqq t).$$

Man betrachte dazu Beispiel (6.3.12). Allgemeiner gilt: X_t ist eine Funktion von X_s und $W_u - W_s$, $s \leqq u \leqq t$,

$$X_t = g_s(X_s; W_u - W_s, \quad s \leqq u \leqq t).$$

(6.3.11) **Beispiel.** Wir kehren zurück zum Beispiel (6.1.11) und betrachten für $d = m = 1$ die stochastische Differentialgleichung

(6.3.12) $\quad dX_t = g(t)\, X_t\, dW_t, \quad X_{t_0} = c, \quad t_0 \leqq t \leqq T.$

Es ist also $f(t, x) \equiv 0$ und $G(t, x) = g(t)\, x$. Die Voraussetzungen des Existenz- und Eindeutigkeitssatzes sind erfüllt, sobald $g(t)$ meßbar und in $[t_0, T]$ beschränkt ist. Dann existiert also eine eindeutige Lösung. Wir behaupten, diese sei

$$X_t = c \exp\left(-\frac{1}{2}\int_{t_0}^{t} g(s)^2\, ds + \int_{t_0}^{t} g(s)\, dW_s\right).$$

Jedenfalls ist $X_{t_0} = c$. Für $c = 0$ ist $X_t \equiv 0$ offensichtlich eine Lösung. Nehmen wir nun $c > 0$ an, setzen

$$Y_t = \log c - \frac{1}{2}\int_{t_0}^{t} g(s)^2\, ds + \int_{t_0}^{t} g(s)\, dW_s$$

und berechnen das stochastische Differential von $X_t = \exp(Y_t)$ mit dem Satz von Itô, so ergibt sich die Gleichung (6.3.12). Ist $c < 0$, so betrachten wir den Prozeß $-X_t$ und erhalten dasselbe Ergebnis.

Weitere Beispiele findet man insbesondere im Kapitel 8.

Kapitel 7

Eigenschaften der Lösungen stochastischer Differentialgleichungen

7.1 Die Momente der Lösungen

Wir setzen in diesem Abschnitt die Situation des Existenz- und Eindeutigkeitssatzes (6.2.2) voraus und untersuchen die Momente $E|X_t|^k$ der Lösung von

(7.1.1) $$dX_t = f(t, X_t)\,dt + G(t, X_t)\,dW_t, \quad X_{t_0} = c,$$

in $[t_0, T]$. Im allgemeinen müssen diese nicht existieren, doch überträgt sich ihre Existenz vom Anfangswert c auf alle Werte X_t. Genauer gilt

(7.1.2) **Satz.** Es seien die Voraussetzungen des Existenz- und Eindeutigkeitssatzes erfüllt und

$$E|c|^{2n} < \infty \quad (n > 0 \text{ ganz}).$$

Dann gilt für die Lösung X_t der stochastischen Differentialgleichung (7.1.1) in $[t_0, T]$, $T < \infty$,

(7.1.3) $$E|X_t|^{2n} \leqq (1 + E|c|^{2n})\, e^{C(t-t_0)}$$

und

(7.1.4) $$E|X_t - c|^{2n} \leqq D(1 + E|c|^{2n})(t - t_0)^n\, e^{C(t-t_0)}$$

mit den Konstanten $C = 2n(2n+1)K^2$ und D (nur abhängig von n, K und $T - t_0$).

Beweis. Nach dem Satz von Itô besitzt $|X_t|^{2n}$ ein stochastisches Differential mit folgender integraler Gestalt:

$$|X_t|^{2n} = |c|^{2n} + \int_{t_0}^{t} 2n|X_s|^{2n-2} X_s' f(s, X_s)\,ds + \int_{t_0}^{t} 2n|X_s|^{2n-2} X_s' G(s, X_s)\,dW_s$$

$$+ \int_{t_0}^{t} n|X_s|^{2n-2} |G(s, X_s)|^2\,ds$$

$$+ \int_{t_0}^{t} 2n(n-1)|X_s|^{2n-4} |X_s' G(s, X_s)|^2\,ds$$

(wobei im Fall $n = 1$ der letzte Term wegfällt). Daß $E\,|X_t|^{2n}$ existiert, wenn $E\,|c|^{2n} < \infty$ gilt, folgt aus dem Beweisschritt (b) des Satzes (6.2.2). Wir bilden den Erwartungswert auf beiden Seiten der letzten Gleichung und erhalten unter Berücksichtigung von

$$E\left(\int_{t_0}^{t} 2\,n\,|X_s|^{2n-2}\,X_s'\,G(s, X_s)\,\mathrm{d}W_s\right) = 0$$

(siehe (4.5.14)) und Gleichung (6.2.5)

$$E\,|X_t|^{2n} = E\,|c|^{2n} + \int_{t_0}^{t} E\,(2\,n\,|X_s|^{2n-2}\,X_s'\,f(s, X_s)$$

$$+\,n\,|X_s|^{2n-2}\,|G(s, X_s)|^2 + 2\,n\,(n-1)\,|X_s|^{2n-4}\,|X_s'\,G(s, X_s)|^2)\,\mathrm{d}s$$

$$\leqq E\,|c|^{2n} + (2\,n+1)\,n\,K^2 \int_{t_0}^{t} E\,(1 + |X_s|^2)\,|X_s|^{2n-2}\,\mathrm{d}s.$$

Wegen $(1 + |x|^2)\,|x|^{2n-2} \leqq 1 + 2\,|x|^{2n}$ ist

$$E\,|X_t|^{2n} \leqq E\,|c|^{2n} + (2\,n+1)\,n\,K^2\,(t - t_0) + 2\,n\,(2\,n+1)\,K^2 \int_{t_0}^{t} E\,|X_s|^{2n}\,\mathrm{d}s,$$

nach dem im Beweis von Satz (6.2.2) bereits benutzten Lemma von Bellman und Gronwall also

$$E\,|X_t|^{2n} \leqq h(t) + 2\,n\,(2\,n+1)\,K^2 \int_{t_0}^{t} \exp(2\,n\,(2\,n+1)\,K^2\,(t-s))\,h(s)\,\mathrm{d}s$$

mit

$$h(t) = E\,|c|^{2n} + (2\,n+1)\,n\,K^2\,(t - t_0),$$

woraus (7.1.3) folgt.

Die Ungleichung (7.1.4) ergibt sich auf ähnliche Weise. Wir erläutern nur den Fall $n = 1$ und verweisen für allgemeines n (aber den skalaren Fall) auf Gikhman-Skorokhod [36], S. 49-50.

Wegen $|a + b|^2 \leqq 2\,(|a| + |b|)$ haben wir

$$E\,|X_t - c|^2 \leqq 2\,E\left|\int_{t_0}^{t} f(s, X_s)\,\mathrm{d}s\right|^2 + 2\,E\left|\int_{t_0}^{t} G(s, X_s)\,\mathrm{d}W_s\right|^2$$

$$\leqq 2\,(T - t_0) \int_{t_0}^{t} E\,|f(s, X_s)|^2\,\mathrm{d}s + 2 \int_{t_0}^{t} E\,|G(s, X_s)|^2\,\mathrm{d}s.$$

Die Wachstumsbeschränkung (6.2.5) ergibt mit $L = 2\,(T - t_0 + 1)\,K^2$

$$E|X_t-c|^2 \leqq L \int_{t_0}^{t} (1+E|X_s|^2)\,ds,$$

und mit dem Resultat (7.1.3)

$$\begin{aligned} E|X_t-c|^2 &\leqq L \int_{t_0}^{t} (1+(1+E|c|^2)\,e^{C(s-t_0)})\,ds \\ &= L(t-t_0)(1+(1+E|c|^2)(e^{C(t-t_0)}-1)/C(t-t_0)) \\ &\leqq L(t-t_0)(1+(1+E|c|^2)\,e^{C(t-t_0)}) \\ &\leqq D(1+E|c|^2)(t-t_0)\,e^{C(t-t_0)} \end{aligned}$$

mit $D=2L$, q.e.d.

(7.1.5) **Bemerkung.** Nach Bemerkung (6.1.7) ist $X_t=X_t(t_0, c)$ auch Lösung derselben stochastischen Differentialgleichung in jedem Teilintervall $[s, T]$, $t_0 \leqq s$, mit dem Anfangswert $X_s=X_s(t_0, c)$. Deshalb dürfen wir in (7.1.4) c durch X_s und t_0 durch s ersetzen, was unter Benutzung von (7.1.3) zur Ungleichung

$$E|X_t-X_s|^{2n} \leqq C_1 |t-s|^n, \quad t, s \in [t_0, T],$$

(C_1 nur abhängig von $n, K, T-t_0$ und $E|c|^{2n}$) führt. Für $n = 1$ folgt hieraus unter der Voraussetzung $E|c|^2<\infty$

$$\lim_{t\to s} E|X_t-X_s|^2 = 0,$$

d.h. die Quadratmittel-Stetigkeit der Lösung X_t in jedem Punkt des Intervalls $[t_0, T]$ (nicht aber die Quadratmittel-Differenzierbarkeit, siehe auch Abschnitt 7.2).

Von großer Wichtigkeit sind die für $E|c|^2<\infty$ sinnvollen Funktionen $E X_t$ und $K(s,t)=E X_s X_t'$, die jedoch im allgemeinen (nichtlinearen) Falle keine einfache Gleichung erfüllen. Es gilt z.B.

$$m_t = E X_t = E c + \int_{t_0}^{t} E f(s, X_s)\,ds, \quad t_0 \leqq t \leqq T,$$

doch kann $E f(s, X_s)$ im allgemeinen nicht als Funktion von m_s ausgedrückt werden. Ähnliches gilt (siehe Beispiel (5.4.9)) für

$$\operatorname{tr} K(t,t) = E|X_t|^2 = E|c|^2 + \int_{t_0}^{t} 2E(X_s' f(s, X_s))\,ds + \int_{t_0}^{t} E|G(s, X_s)|^2\,ds.$$

Geschlossene Gleichungen ergeben sich für m_t und $K(s,t)$ im linearen Fall, siehe Kapitel 8. Für den Fall $d = 2$, $m = 1$ verweisen wir auf das nachfolgende Beispiel.

(7.1.6) **Beispiel.** (Stochastische Differentialgleichung zweiter Ordnung.)

J. Goldstein [37a] hat die durch skalares weißes Rauschen gestörte skalare Differentialgleichung zweiter Ordnung

$$\ddot{Y}_t = f(t, Y_t, \dot{Y}_t) + G(t, Y_t, \dot{Y}_t)\,\xi_t, \quad t_0 \leqq t \leqq T,$$

mit den Anfangswerten $Y_{t_0} = c_0$, $\dot{Y}_{t_0} = c_1$, untersucht. Nach Bemerkung (6.1.6) überführen wir diese Gleichung in eine stochastische Differentialgleichung für den zweidimensionalen Prozeß $X_t = (Y_t, \dot{Y}_t)'$,

$$dX_t = d\begin{pmatrix} Y_t \\ \dot{Y}_t \end{pmatrix} = \begin{pmatrix} \dot{Y}_t \\ f(t, Y_t, \dot{Y}_t) \end{pmatrix} dt + \begin{pmatrix} 0 \\ G(t, Y_t, \dot{Y}_t) \end{pmatrix} dW_t.$$

Der Existenz- und Eindeutigkeitssatz (6.2.2) liefert die Existenz einer eindeutigen Lösung, falls die ursprünglichen Koeffizienten f und G die Lipschitz- und Beschränktheitsbedingung erfüllen.

Die Realisierungen des Y_t-Prozesses sind differenzierbar mit der Ableitung $\dot{Y}_t$, während $\dot{Y}_t$ im allgemeinen nicht von beschränkter Schwankung und nicht differenzierbar ist, siehe Abschnitt (7.2). Wird Y_t als Position eines Teilchens interpretiert, so besitzt dieses zwar eine Geschwindigkeit, jedoch im allgemeinen (für $G \neq 0$) keine Beschleunigung. Vergleiche Kapitel 8 für lineares f und G.

Für die Berechnung der ersten beiden Momente von Y_t und $\dot{Y}_t$ (deren Existenz nach Satz (7.1.2) unter der Voraussetzung $E\,c_0^2 < \infty$, $E\,c_1^2 < \infty$ gesichert ist), setzen wir zur Vereinfachung $f_0(t) = f(t, Y_t, \dot{Y}_t)$ und $G_0(t) = G(t, Y_t, \dot{Y}_t)$. Dann gilt

$$E\,Y_t = E\,c_0 + \int_{t_0}^{t} E\,\dot{Y}_s\,ds,$$

$$E\,\dot{Y}_t = E\,c_1 + \int_{t_0}^{t} E\,f_0(s)\,ds,$$

und für die Streuungen (siehe Goldstein [37a], S. 48-49)

$$V(Y_t) = V(c_0) + V\left(t\,c_1 + \int_{t_0}^{t} (t-s)\,f_0(s)\,ds\right) + \int_{t_0}^{t} (t-s)^2\,E\,G_0(s)^2\,ds,$$

$$V(\dot{Y}_t) = V(c_1) + V\left(\int_{t_0}^{t} f_0(s)\,ds\right) + \int_{t_0}^{t} E\,G_0(s)^2\,ds.$$

Ist speziell $|G(t, x^1, x^2)| \geqq a > 0$ in $[t_0, T] \times R^2$, so folgt aus den letzten beiden Gleichungen

$$V(Y_t) \geqq a^2\,(t-t_0)^3/3,$$

$$V(\dot{Y}_t) \geqq a^2\,(t-t_0).$$

Im Falle $T = \infty$ konvergieren also die Streuungen beider Komponenten gegen ∞. Speziell kann sich dann weder Y_t noch $\dot{Y}_t$ auf die Dauer in einer beschränkten Menge aufhalten.

7.2 Analytische Eigenschaften der Lösungen

Auch in diesem Abschnitt setzen wir die Situation des Existenz- und Eindeutigkeitssatzes (6.2.2) voraus und untersuchen die Realisierungen des Lösungsprozesses X_t von

(7.2.1) $$X_t = c + \int_{t_0}^{t} f(s, X_s)\, ds + \int_{t_0}^{t} G(s, X_s)\, dW_s$$

als R^d-wertige Funktionen von t im Intervall $[t_0, T]$, $T < \infty$.

Wir wissen aus dem Existenz- und Eindeutigkeitssatz, daß fast alle Realisierungen $X_.(\omega)$ in $[t_0, T]$ stetige Funktionen sind. Die bisher bekannten Ergebnisse über die weiteren Eigenschaften von X_t lassen folgende qualitative Feststellung zu: Solange G nicht verschwindet, übertragen sich die Eigenschaften von W_t (nicht beschränkte Schwankung, Nicht-Differenzierbarkeit, lokales log log-Gesetz, siehe Abschnitt 3.1) auf X_t. Dabei spielt das Vorhandensein des systematischen Terms $f(t, X_t)\, dt$ keine Rolle, denn

$$X_t^{(1)} = \int_{t_0}^{t} f(s, X_s)\, ds$$

hat ja absolut-stetige (d.h. jedenfalls Lebesgue - fast überall differenzierbare und schwankungsbeschränkte), im Falle eines stetigen f sogar stetig differenzierbare Realisierungen mit

$$\dot{X}_t^{(1)} = f(t, X_t).$$

Dagegen sorgt der Fluktuationsteil

$$X_t^{(2)} = \int_{t_0}^{t} G(t, X_t)\, dW_t$$

für die erwähnten Irregularitäten, so glatt auch die Funktion G sein mag, sofern sie nicht verschwindet (siehe Bemerkung (5.2.8)). Nur in Punkten mit $G(t, x) = 0$ können wir auf glatte (d.h. z.B. differenzierbare) Realisierungen von X_t hoffen.

Wir zitieren nun einige neuere Resultate, die die obigen qualitativen Aussagen untermauern.

(7.2.2) **Satz** (Goldstein [37a], S. 31). Ist X_t die Lösung der Gleichung (7.2.1) und $t_0 < t_1 < \dots < t_n = T$ eine Unterteilung des Intervalls $[t_0, T]$ mit $\delta_n = \max\,(t_k - t_{k-1})$, so gilt

$$\underset{\delta_n \to 0}{\text{st-lim}} \sum_{k=1}^{n} (X_{t_k} - X_{t_{k-1}})(X_{t_k} - X_{t_{k-1}})' = \int_{t_0}^{T} G(s, X_s)\, G(s, X_s)'\, ds,$$

insbesondere

$$\text{(7.2.3)} \qquad \underset{\delta_n \to 0}{\text{st-lim}} \sum_{k=1}^{n} |X_{t_k} - X_{t_{k-1}}|^2 = \int_{t_0}^{T} |G(s, X_s)|^2\, ds.$$

(7.2.4) **Korollar.** Ist mit Wahrscheinlichkeit 1 für ein $p \in \{1, 2, \dots, d\}$

$$\sum_{j=1}^{m} |G_{pj}(t, X_t)|^2 > 0 \quad \text{in Lebensgue-fast allen Punkten } t \in [t_0, T],$$

so ist die p-te Komponente von X_t fast sicher in keinem Teilintervall von $[t_0, T]$ von beschränkter Schwankung.

Beweis. Die Behauptungen folgen sofort aus

$$\sum_{k=1} |X_{t_k}^p - X_{t_{k-1}}^p|^2 \leqq \max_i |X_{t_i}^p - X_{t_{i-1}}^p| \sum_{k=1} |X_{t_k}^p - X_{t_{k-1}}^p|,$$

der Stetigkeit von X_t und dem Satz (7.2.2), q.e.d.

Was das Gesetz vom iterierten Logarithmus für X_t anbetrifft, so findet man bei McKean [45], S. 96, und bei Anderson [30], S. 51-57, lediglich Resultate für den autonomen Fall. Das Theorem 3.2.1 von Anderson ([30], S. 51) läßt sich jedoch sofort zum Beweis der folgenden Aussage verwenden:

(7.2.5) **Satz.** Ist X_t die Lösung der Gleichung (7.2.1) und sind f und G stetig in $t \in [t_0, T]$, so gilt für jedes feste $t \in [t_0, T]$ mit Wahrscheinlichkeit 1

$$\limsup_{h \to 0} \frac{|X_{t+h} - X_t|}{\sqrt{2h \log\log 1/h}} = \sqrt{\lambda(t, X_t)},$$

wobei $\lambda(t, x)$ der größte Eigenwert der (immer nicht-negativ definiten) Matrix $G(t, x)\, G(t, x)'$ ist.

Genauer kann man nachweisen, daß die Häufungspunkte von $(X_{t+h} - X_t)/(2h \log\log 1/h)^{1/2}$ für $h \to 0$ fast sicher alle Punkte desjenigen Ellipsoids im R^d sind, dessen Hauptachsen die Richtung der Eigenvektoren und als Länge die Wurzeln der zugehörigen Eigenwerte von $G(t, X_t)\, G(t, X_t)'$ haben. Dabei hängt also dieses Ellipsoid von t und X_t (also auch von ω) ab, siehe Arnold [30a].

Wie im Abschnitt 3.1 für W_t können wir auch hier aus der letzten Bemerkung die Nicht-Differenzierbarkeit von $X_.(\omega)$ zur Zeit t folgern, sofern nur $G(t, X_t(\omega)) \neq 0$ ist.

Die Chance eines glatteren Verhaltens von X_t besteht nur im Falle $G(t, X_t) = 0$. Wir zitieren dazu ein Teilergebnis von Anderson ([30], S. 59).

(7.2.6) **Satz.** Ist X_t die Lösung der Gleichung (7.2.1), sind f und G stetig in $t \in [t_0, T]$ und ist der Anfangswert c fast sicher konstant, so gilt im Falle $G(t_0, c) = 0$ mit Wahrscheinlichkeit 1

$$\lim_{t \to t_0} \frac{X_t - c}{t} = f(t_0, c).$$

Differenzierbarkeit der Lösung einer stochastischen Differentialgleichung ist also die Ausnahme, Nicht-Differenzierbarkeit die Regel. Die formale Differentialgleichung

$$\dot{X}_t = f(t, X_t) + G(t, X_t)\, \xi_t,$$

ξ_t m-dimensionales weißes Rauschen, kann also in der Regel nicht als gewöhnliche Differentialgleichung für die Funktion X_t interpretiert werden.

7.3 Abhängigkeit der Lösungen von Parametern und Anfangswerten

Der Wert $X_t(\omega)$ der Lösungstrajektorie der stochastischen Differentialgleichung

$$dX_t = f(t, X_t)\, dt + G(t, X_t)\, dW_t, \quad X_{t_0} = c, \quad t_0 \leqq t \leqq T,$$

ist nach Bemerkung (6.3.10) eine (durch f und G eindeutig bestimmte) Funktion der beiden (unabhängigen) zufälligen Elemente $c(\omega)$ und $W_s(\omega) - W_{t_0}(\omega)$, $t_0 \leqq s \leqq t$,

$$X_t(\omega) = g(c(\omega); W_s(\omega) - W_{t_0}(\omega), \quad t_0 \leqq s \leqq t).$$

Wie für gewöhnliche Differentialgleichungen interessiert auch hier die Art der Abhängigkeit der Funktion g vom Anfangswert c und eventuell irgendwelchen in f und G auftretenden Parametern.

Wir geben in diesem Abschnitt zwei Sätze an, für deren Beweis wir auf Gikhman-Skorokhod [36] oder Skorokhod [47] verweisen.

(7.3.1) **Satz.** Sei $X_t(p)$ die Lösung der stochastischen Differentialgleichung

$$dX_t = f(p, t, X_t)\, dt + G(p, t, X_t)\, dW_t, \quad X_{t_0} = c(p),$$

im Intervall $[t_0, T]$, $T < \infty$, wobei p ein gewisser Parameter ist und die Funktionen $f(p, t, x)$ und $G(p, t, x)$ für alle p die Voraussetzungen des Existenz- und Eindeutigkeitssatzes erfüllen. Weiter seien die folgenden Bedingungen erfüllt:

a) $$\operatorname*{st-lim}_{p \to p_0} c(p) = c(p_0),$$

b) für jedes $N > 0$ ist

$$\lim_{p \to p_0} \sup_{t \in [t_0, T],\, |x| \leqq N} (|f(p, t, x) - f(p_0, t, x)| + |G(p, t, x) - G(p_0, t, x)|) = 0,$$

c) es gibt eine von p unabhängige Konstante K mit

$$|f(p,t,x)|^2+|G(p,t,x)|^2 \leqq K^2(1+|x|^2).$$

Dann gilt

$$\operatorname*{st-lim}_{p\to p_0} \sup_{t_0\leqq t\leqq T} |X_t(p)-X_t(p_0)|=0.$$

(7.3.2) **Bemerkung.** Hängen die Funktionen f und G gar nicht von p ab, sondern nur der Anfangswert, so ergibt sich aus Satz (7.3.1) die stochastisch stetige Abhängigkeit der Lösung einer stochastischen Differentialgleichung vom Anfangswert c.

(7.3.3) **Beispiele.** a) Sei

$$dX_t(\varepsilon)=\varepsilon f(t,X_t(\varepsilon))\,dt+dW_t,$$

wobei ε ein kleiner Parameter ist. Die Lösung für $\varepsilon = 0$ ist

$$X_t(0)=c(0)+W_t-W_{t_0}.$$

Für

$$\operatorname*{st-lim}_{\varepsilon\to 0} c(\varepsilon)=c(0)$$

gilt auch

$$\operatorname*{st-lim}_{\varepsilon\to 0} \sup_{t_0\leqq t\leqq T} |X_t(\varepsilon)-X_t(0)|=0.$$

b) Entsprechendes gilt im Falle

$$dX_t(\varepsilon)=f(t,X_t(\varepsilon))\,dt+\varepsilon\, dW_t,$$

wobei $X_t(0)$ die Lösung der gewöhnlichen Differentialgleichung $\dot{X}_t=f(t,X_t)$ mit eventuell zufälligem Anfangswert ist.

Wir untersuchen nun noch den speziellen Fall eines konstanten Anfangswertes, allerdings zu einer beliebigen Zeit $s\in[t_0,t]$. Sei $X_t(s,x)$ die Lösung der Gleichung

$$X_t(s,x)=x+\int_s^t f(u,X_u(s,x))\,du+\int_s^t G(u,X_u(s,x))\,dW_u, \tag{7.3.4}$$

$t_0\leqq s\leqq t\leqq T$, also mit der Anfangsbedingung $X_s(s,x)=x\in R^d$.

(7.3.5) **Definition.** Ein stochastischer Prozeß X_t des reellen Parameters t heißt an der Stelle t_1 im Quadratmittel differenzierbar mit der Zufallsgröße Y_{t_1} als Ableitung, wenn die zweiten Momente von X_t und Y_{t_1} existieren und wenn gilt:

$$\lim_{h\to 0} E\,|(X_{t_1+h}-X_{t_1})/h-Y_{t_1}|^2=0.$$

Dieser Ableitungsbegriff wird benötigt, wenn man die Abhängigkeit der Lösung $X_t(s,x)$ der Gleichung (7.3.4) vom Parameter x untersucht. Es gilt

(7.3.6) **Satz.** Seien die Koeffizienten $f(t, x)$ und $G(t, x)$ der Gleichung (7.3.4) stetig in (t, x) mit beschränkten stetigen partiellen Ableitungen erster und zweiter Ordnung nach den x_i, $x=(x_1, \ldots, x_d)'$. Dann ist die Lösung $X_t(s, x)$ für festes $t \in [s, T]$ in (s, x) im Quadratmittel stetig und zweimal im Quadratmittel nach den x_i differenzierbar. Die Ableitungen

$$\frac{\partial}{\partial x_i} X_t(s, x), \quad \frac{\partial^2}{\partial x_i \partial x_j} X_t(s, x)$$

sind als Funktionen von x im Quadratmittel stetig und erfüllen ihrerseits stochastische Differentialgleichungen, die man aus (7.3.4) durch partielle Differentiation erhält, also z.B. für $Y_t = \partial X_t(s, x)/\partial x_i$

$$Y_t = e_i + \int_s^t f_x(u, X_u(s, x)) \, Y_u \, du + \int_s^t G_x(u, X_u(s, x)) \, Y_u \, dW_u .$$

Hierbei ist $e_i \in R^d$ der Einheitsvektor in x_i-Richtung, f_x die $d \times d$-Matrix mit den Spaltenvektoren f_{x_j} und $G_x = (G_{x_1}, \ldots, G_{x_d})$ mit den $d \times m$-Matrizen G_{x_j}.

(7.3.7) **Bemerkung.** Zum Zwecke einer späteren Verwendung halten wir fest: Sind die Bedingungen von Satz (7.3.6) erfüllt, und ist $g(x)$ eine beschränkte stetige Funktion in R^d mit beschränkten stetigen ersten und zweiten partiellen Ableitungen, so ist für festes $t \in [t_0, T]$

$$u(s, x) = E\, g(X_t(s, x))$$

stetig in $(s, x) \in [t_0, t] \times R^d$ und beschränkt und besitzt stetige und beschränkte erste und zweite partielle Ableitungen nach den x_i und eine stetige und beschränkte Ableitung nach s.

Kapitel 8

Lineare stochastische Differentialgleichungen

8.1 Einleitung

Bei den in diesem Buch studierten Differentialgleichungen des Typs

$$\dot{X}_t = f(t, X_t) + G(t, X_t)\,\xi_t,$$

ξ_t Gaußsches weißes Rauschen, stellt die rechte Seite eine *lineare* Funktion der Störung ξ_t dar. Die Funktionen f und G sind jedoch im allgemeinen nichtlineare Funktionen des Systemzustands X_t.

Wie für gewöhnliche Differentialgleichungen kann auch im stochastischen Fall eine wesentlich komplettere Theorie entwickelt werden, wenn die Koeffizientenfunktionen $f(t, x)$ und $G(t, x)$ lineare Funktionen von x sind, insbesondere wenn G gar nicht von x abhängt.

(8.1.1) **Definition.** Eine stochastische Differentialgleichung

$$dX_t = f(t, X_t)\,dt + G(t, X_t)\,dW_t$$

für den d-dimensionalen Prozeß X_t im Intervall $[t_0, T]$ heißt linear, wenn die Funktionen $f(t, x)$ und $G(t, x)$ in $[t_0, T] \times R^d$ lineare Funktionen von $x \in R^d$ sind, wenn also gilt

$$f(t, x) = A(t)\,x + a(t),$$

$A(t)$ $d \times d$-matrixwertig, $a(t)$ R^d-wertig, und

$$G(t, x) = (B_1(t)\,x + b_1(t), \ldots, B_m(t)\,x + b_m(t)),$$

$B_k(t)$ $d \times d$-Matrizen, $b_k(t)$ R^d-wertig. Eine lineare Differentialgleichung hat also die Gestalt

$$dX_t = (A(t)\,X_t + a(t))\,dt + \sum_{i=1}^{m} (B_i(t)\,X_t + b_i(t))\,dW_t^i,$$

wobei $W_t = (W_t^1, \ldots, W_t^m)'$ ist. Sie heißt homogen im Falle $a(t) = b_1(t) = \ldots = b_m(t) \equiv 0$. Sie heißt linear im engeren Sinne, falls gilt $B_1(t) = \ldots = B_m(t) \equiv 0$.

(8.1.2) **Bemerkung.** Lineare stochastische Differentialgleichungen erhält man, wenn in gewöhnlichen linearen Differentialgleichungen der Form

$$\dot{X}_t = A(t) X_t + a(t)$$

die Koeffizienten $A(t)$ und $a(t)$ "verrauscht" sind und/oder auf der rechten Seite dieser Gleichung ein nicht vom Systemzustand X_t abhängiger Störungsterm addiert wird. Die Gleichung bekommt dann die Gestalt

(8.1.3) $$\dot{X}_t = (A(t) + \Delta(t)) X_t + (a(t) + \alpha(t)).$$

Hierbei ist $\Delta(t)$ eine $d \times d$-Matrix und $\alpha(t)$ ein d-dimensionaler Vektor, deren Elemente (möglicherweise) korrelierte Gaußsche Rauschprozesse mit zeitlich veränderlicher Intensität sind mit

$$E \Delta_{ij}(t) \Delta_{kp}(s) = C_{ij,kp}(t) \delta(t-s),$$

$$E \Delta_{ij}(t) \alpha_k(s) = D_{ij,k}(t) \delta(t-s)$$

und

$$E \alpha_i(t) \alpha_k(s) = E_{ik}(t) \delta(t-s).$$

Wir substituieren wie üblich

$$(\Delta(t), \alpha(t)) \, dt = dY_t$$

(die Elemente von $\Delta(t)$ und $\alpha(t)$ seien spaltenweise fortlaufend als $(d^2 + d)$-dimensionaler Spaltenvektor geschrieben), wobei Y_t ein m-dimensionaler Gaußscher Prozeß mit unabhängigen Zuwächsen ist mit $m = d^2 + d$, $E Y_t = 0$ und der $m \times m$-Kovarianzmatrix

$$E Y_t Y_s' = \int_{t_0}^{\min(t,s)} Q(u) \, du$$

mit

$$Q(t) = \begin{pmatrix} C(t) & D(t) \\ D'(t) & E(t) \end{pmatrix}.$$

Nach Bemerkung (5.2.4) läßt sich ein solcher Prozeß (wir setzen die Integrabilität von $Q(t)$ im Intervall $[t_0, T]$ voraus) darstellen als

$$Y_t = \int_{t_0}^{t} \sqrt{Q(s)} \, dW_s,$$

d.h.

$$dY_t = \sqrt{Q(s)} \, dW_s,$$

wobei nun W_t ein m-dimensionaler Wiener-Prozeß (mit *unabhängigen* Komponenten) ist. Statt $\sqrt{Q}$ kann jede $m \times p$-Matrix G mit $GG' = Q$ benutzt werden. Dies ist wichtig, wenn Q singulär ist, weil man dann $p < m$ wählen kann. Zerlegen wir $\sqrt{Q}$ in der Form

$$\sqrt{Q} = \begin{pmatrix} \bar{B}_1(t) \dots \bar{B}_m(t) \\ b_1(t) \dots b_m(t) \end{pmatrix}, \quad b_k \in R^d, \quad \bar{B}_k \in R^{d^2},$$

so erhält Gleichung (8.1.3) in differentieller Schreibweise schließlich die gewünschte Form

$$\mathrm{d}X_t = (A(t)\,X_t + a(t))\,\mathrm{d}t + \sum_{i=1}^{m} (B_i(t)\,X_t + b_i(t))\,\mathrm{d}W_t^i$$

mit

$$B_i(t) = (B_i^{kp}(t)) = (\bar{B}_i^{pd+k}), \quad 1 \leqq k,\ p \leqq d.$$

B_i ist also der als $d \times d$-Matrix angeordnete Vektor $\bar{B}_i$.

(8.1.4) **Beispiel.** Die skalare Differentialgleichung n-ter Ordnung

$$Y_t^{(n)} + (b_1(t) + \xi_1(t))\,Y_t^{(n-1)} + \ldots + (b_n(t) + \xi_n(t))\,Y_t + (b_{n+1}(t) + \xi_{n+1}(t)) = 0,$$

wobei die $\xi_i(t)$ im allgemeinen korrelierte Gaußsche Rauschprozesse mit der Kovarianz

$$E\,\xi_i(t)\,\xi_j(s) = Q_{ij}(t)\,\delta(t-s)$$

sind, schreiben wir entsprechend der Bemerkung (6.1.6) um in eine Differentialgleichung erster Ordnung für

$$X_t = \begin{pmatrix} X_t^1 \\ \vdots \\ X_t^n \end{pmatrix} = \begin{pmatrix} Y_t \\ \dot{Y}_t \\ \vdots \\ Y_t^{(n-1)} \end{pmatrix}, \quad d = n,$$

nämlich

$$\dot{X}_t^i = X_t^{i+1}, \quad i = 1, \ldots, n-1,$$

$$\dot{X}_t^n = -\sum_{k=1}^{n} (b_k(t) + \xi_k(t))\,X_t^{n+1-k} - (b_{n+1}(t) + \xi_{n+1}(t)),$$

anschließend nach (8.1.2) in eine lineare stochastische Differentialgleichung für X_t der Form

$$\mathrm{d}X_t^i = X_t^{i+1}\,\mathrm{d}t, \quad i = 1, \ldots, n-1,$$

$$\mathrm{d}X_t^n = \left(-\sum_{k=1}^{n} b_k(t)\,X_t^{n+1-k} - b_{n+1}(t)\right)\mathrm{d}t$$

$$-\sum_{p=1}^{n+1}\left(\sum_{k=1}^{n} G_{kp}(t)\,X_t^{n+1-k} + G_{n+1,p}(t)\right)\mathrm{d}W_t^p,$$

wobei G, $GG' = Q$, eine $(n+1)\times(n+1)$-Matrix ist, also $m = n+1$ gilt.

Der folgende Satz ist eine unmittelbare Folgerung aus dem Existenz- und Eindeutigkeitssatz (6.2.2).

(8.1.5) **Satz.** Die lineare stochastische Differentialgleichung

$$\mathrm{d}X_t = (A(t)\,X_t + a(t))\,\mathrm{d}t + \sum_{i=1}^{m} (B_i(t)\,X_t + b_i(t))\,\mathrm{d}W_t^i$$

besitzt für jeden Anfangswert $X_{t_0}=c$, der unabhängig von $W_t - W_{t_0}$, $t \geqq t_0$, ist, im Intervall $[t_0, T]$ eine eindeutige stetige Lösung, falls nur die Funktionen $A(t)$, $a(t)$, $B_i(t)$ und $b_i(t)$ in $[t_0, T]$ meßbar und beschränkt sind. Gilt diese Voraussetzung in jedem Teilintervall von $[t_0, \infty)$, so existiert sogar eine eindeutige globale (d. h. für alle $t \in [t_0, \infty)$ definierte) Lösung.

(8.1.6) **Korollar.** Eine globale Lösung existiert insbesondere immer für die autonome lineare Differentialgleichung

$$dX_t = (A X_t + a)\,dt + \sum_{i=1}^{m} (B_i X_t + b_i)\,dW_t^i, \quad X_{t_0} = c,$$

(mit von t unabhängigen Koeffizienten A, a, B_i und b_i).

Wir wollen nun diese Lösung nach Möglichkeit geschlossen und explizit darstellen und untersuchen.

8.2 Die lineare Gleichung im engeren Sinne

In diesem Abschnitt untersuchen wir zunächst diejenigen Gleichungen, die aus einem deterministischen linearen System

$$\dot{X}_t = A(t) X_t + a(t), \quad A(t)\ d \times d\text{-Matrix}; \quad X_t, \quad a(t)\ R^d\text{-Vektor},$$

durch Addition eines nicht vom Systemzustand abhängigen Fluktuationsterms

$$B(t)\,\xi_t, \quad B(t)\ d \times m\text{-Matrix}, \quad \xi_t\ m\text{-dimensionales weißes Rauschen},$$

entstehen, d. h. Gleichungen der Form

(8.2.1) $$dX_t = (A(t) X_t + a(t))\,dt + B(t)\,dW_t.$$

Wir fassen also die in Definition (8.1.1) auftretenden m Vektoren b_i zur $d \times m$-Matrix $B = (b_1, \ldots, b_m)$ zusammen. Sind die Funktionen $A(t)$, $a(t)$ und $B(t)$ in $[t_0, T]$ meßbar und beschränkt (was wir ab jetzt immer voraussetzen wollen), so existiert nach Satz (8.1.5) zu beliebigem Anfangswert $X_{t_0}=c$ eine eindeutige Lösung.

Wir rekapitulieren einige wohlbekannte Tatsachen über deterministische lineare Systeme $(B(t) \equiv 0)$ (siehe etwa Bucy - Joseph [61], S. 5).

Die Matrix $\Phi(t) = \Phi(t, t_0)$ der Lösungen der homogenen Gleichung

$$\dot{X}_t = A(t) X_t$$

mit den Einheitsvektoren $c = e_i$ in x_i-Richtung als Anfangswert, mit anderen Worten: die Lösung der Matrixgleichung

$$\dot{\Phi}(t) = A(t)\,\Phi(t), \quad \Phi(t_0) = I,$$

heißt Fundamentalmatrix des Systems

$$\dot{X}_t = A(t) X_t + a(t).$$

Die Lösung mit dem Anfangswert $X_{t_0}=c$ kann mit Hilfe von $\Phi(t)$ in folgender Form dargestellt werden:

$$X_t = \Phi(t)\left(c + \int_{t_0}^{t} \Phi(s)^{-1} a(s)\, \mathrm{d}s\right).$$

Ist z.B. $A(t) \equiv A$ unabhängig von t, so gilt

$$\Phi(t) = \mathrm{e}^{A(t-t_0)} = \sum_{n=0}^{\infty} A^n (t-t_0)^n/n!,$$

also

$$X_t = \mathrm{e}^{A(t-t_0)}\, c + \int_{t_0}^{t} \mathrm{e}^{A(t-s)}\, a(s)\, \mathrm{d}s.$$

Mit diesem Wissen können wir nun auch leicht die Lösung der "inhomogenen" Gleichung (8.2.1) bestimmen.

(8.2.2) **Satz.** Die (im engeren Sinne) lineare stochastische Differentialgleichung

$$\mathrm{d}X_t = (A(t)\, X_t + a(t))\, \mathrm{d}t + B(t)\, \mathrm{d}W_t, \quad X_{t_0} = c,$$

besitzt in $[t_0, T]$ die Lösung

$$X_t = \Phi(t)\left(c + \int_{t_0}^{t} \Phi(s)^{-1} a(s)\, \mathrm{d}s + \int_{t_0}^{t} \Phi(s)^{-1} B(s)\, \mathrm{d}W_s\right). \tag{8.2.3}$$

Hierbei ist $\Phi(t)$ die Fundamentalmatrix der deterministischen Gleichung $\dot{X}_t = A(t)\, X_t$.

B e w e i s . Wir verifizieren durch Einsetzen, und zwar mit Hilfe des Satzes von Itô. Setzen wir

$$Y_t = c + \int_{t_0}^{t} \Phi(s)^{-1} a(s)\, \mathrm{d}s + \int_{t_0}^{t} \Phi(s)^{-1} B(s)\, \mathrm{d}W_s,$$

so hat Y_t das stochastische Differential

$$\mathrm{d}Y_t = \Phi(t)^{-1} (a(t)\, \mathrm{d}t + B(t)\, \mathrm{d}W_t).$$

Dann hat nach Satz (5.3.8) der Prozeß

$$X_t = \Phi(t)\, Y_t$$

das stochastische Differential

$$\begin{aligned} \mathrm{d}X_t &= \dot{\Phi}(t)\, Y_t\, \mathrm{d}t + \Phi(t)\, \mathrm{d}Y_t \\ &= A(t)\, \Phi(t)\, Y_t\, \mathrm{d}t + a(t)\, \mathrm{d}t + B(t)\, \mathrm{d}W_t \\ &= (A(t)\, X_t + a(t))\, \mathrm{d}t + B(t)\, \mathrm{d}W_t, \end{aligned}$$

q.e.d.

In der obigen Darstellung der Lösung sieht man besonders deutlich, daß der Wert X_t ein (durch die Koeffizienten $A(t)$, $a(t)$ und $B(t)$ eindeutig bestimmtes) Funktional von c und $W_s - W_{t_0}$, $t_0 \leqq s \leqq t$, ist (siehe Bemerkung (6.3.10)).

Wir erwähnen noch besonders die folgenden Spezialfälle.

(8.2.4) **Korollar.** Ist in Gleichung (8.2.1) die Matrix $A(t) \equiv A$ unabhängig von t, so gilt für die Lösung

$$X_t = e^{A(t-t_0)} c + \int_{t_0}^{t} e^{A(t-s)} (a(s)\,ds + B(s)\,dW_s).$$

(8.2.5) **Korollar.** Für $d = 1$ (jedoch m beliebig) gilt

$$\Phi(t) = \exp\left(\int_{t_0}^{t} A(s)\,ds\right),$$

also

$$X_t = \exp\left(\int_{t_0}^{t} A(s)\,ds\right)\left(c + \int_{t_0}^{t} \exp\left(-\int_{t_0}^{s} A(u)\,du\right)(a(s)\,ds + B(s)\,dW_s)\right).$$

Nach Satz (7.1.2) besitzt die Lösung X_t Momente zweiter Ordnung, falls für den Anfangswert $E|c|^2 < \infty$ gilt. In unserem speziellen Fall lassen sich die ersten beiden Momente von X_t leicht aus der expliziten Form der Lösung berechnen. Es gilt

(8.2.6) **Satz.** Für die Lösung X_t der linearen stochastischen Differentialgleichung

$$dX_t = (A(t) X_t + a(t))\,dt + B(t)\,dW_t, \quad X_{t_0} = c,$$

gilt unter der Voraussetzung $E|c|^2 < \infty$

a)

$$m_t = E X_t = \Phi(t)\left(E c + \int_{t_0}^{t} \Phi(s)^{-1} a(s)\,ds\right),$$

m_t ist also die Lösung der deterministischen linearen Differentialgleichung

$$\dot{m}_t = A(t) m_t + a(t), \quad m_{t_0} = E c.$$

b)

$$K(s,t) = E(X_s - E X_s)(X_t - E X_t)'$$

(8.2.7)

$$= \Phi(s)\left(E(c - Ec)(c - Ec)' + \int_{t_0}^{\min(s,t)} \Phi(u)^{-1} B(u) B(u)' (\Phi(u)^{-1})'\,du\right)\Phi(t)'.$$

Insbesondere ist die Kovarianzmatrix der Komponenten von X_t,

$$K(t) = K(t,t) = E(X_t - E X_t)(X_t - E X_t)'$$

die eindeutige symmetrische nicht-negativ definite Lösung der Matrixgleichung

(8.2.8) $$\dot{K}(t) = A(t)\,K(t) + K(t)\,A(t)' + B(t)\,B(t)'$$

mit dem Anfangswert $K(t_0) = E(c - E\,c)(c - E\,c)'$.

Beweis. a) Bildet man auf beiden Seiten von (8.2.3) den Erwartungswert, so ergibt sich die Formel für m_t. Differentiation dieses Ausdrucks nach t führt auf

$$\dot{m}_t = A(t)\,m_t + a(t),$$

was man auch sofort aus der (integralen Form der) stochastischen Differentialgleichung durch Erwartungswertbildung erhält.

b) Die Formel für $K(s, t)$ folgt wieder aus (8.2.3), wenn man noch die Unabhängigkeit von c und

$$\int_{t_0}^{t} \Phi(s)^{-1}\,B(s)\,dW_s$$

berücksichtigt. Differenziert man speziell $K(t, t)$ nach t, so ergibt sich die Differentialgleichung für K, die man auch wieder direkt aus der stochastischen Differentialgleichung hätte gewinnen können. Die Differentialgleichung für $K(t) = K(t)'$ erfüllt in $[t_0, T]$ Lipschitz- und Beschränktheitsbedingungen, so daß eine eindeutige Lösung existiert, q.e.d.

Gleichung (8.2.8) stellt also (unter Berücksichtigung der Symmetrie von K) ein System von $d\,(d+1)/2$ linearen Gleichungen dar.

(8.2.9) **Bemerkung.** Von großem Interesse ist der Verlauf von

$$E\,|X_t - E\,X_t|^2 = E\,|X_t|^2 - |m_t|^2 = \operatorname{tr} K(t) = \sum_{i=1}^{d} K_{ii}(t).$$

Aus der Formel für $K(s, t)$ entnehmen wir mit Hilfe der Beziehung $\operatorname{tr} A\,A' = |A|^2$

$$\operatorname{tr} K(t) = E\,|\Phi(t)(c - E\,c)|^2 + \int_{t_0}^{t} |\Phi(t)\,\Phi(s)^{-1}\,B(s)|^2\,ds.$$

In Formel (8.2.3) ist die Lösung X_t also dargestellt als Summe von drei statistisch unabhängigen Summanden, wovon der zweite sogar unabhängig von ω überhaupt und der dritte nach Korollar (4.5.6) normalverteilt ist. Der Prozeß Y_t in

$$X_t = \Phi(t)\,c + Y_t$$

ist also immer ein von $\Phi(t)\,c$ unabhängiger Gaußscher Prozeß mit unabhängigen Zuwächsen und der Verteilung

$$\mathfrak{N}\left(\Phi(t)\int_{t_0}^{t}\Phi(s)^{-1}a(s)\,ds,\ \int_{t_0}^{t}\Phi(t)\Phi(s)^{-1}B(s)B(s)'(\Phi(s)^{-1})'\Phi(t)'\,ds\right).$$

X_t ist selbst Gaußsch genau dann, wenn der Anfangswert c normalverteilt (oder konstant) ist. Diesen wichtigen Spezialfall halten wir fest im

(8.2.10) **Satz.** Die Lösung (8.2.3) der linearen Gleichung

$$dX_t = (A(t)X_t + a(t))\,dt + B(t)\,dW_t,\quad X_{t_0} = c,$$

ist ein *Gaußscher* stochastischer Prozeß X_t genau dann, wenn c normalverteilt oder konstant ist. Mittelwert m_t und Kovarianzmatrix $E(X_s - m_s)(X_t - m_t)'$ sind gegeben im Satz (8.2.6). X_t hat unabhängige Zuwächse nur dann, wenn c konstant oder $A(t) \equiv 0$ (d. h. $\Phi(t) \equiv I$) ist.

Wann ist der im Falle eines normalverteilten c Gaußsche Prozeß sogar stationär? Notwendig und hinreichend dafür ist

$$m_t = \text{const},$$

$$K(s,t) = \overline{K}(s-t).$$

Diese Bedingungen sind sicher erfüllt, wenn gilt:

$$Ec = 0,$$

$$a(t) \equiv 0$$

(dann ist $m_t \equiv 0$) und

$$A(t) \equiv A$$

$$B(t) \equiv B$$

(d. h. die Ausgangsgleichung ist autonom, die Lösung X_t existiert in $[t_0, \infty)$); weiter muß nach (8.2.7)

(8.2.11) $$A\overline{K}(0) + \overline{K}(0)A' = -BB'$$

und

$$\overline{K}(0) = Ecc'$$

gelten. Die Matrixgleichung (8.2.11) hat sicher dann eine nicht-negativ definite Lösung $\overline{K}(0)$, nämlich

$$\overline{K}(0) = \int_0^\infty e^{At} BB' e^{A't}\,dt,$$

wenn die deterministische Gleichung $\dot{X}_t = AX_t$ asymptotisch stabil ist (d. h. wenn alle Eigenwerte von A negative Realteile besitzen, siehe Beispiel (11.1.4) und Bucy-Joseph [61], S. 9). Aus Formel (8.2.7) ergibt sich für $t = s$ außerdem

$$e^{-A(t-t_0)}\,\overline{K}(0)\,e^{-A'(t-t_0)} = \overline{K}(0) + \int_{t_0}^{t} e^{-A(s-t_0)}\,B\,B'\,e^{-A'(s-t_0)}\,ds,$$

für allgemeines $t, s \geqq t_0$ also

$$\overline{K}(s-t) = K(s,t) = \begin{cases} e^{A(s-t)}\,\overline{K}(0), & s \geqq t, \\ \overline{K}(0)\,e^{A'(t-s)}, & s \leqq t. \end{cases}$$

Dieses Ergebnis halten wir fest im folgenden

(8.2.12) **Satz.** Die Lösung der Gleichung

$$dX_t = (A(t)\,X_t + a(t))\,dt + B(t)\,dW_t, \quad X_{t_0} = c,$$

ist ein stationärer Gaußscher Prozeß, falls $A(t) \equiv A$, $a(t) \equiv 0$, $B(t) \equiv B$ gilt, die Eigenwerte von A negative Realteile besitzen und c $\mathfrak{N}(0, K)$-verteilt ist, wobei K die Lösung

$$K = \int_0^{\infty} e^{At}\,B\,B'\,e^{A't}\,dt$$

der Gleichung $A\,K + K\,A' = -B\,B'$ ist. Für den Prozeß X_t gilt dann

$$E\,X_t \equiv 0$$

und

$$E\,X_s\,X_t' = \begin{cases} e^{A(s-t)}\,K, & s \geqq t \geqq t_0, \\ K\,e^{A'(s-t)}, & t \geqq s \geqq t_0. \end{cases}$$

Es ist klar, daß unter den obigen Bedingungen auch bei nicht normalverteiltem c mit $E\,c = 0$ und $E\,c\,c' = K$ der Prozeß X_t stationär im weiteren Sinne mit obigen ersten und zweiten Momenten ist.

8.3 Der Ornstein-Uhlenbeck-Prozeß

Wir untersuchen nun das historisch älteste Beispiel einer stochastischen Differentialgleichung.

Für die Brownsche Bewegung eines Teilchens unter Berücksichtigung der Reibung, aber ohne äußeres Kraftfeld, wurde auf mannigfache Weise (siehe z.B. Uhlenbeck-Ornstein [49], Wang-Uhlenbeck [50]) die sogenannte Langevin-Gleichung

$$\dot{X}_t = -\alpha\,X_t + \sigma\,\xi_t, \quad \alpha > 0, \ \sigma \text{ Konstanten},$$

abgeleitet. Hierbei ist X_t eine der drei skalaren Geschwindigkeitskomponenten des Teilchens und ξ_t skalares weißes Rauschen. Die entsprechende stochastische Differentialgleichung (es gilt $d = m = 1$, wir setzen $t_0 = 0$)

$$dX_t = -\alpha\,X_t\,dt + \sigma\,dW_t, \quad X_0 = c,$$

ist linear im engeren Sinne und autonom, ihre eindeutige Lösung also nach Korollar (8.2.4)

$$X_t = e^{-\alpha t} c + \sigma \int_0^t e^{-\alpha(t-s)} \, dW_s .$$

X_t besitzt im Falle $E c^2 < \infty$ nach Satz (8.2.6) den Mittelwert

$$m_t = E X_t = e^{-\alpha t} E c$$

und die Kovarianz

$$K(s,t) = E(X_s - m_s)(X_t - m_t) = e^{-\alpha(t+s)} (\mathrm{Var}(c) + \sigma^2 (e^{2\alpha \min(t,s)} - 1)/2\alpha),$$

speziell

$$K(t,t) = \mathrm{Var}(X_t) = e^{-2\alpha t} \mathrm{Var}(c) + \sigma^2 (1 - e^{-2\alpha t})/2\alpha .$$

Für beliebige c gilt

$$\operatorname*{fs-lim}_{t \to \infty} e^{-\alpha t} c = 0,$$

so daß die Verteilung von X_t für $t \longrightarrow \infty$ und beliebiges c gegen $\mathfrak{N}(0, \sigma^2/2\alpha)$-strebt. Für normalverteiltes oder konstantes c ist X_t ein Gaußscher Prozeß, der sogenannte Ornstein-Uhlenbeck-Geschwindigkeitsprozeß. Startet man mit einem $\mathfrak{N}(0, \sigma^2/2\alpha)$-verteilten c, so ist X_t ein stationärer Gaußscher Prozeß (manchmal farbiges Rauschen genannt) mit $E X_t \equiv 0$ und

$$E X_s X_t = e^{-\alpha|t-s|} \sigma^2/2\alpha,$$

was man auch aus Satz (8.2.12) entnehmen kann.

Durch Integration der Geschwindigkeit X_t gelangt man zum Ort

$$Y_t = Y_0 + \int_0^t X_s \, ds$$

des Teilchens. Sind c und Y_0 normalverteilt oder konstant, so ist mit X_t auch Y_t ein Gaußscher Prozeß, der sogenannte Ornstein-Uhlenbeck-(Orts-)Prozeß. Man kann natürlich auch X_t und Y_t simultan behandeln, indem man ihre Gleichungen zu

$$d\begin{pmatrix} X_t \\ Y_t \end{pmatrix} = \begin{pmatrix} -\alpha & 0 \\ 1 & 0 \end{pmatrix} \begin{pmatrix} X_t \\ Y_t \end{pmatrix} dt + \begin{pmatrix} \sigma \\ 0 \end{pmatrix} dW_t, \quad \begin{pmatrix} X_0 \\ Y_0 \end{pmatrix} = \begin{pmatrix} c \\ Y_0 \end{pmatrix},$$

zusammenfaßt. Es ist

$$E Y_t = E Y_0 + (1 - e^{-\alpha t}) E c/\alpha$$

und

$$E(Y_s - E\,Y_s)(Y_t - E\,Y_t) = \mathrm{Var}(Y_0) + 2\,D\min(s,t)$$
$$+\frac{D}{\alpha}\left(-2+2\,e^{-\alpha t}+2\,e^{-\alpha s}-e^{-\alpha|t-s|}-e^{-\alpha(t+s)}\right),$$

wobei wir, wie es üblich ist,

$$D = \sigma^2/2\,\alpha^2,$$

gesetzt haben. Lassen wir nun $\alpha \longrightarrow \infty$ gehen, aber so, daß D konstant bleibt, so erhalten wir

$$E\,Y_t \longrightarrow E\,Y_0,$$
$$E(Y_s - E\,Y_s)(Y_t - E\,Y_t) \longrightarrow \mathrm{Var}(Y_0) + 2\,D\min(s,t),$$

d. h. alle endlich-dimensionalen Verteilungen des Ornstein-Uhlenbeck-Prozesses Y_t konvergieren gegen diejenigen des Gaußschen Prozesses

$$Y_t^{(0)} = Y_0 + \sqrt{2\,D}\,W_t.$$

Das ist aber der in Y_0 startende, mit $\sqrt{2\,D}$ multiplizierte Wiener-Prozeß. In diesem Sinne approximiert also der Wiener-Prozeß den Ornstein-Uhlenbeck-Prozeß. Die Realisierungen von Y_t besitzen eine Ableitung, nämlich X_t. In der Ornstein-Uhlenbeck-Theorie der Brownschen Bewegung besitzt das Teilchen also eine stetige Geschwindigkeit (jedoch keine Beschleunigung), deren Existenz beim Übergang zu $Y_t^{(0)}$ verlorengeht.

(8. 3. 1) **Bemerkung.** Ein analoges elektrisches Problem führt formal auf dieselbe Langevin-Gleichung. Sei X_t die Stromstärke in einem (L, R)-Stromkreis. Dann gilt

$$L\,\dot{X}_t + R\,X_t = \sigma\,\xi_t,$$

wobei ξ_t eine schnell fluktuierende elektromagnetische Kraft ist, die durch thermales Rauschen erzeugt wird und wieder als "weißes Rauschen" idealisiert werden kann.

(8. 3. 2) **Bemerkung.** Die Langevin-Gleichung für den Ort X_t eines Brownschen Partikels in einem äußeren Kraftfeld lautet

$$\ddot{X}_t + \beta\,\dot{X}_t = \sigma\,\xi_t + K(t, X_t).$$

Durch $V_t = \dot{X}_t$ erhalten wir daraus das System

$$d\begin{pmatrix} V_t \\ X_t \end{pmatrix} = \begin{pmatrix} -\beta\,V_t + K(t, X_t) \\ V_t \end{pmatrix} dt + \begin{pmatrix} \sigma \\ 0 \end{pmatrix} dW_t.$$

Geschlossen auswertbar ist der Fall des harmonischen Oszillators, für den $K(t, x) = -\nu^2\,x$ gilt, die zugehörige Gleichung also linear ist (siehe Chandrasekhar [32], S. 27-30).

8.4 Die allgemeine skalare lineare Gleichung

Als Vorbereitung auf die Betrachtung des vektorwertigen Falls untersuchen wir zuerst den Fall $d=1$ (m beliebig) der Gleichung

(8.4.1) $$dX_t = (A(t)\,X_t + a(t))\,dt + \sum_{i=1}^{m} (B_i(t)\,X_t + b_i(t))\,dW_t^i,\quad X_{t_0} = c.$$

Alle vorkommenden Größen (bis auf $W_t \in R^m$) sind also skalare Funktionen, die Koeffizienten A, a, B_i und b_i seien im Intervall $[t_0, T]$ meßbar und beschränkt, so daß dort jedenfalls eine eindeutige Lösung X_t existiert, die wir nun explizit angeben wollen.

(8.4.2) **Satz.** Gleichung (8.4.1) besitzt die Lösung

$$X_t = \Phi_t \left(c + \int_{t_0}^{t} \Phi_s^{-1} \left(a(s) - \sum_{i=1}^{m} B_i(s)\,b_i(s) \right) ds + \sum_{i=1}^{m} \int_{t_0}^{t} \Phi_s^{-1}\, b_i(s)\,dW_s^i \right),$$

wobei

$$\Phi_t = \exp\left(\int_{t_0}^{t} \left(A(s) - \sum_{i=1}^{m} B_i(s)^2/2 \right) ds + \sum_{i=1}^{m} \int_{t_0}^{t} B_i(s)\,dW_s^i \right)$$

die Lösung der homogenen Gleichung

$$d\Phi_t = A(t)\,\Phi_t\,dt + \sum_{i=1}^{m} B_i(t)\,\Phi_t\,dW_t^i$$

mit dem Anfangswert $\Phi_{t_0} = 1$ ist.

Beweis. Wir verifizieren unter Benutzung des Satzes von Itô, daß der angegebene Prozeß das stochastische Differential (8.4.1) besitzt. Setzen wir noch $\Phi_t = \exp(Y_t)$ und

$$Z_t = c + \int_{t_0}^{t} e^{-Y_s} \left(a(s) - \sum_{i=1}^{m} B_i(s)\,b_i(s) \right) ds + \sum_{i=1}^{m} \int_{t_0}^{t} e^{-Y_s} b_i(s)\,dW_s^i,$$

so ist

$$X_t = u(Y_t, Z_t)$$

mit

$$u(x, y) = e^x y.$$

Die Anwendung der Formel (5.3.9b) ergibt

$$\mathrm{d}X_t = X_t\,\mathrm{d}Y_t + \mathrm{e}^{Y_t}\,\mathrm{d}Z_t + \frac{1}{2}\sum_{i=1}^{m} \operatorname{tr}\begin{pmatrix} X_t & \Phi_t \\ \Phi_t & 0 \end{pmatrix}\begin{pmatrix} B_i^2\,\Phi_t^{-1}\,B_i\,b_i \\ \Phi_t^{-1}\,B_i\,b_i\,\Phi_t^{-2}\,b_i^2 \end{pmatrix}\mathrm{d}t$$

$$= X_t\left(A(t) - \sum_{i=1}^{m} B_i(s)^2/2\right)\mathrm{d}t + X_t\left(\sum_{i=1}^{m} B_i(t)\,\mathrm{d}W_t^i\right)$$

$$+\left(a(t) - \sum_{i=1}^{m} B_i(t)\,b_i(t)\right)\mathrm{d}t + \sum_{i=1}^{m} b_i(t)\,\mathrm{d}W_t^i$$

$$+\sum_{i=1}^{m} (X_t\,B_i(t)^2/2 + B_i(t)\,b_i(t))\,\mathrm{d}t$$

$$= (A(t)\,X_t + a(t))\,\mathrm{d}t + \sum_{i=1}^{m} (B_i(t)\,X_t + b_i(t))\,\mathrm{d}W_t^i,$$

q. e. d.

Beispiel (6.3.11) ist ein Spezialfall dieses Ergebnisses. X_t ist bei normalverteiltem c nur ein Gaußscher Prozeß, wenn $B_1(t) = \ldots = B_m(t) \equiv 0$ gilt, die Gleichung also linear im engeren Sinne ist. Dann reduziert sich Satz (8.4.2) auf Korollar (8.2.5).

Wir führen noch zwei Spezialfälle gesondert auf.

(8.4.3) **Korollar.** Sei $d = 1$. Dann ist die Lösung

a) der *homogenen* Gleichung

$$\mathrm{d}X_t = A(t)\,X_t\,\mathrm{d}t + \sum_{i=1}^{m} B_i(t)\,X_t\,\mathrm{d}W_t^i, \quad X_{t_0} = c,$$

$$X_t = c \exp\left(\int_{t_0}^{t}\left(A(s) - \sum_{i=1}^{m} B_i(s)^2/2\right)\mathrm{d}s + \sum_{i=1}^{m}\int_{t_0}^{t} B_i(s)\,\mathrm{d}W_s^i\right),$$

b) der *homogenen autonomen* Gleichung ($A(t) \equiv A$, $B_i(t) \equiv B_i$)

$$\mathrm{d}X_t = A\,X_t\,\mathrm{d}t + \sum_{i=1}^{m} B_i\,X_t\,\mathrm{d}W_t^i, \quad X_{t_0} = c,$$

$$X_t = c \exp\left(\left(A - \sum_{i=1}^{m} B_i^2/2\right)(t - t_0) + \sum_{i=1}^{m} B_i\,(W_t^i - W_{t_0}^i)\right).$$

Wir bemerken, daß im letzten Falle wegen des Gesetzes der großen Zahlen für W_t für beliebige c

$$\operatorname*{fs-lim}_{t\to\infty} X_t = 0$$

gilt, sobald nur

$$A < \sum_{i=1}^{m} B_i^2/2$$

ist. Allgemein besitzt im homogenen Falle X_t für alle $t \in [t_0, T]$ dasselbe Vorzeichen wie c.

Wir berechnen nun noch die Momente von X_t. Dazu benutzen wir folgendes

(8.4.4) **Lemma.** Ist X $\mathfrak{N}(\alpha, \sigma^2)$-verteilt, so gilt für jedes $p > 0$

$$E(e^X)^p = e^{p\alpha + p^2\sigma^2/2}.$$

Beweis. Es ist

$$\frac{1}{\sqrt{2\pi\sigma^2}} \int_{-\infty}^{\infty} \exp(p x - (x-\alpha)^2/2\sigma^2)\, dx = \exp(p\alpha + p^2\sigma^2/2),$$

q. e. d.

(8.4.5) **Satz.** Die Lösung X_t der skalaren linearen stochastischen Differentialgleichungen (8.4.1) besitzt für alle $t \in [t_0, T]$ ein Moment p-ter Ordnung genau dann, wenn $E|c|^p < \infty$ ist. Speziell gilt

a)

$$m_t = E X_t = \varphi_t \left(E c + \int_{t_0}^{t} \varphi_s^{-1} a(s)\, ds \right)$$

mit

$$\varphi_t = \exp\left(\int_{t_0}^{t} A(s)\, ds \right),$$

d. h. m_t ist die Lösung der gewöhnlichen Differentialgleichung

$$\dot{m}_t = A(t)\, m_t + a(t), \quad m_{t_0} = E c.$$

b) $P(t) = E X_t^2$ ist die eindeutige Lösung der gewöhnlichen linearen Differentialgleichung

$$\dot{P}(t) = \left(2A(t) + \sum_{i=1}^{m} B_i(t)^2 \right) P(t) + 2 m_t \left(a(t) + \sum_{i=1}^{m} B_i(t)\, b_i(t) \right) + \sum_{i=1}^{m} b_i(t)^2 \tag{8.4.6}$$

zur Anfangsbedingung

$$P(t_0) = E c^2,$$

wobei $m_t = E X_t$ ist.

c) Im homogenen Fall $a(t) \equiv 0$, $b_i(t) \equiv 0$ $(i = 1, \ldots, m)$ gilt für das p-te absolute Moment der Lösung

$$X_t = c \exp\left(\int_{t_0}^{t}\left(A(s) - \sum_{i=1}^{m} B_i(s)^2/2\right) \mathrm{d}s + \sum_{i=1}^{m} \int_{t_0}^{t} B_i(s)\, \mathrm{d}W_s^i\right)$$

(8.4.7) $$E|X_t|^p = E|c|^p \exp\left(p \int_{t_0}^{t}\left(A(s) - \sum_{i=1}^{m} B_i(s)^2/2\right) \mathrm{d}s + \frac{p^2}{2}\int_{t_0}^{t} \sum_{i=1}^{m} B_i(s)^2\, \mathrm{d}s\right).$$

Beweis. Die homogene Gleichung hat die Lösung

$$X_t = c\, \Phi_t,$$

wobei c und Φ_t statistisch unabhängig sind und Φ_t Momente jeder Ordnung hat. Deshalb ist

$$E|X_t|^p = E|c|^p\, E\, \Phi_t^p$$

endlich genau dann, wenn $E|c|^p$ endlich ist. Im inhomogenen Fall addieren wir zur Lösung der homogenen Gleichung lediglich Terme mit endlichen Momenten jeder Ordnung, so daß es allgemein nur auf $E|c|^p$ ankommt. Die Gestalt von m_t erhält man sofort aus Satz (8.4.2) unter Benutzung von Lemma (8.4.4) für $p = 1$, die Differentialgleichung für m_t durch Differenzieren dieses Ergebnisses oder direkt aus der integralen Form von Gleichung (8.4.1).

Nach Beispiel (5.4.9) gilt

$$\mathrm{d}X_t^2 = 2\, X_t (A(t)\, X_t + a(t))\, \mathrm{d}t + 2\, X_t \sum_{i=1}^{m} (B_i(t)\, X_t + b_i(t))\mathrm{d}W_t^i$$

$$+ \sum_{i=1}^{m} (B_i(t)\, X_t + b_i(t))^2\, \mathrm{d}t.$$

Bilden wir auf beiden Seiten der integralen Form dieser Gleichung den Erwartungswert, so ergibt sich

$$P(t) = E\, c^2 + \int_{t_0}^{t}\left(2\, A(s)\, P(s) + \sum_{i=1}^{m} B_i(s)\, P(s)\right) \mathrm{d}s$$

$$+ \int_{t_0}^{t} 2\, m_s \left(a(s) + \sum_{i=1}^{m} B_i(s)\, b_i(s)\right) \mathrm{d}s + \sum_{i=1}^{m} \int_{t_0}^{t} b_i(s)^2\, \mathrm{d}s,$$

nach Differentiation also Gleichung (8.4.6).

Formel (8.4.7) schließlich ist eine Konsequenz der Unabhängigkeit von c und Φ_t und Lemma (8.4.4), q.e.d.

(8.4.8) **Beispiel.** Für die homogene autonome Gleichung

$$\mathrm{d}X_t = A\, X_t\, \mathrm{d}t + \sum_{i=1}^{m} B_i\, X_t\, \mathrm{d}W_t^i, \quad X_{t_0} = c,$$

gilt

$$E|X_t|^p = E|c|^p \exp\left(p\left(A - \sum_{i=1}^m B_i^2/2\right)(t-t_0) + \frac{p^2}{2}\sum_{i=1}^m B_i^2 (t-t_0)\right).$$

Wir haben deshalb

$$\lim_{t\to\infty} E|X_t|^p = \begin{cases} 0 \\ E|c|^p \\ +\infty \end{cases}$$

genau dann, wenn gilt

$$A \lesseqqgtr (1-p)\sum_{i=1}^m B_i^2/2.$$

8.5 Die allgemeine vektorielle lineare Gleichung

Wir kommen nun zurück zur allgemeinen linearen stochastischen Differentialgleichung für einen R^d-wertigen Prozeß X_t, nämlich

(8.5.1) $$dX_t = (A(t)\,X_t + a(t))\,dt + \sum_{i=1}^m (B_i(t)\,X_t + b_i(t))\,dW_t^i,$$

wobei $A(t)$, $B_i(t)$ $d\times d$-Matrizen, $a(t)$, $b_i(t)$ R^d-wertige Funktionen und $W_t = (W_t^1, \ldots, W_t^m)'$ ein m-dimensionaler Wiener-Prozeß sind. Es existiert nach Satz (8.1.5) zu jedem von $W_t - W_{t_0}$, $t\in[t_0, T]$, unabhängigen Anfangswert c eine eindeutige Lösung von (8.5.1) im Intervall $[t_0, T]$, wenn nur die Koeffizienten A, a, B_i und b_i dort meßbare und beschränkte Funktionen sind, was wir immer voraussetzen wollen.

Wir modellieren nun die allgemeine Lösung von (8.5.1) nach dem skalaren Fall $d = 1$, so daß sie den im Abschnitt 8.2 behandelten Fall als Spezialfall mit einschließt.

(8.5.2) **Satz.** Die lineare stochastische Differentialgleichung (8.5.1) besitzt in $[t_0, T]$ zum Anfangswert $X_{t_0} = c$ die Lösung

(8.5.3) $$X_t = \Phi_t\left(c + \int_{t_0}^t \Phi_s^{-1}\,dY_s\right).$$

Hierbei ist

$$dY_t = \left(a(t) - \sum_{i=1}^m B_i(t)\,b_i(t)\right)dt + \sum_{i=1}^m b_i(t)\,dW_t^i,$$

und die $d\times d$-Matrix Φ_t ist die Fundamentalmatrix der zugehörigen homogenen Gleichung, d. h. die Lösung der homogenen stochastischen Differentialgleichung

$$\mathrm{d}\Phi_t = A(t)\,\Phi_t\,\mathrm{d}t + \sum_{i=1}^{m} B_i(t)\,\Phi_t\,\mathrm{d}W_t^i$$

zum Anfangswert

$$\Phi_{t_0} = I.$$

Beweis. Da die Existenz einer eindeutigen Lösung bekannt ist, genügt es, durch Einsetzen zu verifizieren, daß das angegebene X_t die Gleichung (8.5.1) erfüllt. Dazu setzen wir

$$Z_t = c + \int_{t_0}^{t} \Phi_s^{-1}\,\mathrm{d}Y_s,$$

$$\mathrm{d}Z_t = \Phi_t^{-1}\,\mathrm{d}Y_t,$$

und berechnen mit dem Satz von Itô das stochastische Differential von

$$X_t = \Phi_t\,Z_t.$$

Die Anwendung etwa von Beispiel (5.4.1) auf jede Komponente von X_t liefert

$$\begin{aligned}
\mathrm{d}X_t &= \Phi_t\,\mathrm{d}Z_t + (\mathrm{d}\Phi_t)\,Z_t + \left(\sum_{i=1}^{m} B_i(t)\,\Phi_t\,\Phi_t^{-1}\,b_i(t)\right)\mathrm{d}t \\
&= \mathrm{d}Y_t + A(t)\,X_t\,\mathrm{d}t + \sum_{i=1}^{m} B_i(t)\,X_t\,\mathrm{d}W_t^i + \sum_{i=1}^{m} B_i(t)\,b_i(t)\,\mathrm{d}t \\
&= (a(t) + A(t)\,X_t)\,\mathrm{d}t + \sum_{i=1}^{m} (B_i(t)\,X_t + b_i(t))\,\mathrm{d}W_t^i.
\end{aligned}$$

Der Anfangswert ist

$$X_{t_0} = \Phi_{t_0}\,Z_{t_0} = I\,c = c,$$

q. e. d.

(8.5.4) **Bemerkung.** In völliger Analogie zu den gewöhnlichen Differentialgleichungen setzt sich die allgemeine Lösung (8.5.3) wie folgt additiv zusammen:

$$X_t = \Phi_t\,c + \Phi_t \int_{t_0}^{t} \Phi_s^{-1}\,\mathrm{d}Y_s.$$

Hierbei ist der erste Summand die allgemeine Lösung der zugehörigen homogenen Gleichung (die nur hier im Gegensatz zu Satz (8.2.2) im allgemeinen auch ein stochastischer Prozeß ist), während der zweite Summand die spezielle Lösung der inhomogenen Gleichung zum Anfangswert $X_{t_0} = 0$ ist. Für $d = 1$ haben wir Φ_t im Satz (8.4.2) explizit angegeben. Für $B_i(t) \equiv 0$ reduziert sich Satz (8.5.2) auf Satz (8.2.2).

Wir geben wieder die gewöhnlichen Differentialgleichungen erster Ordnung an, denen die ersten beiden Momente der Lösung genügen müssen.

(8. 5. 5) **Satz.** Für die Lösung (8. 5. 3) des linearen stochastischen Differentialgleichung (8. 5. 1) gilt unter der Voraussetzung $E\,|c|^2 < \infty$

a) $E\,X_t = m_t$ ist die eindeutige Lösung der Gleichung

$$\dot{m}_t = A(t)\,m_t + a(t), \quad m_{t_0} = E\,c.$$

b) $E\,X_t\,X_t' = P(t)$ ist die eindeutige nicht-negativ definite symmetrische Lösung der Gleichung

$$\dot{P}(t) = A(t)\,P(t) + P(t)\,A(t)' + a(t)\,m_t' + m_t\,a(t)'$$

(8. 5. 6)
$$+\sum_{i=1}^{m} \left(B_i(t)\,P(t)\,B_i(t)' + B_i(t)\,m_t\,b_i(t)' + b_i(t)\,m_t'\,B_i(t)' + b_i(t)\,b_i(t)'\right)$$

zum Anfangswert

$$P(t_0) = E\,c\,c'.$$

Beweis. Teil a) folgt durch Bildung des Erwartungswertes auf beiden Seiten der integralen Form von (8. 5. 1), Teil b) auf dieselbe Weise aus

$$\begin{aligned} \mathrm{d}X_t\,X_t' &= X_t\,\mathrm{d}X_t' + (\mathrm{d}X_t)\,X_t' + \sum_{i=1}^{m} (B_i(t)\,X_t + b_i(t))\,(X_t'\,B_i(t)' + b_i(t)')\,\mathrm{d}t \\ &= \Big(X_t\,X_t'\,A(t) + X_t\,a(t)' + A(t)\,X_t\,X_t' + a(t)\,X_t' \\ &\quad + \sum_{i=1}^{m} (B_i(t)\,X_t\,X_t'\,B_i(t)' + B_i(t)\,X_t\,b_i(t)' \\ &\quad + b_i(t)\,X_t'\,B_i(t)' + b_i(t)\,b_i(t)') \Big)\,\mathrm{d}t \\ &\quad + \sum_{i=1}^{m} (X_t\,X_t'\,B_i(t)' + X_t\,b_i(t)' + B_i(t)\,X_t\,X_t' + b_i(t)\,X_t')\,\mathrm{d}W_t^i. \end{aligned}$$

Diese Formel ergibt sich aus dem Satz von Itô. Die beiden Gleichungen sind im Intervall $[t_0, T]$ eindeutig lösbar, weil die rechten Seiten dort Beschränktheits- und Lipschitzbedingungen genügen. Wegen

$$P(t) = P(t)'$$

stellt (8. 5. 6) ein System von $d\,(d+1)/2$ linearen Gleichungen dar. Die Lösung $P(t)$ ist als Kovarianzmatrix von X_t natürlich nicht-negativ definit, q. e. d.

(8. 5. 7) **Bemerkung.** Die Funktion $m_t = E\,X_t$ ist unabhängig vom Fluktuationsteil (d. h. von den B_i und b_i) der Gleichung (8. 5. 1).

(8.5.8) **Bemerkung.** Es gilt

$$E|X_t|^2 = \operatorname{tr} P(t) = \sum_{i=1}^{d} P_{ii}(t).$$

Die aus (8.5.6) folgende Differentialgleichung für $E|X_t|^2$ enthält jedoch auf ihrer rechten Seite im allgemeinen alle weiteren Elemente der Matrix $P(t)$.

(8.5.9) **Bemerkung.** Ist die zu (8.5.1) gehörige homogene Gleichung

$$dX_t = A(t)\,X_t\,dt + \sum_{i=1}^{m} B_i(t)\,X_t\,dW_t^i$$

autonom, d.h. sind $A(t) \equiv A$ und $B_i(t) \equiv B_i$ unabhängig von t, so ist die zugehörige Fundamentallösung Φ_t trotzdem im allgemeinen nicht explizit angebbar. Nur wenn z.B. die Matrizen $A, B_1, \ldots, B_m$ vertauschbar sind, d.h. wenn

$$AB_i = B_iA, \quad B_iB_j = B_jB_i, \quad \text{alle } i, j,$$

gilt, nimmt die Fundamentalmatrix die Gestalt

$$\Phi_t = \exp\left(\left(A - \sum_{i=1}^{m} B_i^2/2\right)(t-t_0) + \sum_{i=1}^{m} B_i\,(W_t^i - W_{t_0}^i)\right)$$

an. Um dies zu zeigen, setzen wir

$$dY_t = \left(A - \sum_{i=1}^{m} B_i^2/2\right)dt + \sum_{i=1}^{m} B_i\,dW_t^i, \quad Y_{t_0} = 0,$$

und berechnen das stochastische Differential von

$$\Phi_t = \exp(Y_t).$$

Wegen der Vertauschbarkeit aller beteiligten Matrizen gilt

$$\begin{aligned}
d\Phi_t &= \exp(Y_t)\,dY_t + \frac{1}{2}\exp(Y_t)\,(dY_t)^2 \\
&= \Phi_t\,dY_t + \frac{1}{2}\Phi_t\left(\sum_{i=1}^{m} B_i^2\right)dt \\
&= A\,\Phi_t\,dt + \sum_{i=1}^{m} B_i\,\Phi_t\,dW_t^i,
\end{aligned}$$

d.h. Φ_t erfüllt die homogene Gleichung.

Kapitel 9

Die Lösungen stochastischer Differentialgleichungen als Markov- und Diffusionsprozesse

9.1 Einleitung

In den vorhergehenden drei Kapiteln haben wir in einer Art "stochastischer Analysis" die Lösungen von stochastischen Differentialgleichungen konstruiert und untersucht. Wir sind damit in der Lage, für gegebene Realisierungen des Anfangswertes und des Wiener-Prozesses eine Lösungstrajektorie mit beliebiger Genauigkeit explizit auszurechnen, etwa mit Hilfe des beim Beweis von Satz (6.2.2) verwendeten Iterationsverfahrens.

Andererseits ist die Lösung X_t ein stochastischer Prozeß im Intervall $[t_0, T]$ und kann als solcher als Ensemble verträglicher endlichdimensionaler Verteilungen

$$P[X_{t_1} \in B_1, \dots, X_{t_n} \in B_n] = P_{t_1, \dots, t_n}(B_1, \dots, B_n)$$

aufgefaßt werden. Diese Verteilungen können für die wichtige Klasse der Markov-Prozesse nach Satz (2.2.5) alle aus der Startwahrscheinlichkeit

$$P[X_{t_0} \in B] = P_{t_0}(B)$$

und der Übergangswahrscheinlichkeit

$$P(X_t \in B | X_s = x) = P(s, x, t, B), \quad t_0 \leqq s \leqq t \leqq T,$$

gewonnen werden, und zwar mittels

$$P[X_{t_1} \in B_1, \dots, X_{t_n} \in B_n] = \int_{R^d} \int_{B_1} \dots \int_{B_{n-1}} P(t_{n-1}, x_{n-1}, t_n, B_n) \cdot$$

$$\cdot P(t_{n-2}, x_{n-2}, t_{n-2}, \mathrm{d}x_{n-1}) \dots P(t_1, x_1, t_2, \mathrm{d}x_2)\, P(t_0, x_0, t_1, \mathrm{d}x_1)\, P_{t_0}(\mathrm{d}x_0),$$

$$t_0 < t_1 < \dots < t_n \leqq T, \quad B_i \in \mathfrak{B}^d.$$

Stochastische Differentialgleichungen verdanken ihre Bedeutung und Verbreitung nicht zuletzt der Tatsache, daß - wie sich herausstellen wird - ihre Lösungen Markov-Prozesse sind. Dafür steht also der für Markov-Prozesse entwickelte mächtige analytische Apparat zur Verfügung. Die

Wurzel der Markov-Eigenschaft der Lösungsprozesse ist die Tatsache, daß das weiße Rauschen ξ_t in der Form

$$\dot{X}_t = f(t, X_t) + G(t, X_t)\, \xi_t$$

der stochastischen Differentialgleichung

$$\mathrm{d}X_t = f(t, X_t)\, \mathrm{d}t + G(t, X_t)\, \mathrm{d}W_t$$

ein Prozeß mit in jedem Punkt unabhängigen Werten ist.

Darüberhinaus ist X_t in vielen Fällen sogar ein Diffusionsprozeß, dessen Driftvektor und Diffusionsmatrix sich auf denkbar einfache Weise aus der Gleichung ablesen lassen (siehe Abschnitt 9.3).

9.2 Die Lösungen als Markov-Prozesse

Es sei im Intervall $[t_0, T]$ die stochastische Differentialgleichung

(9.2.1) $$\mathrm{d}X_t = f(t, X_t)\, \mathrm{d}t + G(t, X_t)\, \mathrm{d}W_t, \quad X_{t_0} = c,$$

gegeben. Dabei nehmen X_t und f Werte im R^d an, G ist $d \times m$-matrixwertig und W_t ein R^m-wertiger Wiener-Prozeß. Der Anfangswert c ist eine beliebige, jedoch von $W_t - W_{t_0}$, $t \geqq t_0$, unabhängige Zufallsgröße.

Simultan mit (9.2.1) betrachten wir dieselbe Gleichung, aber nun im Intervall $[s, T]$, $t_0 \leqq s \leqq T$, und mit dem festen Anfangswert $X_s = x \in R^d$, also die äquivalente Integralgleichung

(9.2.2) $$X_t = x + \int_s^t f(u, X_u)\, \mathrm{d}u + \int_s^t G(u, X_u)\, \mathrm{d}W_u, \quad t_0 \leqq s \leqq t \leqq T.$$

Es gilt nun der folgende

(9.2.3) **Satz.** Erfüllt die Gleichung (9.2.1) die Voraussetzungen des Existenz- und Eindeutigkeitssatzes (6.2.2), dann ist die Lösung X_t der Gleichung für beliebige Anfangswerte ein Markov-Prozeß im Intervall $[t_0, T]$, dessen Startwahrscheinlichkeitsverteilung zur Zeit t_0 die Verteilung von c ist und dessen Übergangswahrscheinlichkeiten durch

$$P(s, x, t, B) = P(X_t \in B \mid X_s = x) = P[X_t(s, x) \in B]$$

gegeben sind, wobei $X_t(s, x)$ die (eindeutig existierende) Lösung der Gleichung (9.2.2) ist.

Beweis. Es sei $(\Omega, \mathfrak{A}, P)$ der zugrundeliegende Wahrscheinlichkeitsraum, auf dem c und W_t, $t \geqq 0$, definiert sind, sei $\mathfrak{F}_t \subset \mathfrak{A}$ wie üblich die durch c und W_s, $s \leqq t$, erzeugte sigma-Algebra, die von $\mathfrak{W}_t^+$, der von $W_s - W_t$, $s \geqq t$, erzeugten sigma-Algebra, unabhängig ist. Außerdem müssen wir noch die sigma-Algebren

$$\mathfrak{A}_t = \mathfrak{A}([t_0, t]) = \mathfrak{A}(X_s, t_0 \leqq s \leqq t), \quad t_0 \leqq t \leqq T,$$

die die "Geschichte" des Prozesses X_t bis zur Zeit t enthalten, betrachten. Nachzuweisen ist die Markov-Eigenschaft für X_t (siehe Definition (2.1.1)): Für $t_0 \leqq s \leqq t \leqq T$ und alle $B \in \mathfrak{B}^d$ gilt

(9.2.4) $$P(X_t \in B | \mathfrak{A}_s) = P(X_t \in B | X_s), \quad P\text{- fast sicher.}$$

Nun ist X_t $\mathfrak{F}_t$-meßbar (d.h. nicht vorgreifend), also gilt

$$\mathfrak{A}_t \subset \mathfrak{F}_t.$$

Die Gültigkeit von (9.2.4) folgt deshalb aus der strengeren Gleichung

(9.2.5) $$P(X_t \in B | \mathfrak{F}_s) = P(X_t \in B | X_s)$$

und zwar wegen (1.7.1).

Weiter genügt es, statt (9.2.5) folgendes zu zeigen: Für jede auf $R^d \times \Omega$ definierte skalare beschränkte meßbare Funktion $h(x, \omega)$, für die $h(x, \cdot)$ für jedes feste x eine von $\mathfrak{F}_s$ unabhängige Zufallsgröße ist, gilt

(9.2.6) $$E(h(X_s, \omega) | \mathfrak{F}_s) = E(h(X_s, \omega) | X_s) = H(X_s)$$

mit $H(x) = E\, h(x, \omega)$. Denn wählen wir

$$h(x, \omega) = I_B(X_t(s, x, \omega)),$$

wobei $X_t(s, x, \omega) = X_t(s, x)$ die Lösung der Gleichung (9.2.2) und I_B die Indikatorfunktion der Menge B ist, so ist $h(x, \cdot)$ unabhängig von $\mathfrak{F}_s$, denn $X_t(s, x)$ ist wegen des konstanten Startpunkts zur Zeit s $\mathfrak{W}_s^+$-meßbar. Nach Bemerkung (6.1.7) ist

$$X_t = X_t(t_0, c) = X_t(s, X_s(t_0, c)) = X_t(s, X_s)$$

und deshalb

$$h(X_s, \omega) = I_B(X_t).$$

Gleichung (9.2.6) ergibt also in diesem Fall

$$P(X_t \in B | \mathfrak{F}_s) = P(X_t \in B | X_s) = P[X_t(s, x) \in B]_{x = X_s},$$

woraus über (9.2.5) nicht nur die Markov-Eigenschaft (9.2.4), sondern auch die behauptete Gestalt

$$P(s, x, t, B) = P[X_t(s, x) \in B]$$

der Übergangswahrscheinlichkeiten folgt.

Es bleibt also noch (9.2.6) zu zeigen. Wir tun dies für die in der betrachteten Menge von beschränkten meßbaren Funktionen h dicht liegenden Funktionen der Gestalt

$$h(x, \omega) = \sum_{i=1}^{n} Y_i(x) Z_i(\omega), \quad Z_i \text{ unabhängig von } \mathfrak{F}_s.$$

Für diese gilt

$$E(h(X_s, \omega)|\mathfrak{F}_s) = \sum_{i=1}^{n} Y_i(X_s) E(Z_i) = H(X_s)$$

mit $H(x) = E\,h(x, \omega)$. Da X_s natürlich $\mathfrak{A}(X_s)$-meßbar und Z_i unabhängig von X_s ist, gilt zusätzlich

$$\sum_{i=1}^{n} Y_i(X_s) E(Z_i) = E(h(X_s, \omega)|X_s),$$

womit (9.2.6) bewiesen ist.

Für die Startwahrscheinlichkeit von X_t gilt wegen $X_{t_0} = c$

$$P_{t_0}(B) = P[X_{t_0} \in B] = P[c \in B],$$

q.e.d.

(9.2.7) **Bemerkung.** Während die Startwahrscheinlichkeit des Prozesses X_t mit der Verteilung von c identisch ist, hängen die Übergangswahrscheinlichkeiten nicht von c ab, sondern sind völlig durch die aus der Gleichung (9.2.1) ablesbaren Koeffizienten f und G, also durch das "System" bestimmt. Weiter erhalten die Übergangswahrscheinlichkeiten von X_t durch die Formel

$$P(X_t \in B|X_s = x) = P[X_t(s, x) \in B]$$

nicht nur heuristisch, sondern auch streng mathematisch die folgende anschauliche Bedeutung: Die (bedingte) Wahrscheinlichkeit des Ereignisses $[X_t \in B]$ unter der Bedingung $X_s = x$ ist gleich der absoluten Wahrscheinlichkeit des Ereignisses $[X_t(s, x) \in B]$, wobei der Prozeß $X_t(s, x)$ zur Zeit s mit Wahrscheinlichkeit 1 in x startet.

Satz (9.2.3) wird für die praktische Berechnung der Übergangswahrscheinlichkeiten nur dann mit Erfolg verwendet werden können, wenn uns die Lösung $X_t(s, x)$ der Gleichung (9.2.2) oder zumindest deren Verteilung explizit bekannt ist. Bessere Methoden zur Berechnung der Funktion $P(s, x, t, B)$ bzw. der Dichte $p(s, x, t, y)$ werden wir im Abschnitt 9.4 kennenlernen.

Nach Definition (2.2.9) nennen wir einen Markov-Prozeß *homogen*, wenn seine Übergangswahrscheinlichkeiten stationär sind, d.h. die Bedingung

$$P(s+u, x, t+u, B) = P(s, x, t, B), \quad 0 \leqq u \leqq T - t$$

identisch erfüllen. In diesem Fall ist $P(s, x, t, B) = P(t_0, x, t_0 + (t-s), B) = P(t-s, x, B)$ also nur eine Funktion von $x \in R^d$, $t - s \in [0, T - t_0]$ und $B \in \mathfrak{B}^d$.

(9.2.8) **Satz.** Für die Gleichung (9.2.1) seien die Voraussetzungen des Existenz- und Eindeutigkeitssatzes (6.2.2) erfüllt. Falls die Koeffizienten $f(t, x) \equiv f(x)$ und $G(t, x) \equiv G(x)$ im Intervall $[t_0, T]$ unabhängig von t sind, ist die Lösung X_t für beliebige Anfangswerte c ein homogener

Markov-Prozeß mit den (stationären) Übergangswahrscheinlichkeiten

$$P(X_t \in B | X_{t_0}=x) = P(t-t_0, x, B) = P[X_t(t_0, x) \in B],$$

wobei $X_t(t_0, x)$ die Lösung der Gleichung (9.2.1) mit dem Anfangswert $X_{t_0}=x$ ist. Insbesondere ist die Lösung einer autonomen Gleichung

$$\mathrm{d}X_t = f(X_t)\,\mathrm{d}t + G(X_t)\,\mathrm{d}W_t, \quad t \geqq t_0$$

ein für alle $t \geqq t_0$ definierter homogener Markov-Prozeß.

Die Aussagen dieses Satzes sind intuitiv so klar, daß wir auf einen Beweis verzichten.

(9.2.12) **Beispiel.** Die (im engeren Sinne) lineare stochastische Differentialgleichung

$$\mathrm{d}X_t = (A(t)X_t + a(t))\,\mathrm{d}t + B(t)\,\mathrm{d}W_t, \quad X_{t_0} = c, \quad t_0 \leqq t \leqq T,$$

hat nach Satz (8.2.2) zum Anfangswert x zur Zeit s die Lösung

$$X_t(s, x) = \Phi(t, s)\left(x + \int_s^t \Phi(u, s)^{-1} a(u)\,\mathrm{d}u + \int_s^t \Phi(u, s)^{-1} B(u)\,\mathrm{d}W_u\right),$$

wobei $\Phi(t, s)$ die Lösung der homogenen Matrix-Gleichung

$$\frac{\mathrm{d}}{\mathrm{d}t}\Phi(t, s) = A(t)\Phi(t, s), \quad \Phi(s, s) = I,$$

ist. Nach den Sätzen (8.2.6) und (8.2.10) ist die Übergangswahrscheinlichkeit $P(s, x, t, \cdot)$ von X_t eine d-dimensionale Normalverteilung,

$$P(s, x, t, \cdot) = \mathfrak{N}(m_t(s, x), K_t(s, x)),$$

mit dem Erwartungswertvektor

$$\int_{R^d} y\, P(s, x, t, \mathrm{d}y) = E\,X_t(s, x) = m_t(s, x)$$

$$= \Phi(t, s)\left(x + \int_s^t \Phi(u, s)^{-1} a(u)\,\mathrm{d}u\right)$$

und der $d \times d$-Kovarianzmatrix

$$\int_{R^d} (y - m_t(s, x))(y - m_t(s, x))'\, P(s, x, t, \mathrm{d}y) =$$

$$= E\,(X_t(s, x) - m_t(s, x))(X_t(s, x) - m_t(s, x))'$$

$$= K_t(s, x)$$

$$= \Phi(t, s)\int_s^t \Phi(u, s)^{-1} B(u)\, B(u)'(\Phi(u, s)^{-1})\,\mathrm{d}u\, \Phi(t, s)'.$$

Der Prozeß X_t ist für Gaußsches oder konstantes c nach Satz (8.2.10) selbst ein Gaußscher Prozeß, der häufig Gauß-Markov-Prozeß genannt wird.

Im autonomen Fall $A(t) \equiv A$, $a(t) \equiv a$, $B(t) \equiv B$ spezialisiert sich wegen

$$\Phi(t, s) = e^{A(t-s)}$$

die Übergangswahrscheinlichkeit des nun homogenen Markov-Prozesses X_t auf

$$P(s, x, s+t, \cdot) = P(t, x, \cdot) = \mathfrak{N}(m_{s+t}(s, x), K_{s+t}(s, x))$$

mit den nur von t und x abhängigen Funktionen

$$m_{s+t}(s, x) = e^{At}\left(x + \left(\int_0^t e^{-Au}\, du\right) a\right)$$

und

$$K_{s+t}(s, x) = \int_0^t e^{A(t-u)} B B' e^{A'(t-u)}\, du.$$

Im Falle eines nicht-singulären A und der Vertauschbarkeit von A und B (d.h. $AB = BA$) vereinfachen sich diese Ausdrücke weiter zu

$$m_{s+t}(s, x) = e^{At}(x + A^{-1} a) - A^{-1} a$$

und

$$K_{s+t}(s, x) = B(A + A')^{-1}(e^{(A+A')t} - I) B'.$$

(9.2.13) **Beispiel.** Die skalare lineare homogene stochastische Differentialgleichung ($d = 1$, m beliebig)

$$dX_t = A(t) X_t\, dt + \sum_{i=1}^m B_i(t) X_t\, dW_t^i, \quad X_{t_0} = c, \quad t_0 \leqq t \leqq T,$$

hat nach Korollar (8.4.3) zum Anfangswert x zur Zeit s die Lösung

$$X_t(s, x) = x \exp\left(\int_s^t \left(A(u) - \sum_{i=1}^m B_i(u)^2/2\right) du + \sum_{i=1}^m \int_s^t B_i(u)\, dW_u^i\right).$$

Es gilt $P(s, 0, t, \cdot) = \delta_0$ wegen $X_t(s, 0) \equiv 0$ und $P(s, -x, t, B) = P(s, x, t, -B)$ wegen $X_t(s, -x) \equiv -X_t(s, x)$. Deshalb kann man sich auf $x > 0$ beschränken. Dann ist auch $X_t(s, x) > 0$ in $[s, T]$, und für $y > 0$ gilt

$$\begin{aligned} P(s, x, t, (0, y]) &= P[X_t(s, x) \leqq y] \\ &= P\left[\sum_{i=1}^m \int_s^t B_i(u)\, dW_u^i \leqq \log\left(\frac{y}{x}\right) - \int_s^t \left(A(u) - \sum_{i=1}^m B_i(u)^2/2\right) du\right] \\ &= (\sqrt{2\pi}\,\sigma)^{-1} \int_{-\infty}^z e^{-u^2/2\sigma^2}\, du \end{aligned}$$

mit

$$z = \log(y/x) - \int_s^t \left(A(u) - \sum_{i=1}^m B_i(u)^2/2 \right) du$$

und

$$\sigma^2 = \sum_{i=1}^m \int_s^t B_i(u)^2 \, du.$$

Im Falle einer autonomen Gleichung ($A(t) \equiv A$, $B_i(t) \equiv B_i$) ist die angegebene Übergangswahrscheinlichkeit stationär mit den Parametern

$$z = \log(y/x) - \left(A - \sum_{i=1}^m B_i^2/2 \right)(t-s)$$

und

$$\sigma^2 = \left(\sum_{i=1}^m B_i^2 \right)(t-s).$$

Die Momente von $P(s, x, t, \cdot)$ lassen sich aus Satz (8.4.5c) entnehmen.

(9.2.14) **Bemerkung.** Wann ist die Lösung X_t von (9.2.1) sogar ein *stationärer* Markov-Prozeß? Nach Bemerkung (2.2.11) muß X_t jedenfalls homogen sein, was für die Lösung einer autonomen Gleichung der Fall ist. Für die Existenz einer stationären Verteilung P, d.h. einer Verteilung mit der Eigenschaft

$$P(B) = \int_{R^d} P(t, x, B) \, dP(x), \quad B \in \mathfrak{B}^d, \quad t \geqq 0$$

gibt es analytische Bedingungen (siehe Prohorov-Rozanov [15], S. 272-274, Hasminskii [65], S. 119 ff, Itô-Nisio [43]). In vielen Fällen kann die Dichte $p(x)$ der stationären Verteilung aus der stationären Form der Vorwärtsgleichung (siehe Abschnitt 9.4)

$$\sum_{i=1}^d \frac{\partial}{\partial x_i}(f_i(x) \, p(x)) - \frac{1}{2} \sum_{i=1}^d \sum_{j=1}^d \frac{\partial^2}{\partial x_i \, \partial x_j}((G(x) \, G(x)')_{ij} \, p(x)) = 0$$

gewonnen werden. Siehe auch Satz (8.2.12).

9.3 Die Lösungen als Diffusionsprozesse

Diffusionsprozesse sind nach Definition (2.5.1) Markov-Prozesse mit stetigen Realisierungen, deren Übergangswahrscheinlichkeiten $P(s, x, t, B)$ für $t \to s$ gewisse infinitesimale Eigenschaften haben.

Stochastische Differentialgleichungen liefern nun als Lösungen Markov-Prozesse mit stetigen Realisierungen. Wann sind diese sogar Diffusionsprozesse? Man wird vermuten, daß dazu weitere Bedingungen für die Koeffizienten f und G erfüllt sein müssen, durch die ja die Übergangswahrscheinlichkeiten bestimmt sind. Wie bestimmen sich dann die Drift- und Diffusionskoeffizienten aus der Gleichung?

Für einfache Fälle kann man direkt verifizieren, daß die Lösung ein Diffusionsprozeß ist. Ist z.B. $f(t,x) \equiv f_0$ und $G(t,x) \equiv G_0$, so ist die Lösung von

$$dX_t = f_0\, dt + G_0\, dW_t, \quad X_{t_0} = c$$

der Prozeß

$$X_t = c + f_0 (t - t_0) + G_0 (W_t - W_{t_0}),$$

für dessen Übergangswahrscheinlichkeiten nach Beispiel (9.2.12) gilt

$$P(s, x, t, \cdot) = \mathfrak{N}(x + f_0 (t-s),\; G_0 G_0' (t-s)).$$

Daraus folgt

$$E_{s,x}(X_t - x) = f_0 (t-s),$$

$$E_{s,x}(X_t - x)(X_t - x)' = G_0 G_0' (t-s) + f_0 f_0' (t-s)^2,$$

wobei wir die im Abschnitt 2.5 eingeführte Schreibweise

$$E_{s,x}\, g(X_t) = \int_{R^d} g(y)\, P(s, x, t, dy)$$

benutzt haben. Nach Bemerkung (2.5.2) ist X_t ein d-dimensionaler Diffusionsprozeß mit dem Driftvektor f_0 und der Diffusionsmatrix $G_0 G_0'$.

Allgemeiner gilt folgender

(9.3.1) **Satz.** Für die stochastische Differentialgleichung

$$dX_t = f(t, X_t)\, dt + G(t, X_t)\, dW_t, \quad X_{t_0} = c, \quad t_0 \leqq t \leqq T,$$

X_t, $f(t,x) \in R^d$, $W_t \in R^m$, $G(t,x)$ $d \times m$-Matrix, gelten die Voraussetzungen des Existenz- und Eindeutigkeitssatzes (6.2.2). Sind die Funktionen f und G darüberhinaus stetig in t, so ist die Lösung X_t ein d-dimensionaler Diffusionsprozeß in $[t_0, T]$ mit dem Driftvektor $f(t,x)$ und der Diffusionsmatrix

$$B(t,x) = G(t,x)\, G(t,x)'.$$

Die Limesbeziehungen in Defintion (2.5.1) gelten gleichmäßig in $s \in [t_0, T)$, $T < \infty$. Insbesondere ist die Lösung einer autonomen stochastischen Differentialgleichung immer ein homogener Diffusionsprozeß in $[t_0, \infty)$.

Beweis. Nach Bemerkung (7.1.5) ist

$$E_{s,x} |X_t - X_s|^4 = E |X_t(s,x) - x|^4 \leqq C_1 (t-s)^2, \quad t_0 \leqq s \leqq t \leqq T,$$

also

$$\lim_{t \downarrow s} (t-s)^{-1} \int_{R^d} |y - x|^4\, P(s, x, t, dy) = 0.$$

Um zu beweisen, daß X_t ein Diffusionsprozeß mit den angegebenen Drift- und Diffusionskoeffizienten ist, genügt es also nach Bemerkung (2.5.2),

(9.3.2) $$E(X_t(s,x)-x) = f(s,x)(t-s) + o(t-s)$$

und

(9.3.3) $$E(X_t(s,x)-x)(X_t(s,x)-x)' = G(s,x)\,G(s,x)'(t-s) + o(t-s)$$

zu zeigen. Insbesondere wird sich die behauptete Gleichmäßigkeit daraus ergeben, daß $o(t-s)$ nicht von s abhängt.

Wir beginnen mit Gleichung (9.3.2) und schreiben die linke Seite in folgender Form

$$\begin{aligned} E X_t(s,x) - x &= \int_s^t E f(u, X_u(s,x))\,du \\ &= \int_s^t f(u,x)\,du + \int_s^t (E f(u, X_u(s,x)) - f(u,x))\,du. \end{aligned}$$

Mit der Schwarzschen Ungleichung, der Lipschitz-Bedingung und der Ungleichung (7.1.4) für $c = x$ und $n = 1$ ergibt sich

$$\begin{aligned} \left| \int_s^t E(f(u, X_u(s,x)) - f(u,x))\,du \right| &\leqq \int_s^t E\,|f(u, X_u(s,x)) - f(u,x)|\,du \\ &\leqq (t-s)^{1/2} \left(\int_s^t E\,|f(u, X_u(s,x)) - f(u,x)|^2\,du \right)^{1/2} \\ &\leqq 0((t-s)^{1/2}) \left(\int_s^t E\,|X_u(s,x) - x|^2\,du \right)^{1/2} \\ &= (t-s)^{3/2}\,0(1). \end{aligned}$$

Nun benutzen wir die Stetigkeit von $f(\cdot, x)$. Aus ihr folgt

$$\begin{aligned} \int_s^t f(u,x)\,du &= f(s,x)(t-s) + \int_s^t (f(u,x) - f(s,x))\,du \\ &= f(s,x)(t-s) + o(t-s), \end{aligned}$$

also insgesamt

$$E X_t(s,x) - x = f(s,x)(t-s) + o(t-s),$$

d.h. Gleichung (9.3.2).

Gleichung (9.3.3) beweisen wir ganz analog, q.e.d.

(9.3.4) **Beispiel.** Die lineare stochastische Differentialgleichung

$$dX_t = (a(t) + A(t) X_t)\, dt + \sum_{i=1}^{m} (B_i(t) X_t + b_i(t))\, dW_t^i,$$

$t_0 \leqq t \leqq T$, hat sicher dann einen Diffusionsprozeß als (eindeutig existierende) Lösung, wenn die Funktionen $a(t)$, $A(t)$, $B_i(t)$, $b_i(t)$ im Intervall $[t_0, T]$ stetig sind. Insbesondere hat die autonome lineare Gleichung immer einen homogenen Diffusionsprozeß als Lösung, siehe Beispiel (9.2.12). Der Driftvektor von X_t ist

$$f(t, x) = a(t) + A(t) x$$

und die Diffusionsmatrix

$$B(t, x) = \sum_{i=1}^{m} (B_i(t) x + b_i(t))(x' B_i(t)' + b_i(t)')$$

$$= \sum_{i=1}^{m} (B_i x x' B_i' + B_i x b_i' + b_i x' B_i' + b_i b_i').$$

(9.3.5) **Bemerkung.** Wir diskutieren nun die umgekehrte Frage, wann es zu einem gegebenen Diffusionsprozeß eine stochastische Differentialgleichung gibt, deren Lösung er ist. Mit anderen Worten: Sei X_t ein d-dimensionaler Diffusionsprozeß im Intervall $[t_0, T]$. Gibt es dann einen Wiener-Prozeß W_t, so daß X_{t_0} und $W_t - W_{t_0}$ statistisch unabhängig sind, und Funktionen f und G dergestalt, daß die Realisierungen von X_t aus denen von W_t mittels

$$dX_t = f(t, X_t)\, dt + G(t, X_t)\, dW_t$$

gewonnen werden können? Schließlich stellt diese Gleichung ja nach Bemerkung (6.1.4) eine Transformation dar, die $W_.(\omega)$ und $X_{t_0}(\omega)$ in $X_.(\omega)$ überführt. Hinreichende Bedingungen findet man z.B. bei Prohorov-Rozanov [15], S. 261-262, und bei Gikhman-Skorokhod [36], S. 70.

Will man zu einem gegebenen Diffusionsprozeß X_t mit dem Driftvektor $f(t, x)$ und der Diffusionsmatrix $B(t, x)$ eine stochastische Differentialgleichung angeben, deren Lösung mit X_t lediglich in der Anfangsverteilung P_{t_0} und den Übergangswahrscheinlichkeiten $P(s, x, t, B)$ (und damit in allen endlich-dimensionalen Verteilungen) übereinstimmt, will man also nicht die gegebenen Realisierungen von X_t reproduzieren, sondern nur dessen Verteilungen, so geht man wie folgt vor: Man wählt einen Wahrscheinlichkeitsraum $(\Omega, \mathfrak{A}, P)$, auf dem ein m-dimensionaler Wiener-Prozeß W_t und eine von $W_t - W_{t_0}$, $t \geqq t_0$, unabhängige Zufallsgröße c mit der Verteilung P_{t_0} definiert werden können, und betrachtet die stochastische Differentialgleichung

(9.3.6) $\quad dY_t = f(t, Y_t)\, dt + G(t, Y_t)\, dW_t, \quad Y_{t_0} = c, \quad t_0 \leqq t \leqq T.$

Hierbei ist $G(t, x)$ eine $d \times m$-Matrix mit der Eigenschaft

(9.3.7) $\quad B(t, x) = G(t, x)\, G(t, x)'.$

Es gibt nun diverse Möglichkeiten, eine gegebene symmetrische nicht-negativ definite $d\times d$-Matrix $B(t,x)$ in der Form (9.3.7) zu zerlegen, so daß der Koeffizient G in Gleichung (9.3.6) nicht eindeutig bestimmt ist. Repräsentieren wir B in der Form

$$B = U\,\Lambda\,U'$$

(Λ Diagonalmatrix der (wachsend angeordneten) Eigenwerte $\lambda_i \geqq 0$, U orthogonale $d\times d$-Matrix der Spalten-Eigenvektoren u_i von B, siehe Bemerkung (5.2.4)), so ergibt die Wahl $d=m$ und

$$G = U\,\Lambda^{1/2}\,U' = B^{1/2}$$

wieder eine symmetrische nicht-negative Matrix G, während

$$G = U\,\Lambda^{1/2} = (\sqrt{\lambda_1}\,u_1, \dots, \sqrt{\lambda_d}\,u_d)$$

den Vorteil hat, daß die Spaltenvektoren in Richtung der Eigenvektoren von B zeigen. Sind k der λ_i identisch gleich 0, so kann man zur $d\times m$-Matrix

$$G = (\sqrt{\lambda_{k+1}}\,u_{k+1}, \dots, \sqrt{\lambda_d}\,u_d),\quad m = d-k,$$

übergehen.

Diese Mehrdeutigkeit ist aber unerheblich, wenn der gegebene Diffusionsprozeß durch seine Parameter $f(t,x)$ und $B(t,x)$ eindeutig bestimmt ist (im Sinne der eindeutigen Bestimmtheit der Übergangswahrscheinlichkeiten $P(s,x,t,B)$ durch f und B). Für diese nicht-triviale Eigenschaft (schließlich haben wir f und B nur aus den ersten und zweiten Momenten von $P(s,x,t,B)$ gewonnen!) haben wir in Bemerkung (2.6.5) eine hinreichende Bedingung angegeben. Ist der gegebene Prozeß durch f und B eindeutig festgelegt, so führt jede Gleichung der Form (9.3.6), in der G nach (9.3.7) gewählt ist und die die Voraussetzungen des Satzes (9.3.1) erfüllt, zum *selben* Diffusionsprozeß. Insbesondere kann für homogene Diffusionsprozesse immer eine autonome Gleichung als dynamisches Modell gefunden werden.

Wir können also zusammenfassend feststellen, daß Lösungen stochastischer Differentialgleichungen und Diffusionsprozesse - trotz ihrer völlig verschiedenen Definition - im wesentlichen dieselbe Prozeßklasse darstellen.

9.4 Übergangswahrscheinlichkeiten

Im Satz (9.2.3) haben wir gezeigt, daß die Übergangswahrscheinlichkeiten $P(s,x,t,B)$ der Lösung X_t von

(9.4.1) $\quad dX_t = f(t,X_t)\,dt + G(t,X_t)\,dW_t,\quad X_{t_0}=c,\quad t_0\leqq t\leqq T,$

gleich den gewöhnlichen Wahrscheinlichkeitsverteilungen der zur Zeit s in x startenden Lösung $X_t(s, x)$ sind,

$$P(s, x, t, B) = P[X_t(s, x) \in B], \quad t_0 \leqq s \leqq t \leqq T, \quad x \in R^d, \quad B \in \mathfrak{B}^d.$$

Mit unserer in Kapitel 2 eingeführten Schreibweise

$$E_{s,x}\, g(t, X_t) = \int_{R^d} g(t, y)\, P(s, x, t, \mathrm{d}y)$$

gilt also

$$E_{s,x}\, g(t, X_t) = E\, g(t, X_t(s, x)),$$

speziell

$$E_{s,x}\, g(X_t) = E\, g(X_t(s, x)).$$

Wie man die Übergangswahrscheinlichkeiten $P(s, x, t, B)$ von X_t bestimmt, ohne die Gleichung (9.4.1) lösen zu müssen, ist Gegenstand dieses Abschnitts. Nun stellt (9.4.1) das Entwicklungsgesetz für den Zustand X_t des betrachteten stochastischen dynamischen Systems dar. Gehen wir zum Entwicklungsgesetz für die Funktionen $P(s, x, t, B)$ über, so bedeutet dies den Übergang von einer stochastischen Differentialgleichung zu einer partiellen Differentialgleichung zweiter Ordnung.

Ab jetzt setzen wir immer die Situation des Satzes (9.3.1) voraus, so daß X_t ein Diffusionsprozeß ist. Der zum Prozeß X_t gehörige Differentialoperator (2.6.1) ist

$$(9.4.2) \qquad \mathfrak{D} = \sum_{i=1}^{d} f_i(s, x) \frac{\partial}{\partial x_i} + \frac{1}{2} \sum_{i=1}^{d} \sum_{j=1}^{d} b_{ij}(s, x) \frac{\partial^2}{\partial x_i\, \partial x_j},$$

$$B(s, x) = (b_{ij}(s, x)) = G(s, x)\, G(s, x)', \quad f = (f_1, \dots, f_d)'$$

(die Ableitungen werden an der Stelle (s, x) genommen). Der die Übergangswahrscheinlichkeit von X_t eindeutig bestimmende infinitesimale Operator A ist nach (2.4.10) definiert als der gleichmäßige Limes

$$(9.4.3) \qquad A\, g(s, x) = \lim_{t \downarrow 0} \frac{E\, g(t+s, X_{t+s}(s, x)) - g(s, x)}{t},$$

wobei $g(s, x)$ eine in $[t_0, T] \times R^d$ definierte beschränkte meßbare Funktion ist.

Wir vernachlässigen einmal für den Moment die Forderung der Gleichmäßigkeit des Limes und untersuchen, wann zumindest der punktweise Limes in (9.4.3) existiert. Nennt man das Resultat L, so gilt

$$(9.4.4) \qquad L\, g = \frac{\partial g}{\partial s} + \mathfrak{D}\, g,$$

und zwar für alle auf $[t_0, T] \times R^d$ definierten Funktionen g, die einmal stetig nach t und zweimal stetig nach den Komponenten von x partiell differenzierbar sind und die zusammen mit ihren Ableitungen für x nicht schneller als eine gewisse Potenz von x wachsen. Dies läßt sich leicht aus (9.4.3) gewinnen, indem man dort für $g(t+s, X_{t+s}(s,x))$ das mit dem Satz von Itô gebildete stochastische Integral, nämlich (wir schreiben abkürzend X_{t+s} für $X_{t+s}(s,x)$)

$$g(t+s, X_{t+s}) = g(s,x) + \int_s^{t+s} g_s(u, X_u)\,du + \sum_{i=1}^{d} \int_s^{t+s} f_i(u, X_u)\, g_{x_i}(u, X_u)\,du$$

$$+\frac{1}{2} \sum_{i=1}^{d} \sum_{j=1}^{d} \int_s^{t+s} b_{ij}(u, X_u)\, g_{x_i} g_{x_j}(u, X_u)\,du$$

$$+\sum_{i=1}^{d} \sum_{k=1}^{m} \int_s^{t+s} g_{x_i}(u, X_u)\, G_{ij}(u, X_u)\,dW_u^j,$$

einsetzt und den Grenzübergang macht. Für nur von x abhängiges g und im homogenen Fall haben wir statt (9.4.4)

$$L = \mathfrak{D}.$$

Der Limes in (9.4.3) existiert nun darüberhinaus sogar gleichmäßig, falls g die obigen Eigenschaften besitzt und außerhalb einer beschränkten Menge in $[t_0, T] \times R^d$ identisch verschwindet. Solche Funktionen sind also aus dem Definitionsbereich D_A von A, und für sie gilt

$$A\,g = \frac{\partial g}{\partial s} + \mathfrak{D}\,g,$$

bzw. für homogene Prozesse

$$A\,g = \mathfrak{D}\,g.$$

Damit ist die Gestalt des infinitesimalen Operators der Lösung der stochastischen Differentialgleichung (9.4.1) gefunden. Die Lösung ist also in diesem Falle durch f und G eindeutig bestimmt.

In Bemerkung (2.6.5) haben wir erläutert, wie wir die Übergangswahrscheinlichkeiten eines Diffusionsprozesses prinzipiell aus der Kenntnis der Funktionen

$$u(s,x) = E\,g(X_t(s,x)), \quad t \text{ fest}$$

gewinnen können, wenn g eine Menge von Funktionen durchläuft, die im Raum $C(R^d)$ der stetigen und beschränkten Funktionen im R^d dicht liegt. Für vorgegebenes g kann man sich dabei $u(s,x)$ aus der Kolmogorovschen Rückwärtsgleichung berechnen. Diese gilt hier unter den folgenden Voraussetzungen:

(9.4.4) **Satz.** Für die Gleichung (9.4.1) seien die Voraussetzungen des Satzes (9.3.1) erfüllt. Außerdem sollen die Koeffizienten f und G beschränkte stetige partielle Ableitungen erster und zweiter Ordnung nach den Komponenten von x haben. Ist dann $g(x)$ eine beschränkte stetige Funktion mit beschränkten stetigen partiellen Ableitungen erster und zweiter Ordnung, so ist die Funktion

$$u(s, x) = E\, g(X_t(s, x)), \quad t_0 \leqq s \leqq t \leqq T, \quad x \in R^d,$$

nebst ihren partiellen Ableitungen erster und zweiter Ordnung nach x und ihrer ersten Ableitung nach s stetig und beschränkt, und es gilt die Rückwärtsgleichung

(9.4.5) $$\frac{\partial u(s, x)}{\partial s} + \mathfrak{D}\, u(s, x) = 0,$$

wobei $\mathfrak{D}$ der Differentialoperator (9.4.2) ist, mit der Endbedingung

$$\lim_{s \uparrow t} u(s, x) = g(x).$$

Der Beweis dieser Behauptungen folgt mit Bemerkung (7.3.7) aus Satz (2.6.3).

Anstatt die Rückwärtsgleichung (9.4.5) für eine in $C(R^d)$ dichte Menge von Endwerten g zu lösen, können wir uns auf die Schar

$$g(x) = e^{i\lambda' x}, \quad \lambda \in R^d$$

beschränken. Damit erhalten wir nämlich

$$u(s, x) = E \exp(i\lambda' X_t(s, x)),$$

d.h. die charakteristische Funktion von $X_t(s, x)$, wodurch die Wahrscheinlichkeitsverteilung von $X_t(s, x)$, nämlich $P(s, x, t, \cdot)$, eindeutig bestimmt ist.

Existiert für $P(s, x, t, B)$ eine Dichte $p(s, x, t, y)$, so können wir den Sätzen (2.6.6) und (2.6.9) Gleichungen für $p(s, x, t, y)$ selbst entnehmen. Die Dichte ist sowohl eine Fundamentallösung der Rückwärtsgleichung, d.h. es gilt für $s < t$, t und y fest,

(9.4.6) $$\frac{\partial}{\partial s} p(s, x, t, y) + \sum_{i=1}^{d} f_i(s, x) \frac{\partial}{\partial x_i} p(s, x, t, y) + \frac{1}{2} \sum_{i=1}^{d} \sum_{j=1}^{d} b_{ij}(s, x) \frac{\partial^2}{\partial x_i\, \partial x_j} p(s, x, t, y) = 0,$$

$$\lim_{s \uparrow t} p(s, x, t, y) = \delta(y - x),$$

als auch eine Fundamentallösung der Vorwärts- oder Fokker-Planck-Gleichung, d.h. es gilt für $t > s$, s und x fest,

(9.4.7) $$\frac{\partial}{\partial t} p(s,x,t,y) + \sum_{i=1}^{d} \frac{\partial}{\partial y_i} (f_i(t,y)\, p(s,x,t,y)) - \frac{1}{2} \sum_{i=1}^{d} \sum_{j=1}^{d} \frac{\partial^2}{\partial y_i \partial y_j} (b_{ij}(t,y)\, p(s,x,t,y)) = 0,$$

$$\lim_{t \downarrow s} p(s,x,t,y) = \delta(y-x).$$

Jedoch sind diese Entwicklungsgesetze für p nur unter gewissen Voraussetzungen über die Koeffizienten f und $B = G\,G'$ gültig, siehe Abschnitt 2.6.

Wir verweisen auf einen Satz von Gikhman und Skorokhod ([36], S. 96-99), der für den skalaren Fall hinreichende Bedingungen für die Existenz einer Dichte mit gewissen analytischen Eigenschaften gibt.

(9.4.8) **Beispiel.** Die skalare autonome lineare stochastische Differentialgleichung $(d = m = 1)$

$$dX_t = (A\,X_t + a)\,dt + b\,dW_t, \quad X_0 = c, \quad t \geqq 0,$$

besitzt nach Abschnitt 8.2 die Lösung

$$X_t = c\,e^{At} + \frac{a}{A}(e^{At} - 1) + b \int_0^t e^{A(t-s)}\,dW_s.$$

Darin sind der Ornstein-Uhlenbeck-Prozeß $(a = 0)$, die deterministische lineare Gleichung mit zufälligem Anfangswert $(b = 0)$ und der Wiener-Prozeß $(A = a = 0,\ b = 1,\ c = 0)$ als Spezialfälle enthalten. Für $b = 0$ besitzt zwar X_t eine Dichte, wenn c eine solche besitzt, die Übergangswahrscheinlichkeiten sind jedoch zu

$$P(s,x,t,\cdot) = \delta_z, \quad z = x\,e^{A(t-s)} + \frac{a}{A}(e^{A(t-s)} - 1)$$

entartet. Es existiert für $b \neq 0$ eine Dichte $p(s,x,t,y)$, die so glatt ist, daß sie aus der Rückwärtsgleichung

$$\frac{\partial}{\partial s} p(s,x,t,y) + (A\,x + a) \frac{\partial}{\partial x} p(s,x,t,y) + \frac{1}{2} b^2 \frac{\partial^2}{\partial x^2} p(s,x,t,y) = 0$$

oder der Vorwärtsgleichung

$$\frac{\partial}{\partial t} p(s,x,t,y) + \frac{\partial}{\partial y}((A\,y + a)\, p(s,x,t,y)) - \frac{1}{2} \frac{\partial^2}{\partial y^2}(b^2 p(s,x,t,y)) = 0$$

als Fundamentallösung gewonnen werden kann. Als Randbedingung nehmen wir an, daß p für $|x| \to \infty$ bzw. für $|y| \to \infty$ einschließlich seiner partiellen Ableitungen nach den x_i bzw. y_i verschwindet. Wir wissen aus Beispiel (9.2.12), daß gilt

$$p(s,x,t,y) = (2\pi\,K_t(s,x))^{-1/2} \exp(-(y - m_t(s,x))^2 / 2\,K_t(s,x))$$

mit

$$m_t(s, x) = x\, e^{A(t-s)} + \frac{a}{A}(e^{A(t-s)} - 1)$$

und

$$K_t(s, x) = \frac{b^2}{2A}(e^{2A(t-s)} - 1),$$

d.h. $p(s, x, t, y)$ ist die Dichte von $\mathfrak{N}(m_t(s, x), K_t(s, x))$. Im Falle $A = 0$ ergibt sich speziell

$$m_t(s, x) = x + a(t-s),$$

$$K_t(s, x) = b^2(t-s).$$

Übrigens beobachten wir, daß $p(s, x, t, y)$ nur von $t-s$ abhängt, X_t also ein homogener Diffusionsprozeß ist, wie es für die Lösung einer autonomen Gleichung der Fall sein muß.

Die Rückwärts- bzw. Vorwärtsgleichung (9.4.6) bzw. (9.4.7) ist bis jetzt nur in einigen wenigen einfachen Fällen explizit gelöst worden, siehe z.B. Uhlenbeck-Ornstein [49], Wang-Uhlenbeck [50] und Bharucha-Reid [19]. Man geht dazu in der Regel zur Fourier- oder Laplacetransformation von p über.

(9.4.9) **Beispiel.** Die Vorwärtsgleichung für die allgemeine lineare Gleichung

$$dX_t = (a(t) + A(t)X_t)\,dt + \sum_{i=1}^{m}(B_i(t)X_t + b_i(t))\,dW_t^i$$

mit dem Driftvektor

$$f(t, x) = a(t) + A(t)x, \quad a = (a^1, \dots, a^d)', \quad A = (A_{ij}),$$

und der Diffusionsmatrix

$$B(t, x) = \sum_{i=1}^{m}(B_i\, x\, x'\, B_i' + B_i\, x\, b_i' + b_i\, x'\, B_i' + b_i\, b_i')$$

(siehe Beispiel (9.3.4)) lautet für die Dichte $p(s, x, t, y)$ und $t > s$

$$\frac{\partial}{\partial t} p(s, x, t, y) + \sum_{i=1}^{d} a^i(t) \frac{\partial}{\partial y_i} p(s, x, t, y) + \sum_{i=1}^{d}\sum_{j=1}^{d} A_{ij}(t) \frac{\partial}{\partial y_i}(y_j\, p)$$

$$- \frac{1}{2}\sum_{i=1}^{d}\sum_{j=1}^{d} \frac{\partial^2}{\partial y_i\, \partial y_j}(b_{ij}(t, y)\, p(s, x, t, y)) = 0,$$

mit der Anfangsbedingung

$$\lim_{t \downarrow s} p(s, x, t, y) = \delta(y - x).$$

Im Falle $B_1(t) = \dots = B_m(t) \equiv 0$ und den Bezeichnungen

$$G(t) = (b_1(t), \dots, b_m(t)),$$

$$\frac{\partial}{\partial t} p = p_t, \quad \left(\frac{\partial}{\partial y_1} p, \dots, \frac{\partial}{\partial y_d} p\right)' = p_y, \quad \left(\frac{\partial^2}{\partial y_i \, \partial y_j} p\right) = p_{yy}$$

erhalten wir spezieller

$$(9.4.10) \qquad p_t + a(t)' p_y + p \operatorname{tr}(A(t)) + p_y' A(t) y - \frac{1}{2} \operatorname{tr}(G(t) G(t)' p_{yy}) = 0.$$

Wir wissen aus Beispiel (9.2.12), daß die Lösung dieser Gleichung die Dichte einer Normalverteilung ist, deren Parameter $m_t(s, x)$ und $K_t(s, x)$ wir in (9.2.12) angegeben haben. Die dynamische Entwicklung dieser Parameter ist durch die im Satz (8.2.6) angegebenen Differentialgleichungen charakterisiert.

(9.4.11) **Bemerkung.** Die Verteilung eines nur vom Zustand X_t zur Zeit t abhängigen R^p-wertigen Funktionals $g(X_t)$ der Lösung der Gleichung (9.4.1) können wir uns jederzeit über die charakteristische Funktion

$$u(s, x) = E\, e^{i \lambda' g(X_t(s,x))}, \quad \lambda \in R^p$$

aus der Rückwärtsgleichung (9.4.5) mit der Endbedingung

$$u(t, x) = e^{i \lambda' g(x)}$$

verschaffen. Viele interessante Größen (z.B. Ersteintrittszeiten, Verweilzeiten in bestimmten Gebieten) hängen jedoch vom gesamten Verlauf einer Trajektorie in einem Zeitintervall ab. Auch für ihre charakteristische Funktion kann man in gewissen Fällen eine Differentialgleichung angeben. Ist z.B. $g(x)$ R^p-wertig und $h(t, x)$ R^q-wertig, so erfüllt

$$V_{\lambda, \mu}(s, x) = E_{s,x} \exp\left(i \lambda' g(X_t) + i \mu' \int_s^t h(u, X_u)\, du\right)$$

für $s < t$, $\lambda \in R^p$, $\mu \in R^q$ und unter gewissen Bedingungen für f, G, g und h (siehe Gikhman-Skorokhod [5], S. 414, oder [36], S. 302) die Gleichung

$$\frac{\partial}{\partial s} V_{\lambda, \mu}(s, x) + \mathfrak{D} V_{\lambda, \mu}(s, x) + i \mu' h(s, x) V_{\lambda, \mu}(s, x) = 0$$

mit der Endbedingung

$$\lim_{s \uparrow t} V_{\lambda, \mu}(s, x) = e^{i \lambda' g(x)}.$$

Hierbei ist $\mathfrak{D}$ der Operator (9.4.2).

(9.4.12) **Bemerkung.** Diffusionsprozesse, deren Zustand X_t nur Werte aus einer Untermenge von R^d annehmen kann und wo der Rand dieser Untermenge absorbierend, reflektierend oder elastisch sein kann, werden z.B. von Gikhman-Skorokhod [5], Prohorov-Rozanov [15], Dynkin [21], Itô-McKean [26] und Mandl [28] diskutiert.

Kapitel 10

Fragen der Modellbildung und Approximation

10.1 Der Übergang vom realen zum Markov-Prozeß

Viele stetige dynamische Systeme unter dem Einfluß einer zufälligen Störung können durch eine im allgemeinen nicht-lineare gewöhnliche Differentialgleichung der Form

$$(10.1.1) \qquad \dot{X}_t = f(t, X_t, Y_t), \quad t \geqq t_0, \quad X_{t_0} = c,$$

dargestellt werden. Dabei ist X_t der d-dimensionale Zustandsvektor und Y_t ein m-dimensionaler Störungsprozeß, dessen wahrscheinlichkeitstheoretische Charakteristika (endlich-dimensionale Verteilungen) wir uns gegeben denken, ebenso wie die Verteilung des Anfangswertes c. Ist nun Y_t ein stochastischer Prozeß mit hinreichend glatten, etwa stetigen, Realisierungen, so kann (10.1.1) als gewöhnliche Differentialgleichung für die Realisierungen $X_.(\omega)$ des Zustandes des Systems aufgefaßt werden.

Der Lösungsprozeß X_t wird aber nur dann ein Markov-Prozeß sein, wenn bei bekanntem $X_t = x$ der approximativ durch

$$X_{t+h} = x + f(t, x, Y_t)\, h$$

gegebene Wert X_{t+h} unabhängig von dem ist, was vor dem Zeitpunkt t geschehen ist, d.h. wenn Y_t ein Prozeß mit in jedem Punkt statistisch unabhängigen Werten ist. Dies ist z.B. dann der Fall, wenn Y_t gar nicht vom Zufall abhängt, sondern gleich einer festen Funktion ist, speziell im Falle $Y_t \equiv 0$ gar nicht vorhanden ist. Dann degeneriert (10.1.1) zu einer deterministischen Gleichung.

Ist jedoch Y_t ein nicht-degenerierter stochastischer Prozeß mit in jedem Punkt unabhängigen Werten, etwa ein stationärer Gaußscher Prozeß mit $E\, Y_t \equiv 0$ und

$$E\, Y_t\, Y_s' = \begin{cases} 0 & \text{für } t \neq s, \\ I & \text{für } t = s, \end{cases}$$

so sind die Realisierungen von Y_t außerordentlich irreguläre, z.B. in jedem Punkt unstetige und in keinem Teilintervall beschränkte Funktionen, deren Graph eine in $[t_0, \infty) \times R^m$ dichte "Punktwolke" ist. Nähert man einen solchen Prozeß durch eine Folge $Y_t^{(n)}$ von stetigen stationären Gaußschen Prozessen mit $E\,Y_t^{(n)} \equiv 0$ und $E\,Y_t^{(n)}\,Y_s^{(n)\prime} = e^{-n|t-s|}\,I$ an, so erhält man

$$E\left(\int_{t_0}^{t} Y_s^{(n)}\,ds\right) = 0, \quad E\left|\int_{t_0}^{t} Y_s^{(n)}\,ds\right|^2 \longrightarrow 0 \quad (n \longrightarrow \infty).$$

D.h. die störende Wirkung des Prozesses $Y_t^{(n)}$ wirkt sich im (Zeit-) Mittel auf die linke Seite von (10.1.1) für $n \longrightarrow \infty$ immer weniger aus, weil die Varianz $E\,|Y_t^{(n)}|^2 = d$ (d.h. die mittlere Energie der Störung) endlich bleibt.

Man wird so zwangsläufig auf schnell fluktuierende Prozesse mit unendlicher Energie, also auf verallgemeinerte stochastische Prozesse mit in jedem Punkt unabhängigen Werten (im Sinne des Abschnitts 3.2) geführt. "Delta-korrelierte" Gaußsche Prozesse sind Beispiele dafür.

Nun muß man sich für eine sinnvolle Theorie auf Funktionen $f(t, x, y)$ beschränken, die *linear* in y sind, wo also (10.1.1) die Form

$$\dot{X}_t = f(t, X_t) + G(t, X_t)\,Y_t$$

hat. Es gelingt nämlich gerade noch, das Produkt einer gewöhnlichen mit einer verallgemeinerten Funktion allgemein zu erklären, während etwa schon das Quadrat einer verallgemeinerten Funktion (z.B. $\delta(t)\,\delta(t)$) im allgemeinen nicht mehr definiert ist.

Nach der Bemerkung am Ende von Abschnitt 3.2 ist es keine Beschränkung der Allgemeinheit, wenn man sich unter den "delta-korrelierten" Gaußschen Rauschprozessen auf das weiße Rauschen ξ_t beschränkt, also nur Gleichungen der Form

$$(10.1.2) \qquad \dot{X}_t = f(t, X_t) + G(t, X_t)\,\xi_t$$

betrachtet, für die wir mit Hilfe des stochastischen Integrals einen exakten mathematischen Kalkül entwickelt haben. Die Lösung von (10.1.2) ist zwar ein Markov-Prozeß, gehört also zu einer Klasse von Prozessen, für deren Analyse effektive mathematische Methoden existieren, hat aber andererseits den Nachteil, daß ihre Realisierungen keine glatten Funktionen sind (Abschnitt 7.2). Letzteres ist typisch für Markov-Prozesse, denn die Markov-Eigenschaft besagt, *negativ* formuliert: Es ist bei bekannter Gegenwart verboten, Information aus der Vergangenheit in die Zukunft weiterzugeben. Dadurch entsteht der "gezackte" Verlauf von X_t.

Nun sind physikalisch realisierbare Prozesse immer glatte Prozesse, also bestenfalls approximative Markov-Prozesse. In Gleichung (10.1.2) z.B. steht statt des weißen Rauschens ξ_t in Wirklichkeit nur ein angenähert "delta-korrelierter" Prozeß ζ_t, also nicht weißes, sondern "farbiges" Rauschen in einem allgemeinen Sinne.

Betrachten wir die skalare Gleichung

$$(10.1.3) \qquad \dot{X}_t = f(t, X_t) + G(t, X_t)\,\zeta_t,$$

wobei ζ_t der stationäre Ornstein-Uhlenbeck-Prozeß ist, also die Lösung der stochastischen Differentialgleichung

$$\dot{\zeta}_t = -\alpha\,\zeta_t + \sigma\,\xi_t$$

(siehe Abschnitt 8.3) mit $\alpha > 0$ und einem $\mathfrak{N}(0, \sigma^2/2\,\alpha)$-verteilten Anfangswert. ζ_t hat die Kovarianzfunktion

$$E\,\zeta_t\,\zeta_s = \mathrm{e}^{-\alpha|t-s|}\,\sigma^2/2\,\alpha,$$

ist also nach Abschnitt 3.2 für $\alpha \to \infty$, $\sigma^2 \to \infty$, aber $\sigma^2/2\,\alpha^2 = D \to 1/2$ eine Approximation des weißen Rauschens. (10.1.3) kann nun wegen der Stetigkeit von ζ_t als gewöhnliche Differentialgleichung aufgefaßt werden, liefert also (für hinreichend glattes f und G) einen Prozeß X_t, der nun differenzierbar, jedoch kein Markov-Prozeß ist. Die Rückgewinnung der Markov-Eigenschaft können wir uns jedoch durch den Übergang zu einem 2-dimensionalen Zustandsraum und die Betrachtung des Vektorprozesses (X_t, ζ_t) erkaufen. Der Ersatz von ξ_t durch einen stationären Gaußschen Prozeß ζ_t mit analytischen Realisierungen wird bei Stratonovich [76], S. 125-126, diskutiert. Die *Grundregel* lautet: Für jede neu gewonnene Ableitung von X_t muß man (im skalaren Fall) dem begleitenden Markov-Prozeß eine Komponente hinzufügen.

Die Frage, welche stochastische Differentialgleichung nun gewählt werden muß, um einen gegebenen physikalisch realisierbaren Prozeß adäquat zu beschreiben, ist die Frage der Modellbildung. Hier ist eine Kontroverse entstanden (siehe Gray-Caughey [39], McShane [46]), weil verschiedene Autoren für scheinbar identische Probleme verschiedene Lösungen erhalten haben. Diese Diskrepanzen haben ihren Ursprung, wie sich zeigen wird, nicht etwa in Fehlern im mathematischen Kalkül, sondern in einer allgemeinen Unstetigkeit der Zuordnung zwischen Differentialgleichungen für stochastische Prozesse und deren Lösungen. Wir erklären dies zuerst an einem Beispiel.

(10.1.4) **Beispiel.** Die skalare stochastische Differentialgleichung

$$\dot{X}_t = A(t)\,X_t + B(t)\,X_t\,\xi_t, \quad X_{t_0} = c \in L^2,$$

ξ_t skalares weißes Rauschen, hat nach Korollar (8.4.3a), nachdem wir sie in der Form

$$\mathrm{d}X_t = A(t)\,X_t\,\mathrm{d}t + B(t)\,X_t\,\mathrm{d}W_t, \quad X_{t_0} = c,$$

geschrieben haben, die Lösung

$$X_t = c\,\exp\left(\int_{t_0}^{t} (A(s) - B(s)^2/2)\,\mathrm{d}s + \int_{t_0}^{t} B(s)\,\mathrm{d}W_s\right).$$

Nun ersetzen wir in der Ausgangsgleichung das weiße Rauschen ξ_t durch eine Folge physikalisch realisierbarer stetiger Gaußscher stationärer Prozesse $\{\xi_t^{(n)}\}$ mit $E\,\xi_t^{(n)} \equiv 0$ und $E\,\xi_t^{(n)}\,\xi_s^{(n)} = C_n(t-s)$ mit

$$\lim_{n \to \infty} C_n(t) = \delta(t).$$

Dann ist

$$\dot{Y}_t = A(t) Y_t + B(t) Y_t \xi_t^{(n)}, \quad X_{t_0} = c$$

eine gewöhnliche Differentialgleichung, hat also die Lösung

$$Y_t^{(n)} = c \exp\left(\int_{t_0}^{t} A(s)\, ds + \int_{t_0}^{t} B(s)\, \xi_s^{(n)}\, ds\right).$$

Der Prozeß

$$Z_t^{(n)} = \int_{t_0}^{t} B(s)\, \xi_s^{(n)}\, ds$$

ist Gaußsch mit Mittelwert 0 und Kovarianz

$$E\, Z_t^{(n)} Z_s^{(n)} = \int_{t_0}^{t} \int_{t_0}^{s} B(u)\, B(v)\, C_n(u-v)\, du\, dv$$

$$\to \int_{t_0}^{\min(t,s)} B(u)^2\, du,$$

d.h. $Y_t^{(n)}$ konvergiert im Quadratmittel gegen einen Prozeß, dessen Verteilungen mit denen des Prozesses

$$Y_t = c \exp\left(\int_{t_0}^{t} A(s)\, ds + \int_{t_0}^{t} B(s)\, dW_s\right)$$

übereinstimmen. Die Prozesse X_t und Y_t sind also für $B(t) \not\equiv 0$ wesentlich verschieden. Y_t ist nach Korollar (8.4.3a) Lösung der stochastischen Differentialgleichung

$$dY_t = (A(t) + B(t)^2/2)\, Y_t\, dt + B(t)\, Y_t\, dW_t, \quad Y_{t_0} = c.$$

Um X_t zu erhalten, haben wir *in der Ausgangsgleichung* bereits den Grenzübergang zum weißen Rauschen ξ_t gemacht und die Gleichung als stochastische Differentialgleichung gelöst. Y_t dagegen haben wir durch Lösen der durch $\xi_t^{(n)}$ gestörten gewöhnlichen Differentialgleichung und anschließenden Grenzübergang zu ξ_t *in der Lösung* erhalten. Dies führt offenbar zu verschiedenen Resultaten. Beide Prozesse (jedoch nicht die Prozesse $Y_t^{(n)}$) sind Markov-Prozesse, da sie (verschiedene!) stochastische Differentialgleichungen erfüllen. Welcher von beiden der "richtige" ist (im Sinne einer besseren Beschreibung des zugrundeliegenden Systems), kann allgemein nur *pragmatisch* entschieden werden.

Bezeichnen wir mit $L(G)$ die Lösung einer Gleichung g, und mit $G(\xi_t)$ bzw. $G(\xi_t^{(n)})$ die stochastische Differentialgleichung

$$\dot{X}_t = f + G\, \xi_t, \quad \xi_t \text{ weißes Rauschen,}$$

bzw. deren approximierende gewöhnliche Differentialgleichung

$$\dot{X}_t = f + G\, \xi_t^{(n)}, \quad \xi_t^{(n)} \text{ stetiger stationärer Gaußscher Prozeß,}$$

$$E\, \xi_t^{(n)} = 0, \quad E\, \xi_t^{(n)}\, \xi_s^{(n)} = C_n\,(t-s),$$

so zeigt das Beispiel (10.1.4), daß im allgemeinen

$$L\,(g\,(\xi_t)) \neq \lim_{C_n(t) \to \delta(t)} L\,(g\,(\xi_t^{(n)}))$$

ist.

Es erhebt sich nun die Frage, ob man die Definition des stochastischen Integrals so verändern kann, daß in der letzten Beziehung immer das Gleichheitszeichen steht. Dies ist in der Tat möglich, und zwar durch die bereits im Abschnitt 4.2 erwähnte Definition eines zeitlich symmetrischen stochastischen Integrals von Stratonovich [48].

10.2 Das stochastische Integral von Stratonovich

Beim Versuch der Berechnung des Integrals

$$\int_{t_0}^{t} W_s\, \mathrm{d}W_s$$

als Grenzwert approximierender Summen

$$S_n = \sum_{i=1}^{n} W_{\tau_i}\,(W_{t_i} - W_{t_{i-1}}), \quad t_0 \leqq t_1 \leqq \ldots \leqq t_n = t, \; t_{i-1} \leqq \tau_i \leqq t_i,$$

haben wir im Abschnitt 4.2 bemerkt, daß das Resultat wesentlich von der Wahl der Zwischenpunkte τ_i abhängt. Die bisher ausschließlich zugrundegelegte Itôsche Wahl $\tau_i = t_{i-1}$ führte zum Wert ($\delta_n = \max\,(t_i - t_{i-1})$)

$$\int_{t_0}^{t} W_s\, \mathrm{d}W_s = \operatorname{qm-lim}_{\delta_n \to 0} S_n = (W_t^2 - W_{t_0}^2)/2 - (t - t_0)/2$$

und allgemein zu einem Integralbegriff, der bezüglich der Variablen t unsymmetrisch ist, weil die Zuwächse $\mathrm{d}W_s$ "in die Zukunft zeigen".

Gerade diese Unsymmetrie ist es aber, die zu den einfachen Formeln für die ersten beiden Momente des Integrals (siehe Satz (4.4.14e)) und zur Martingaleigenschaft (siehe Satz (5.1.1b)) führt. Außerdem ergibt eine auf dieser Basis erklärte stochastische Differentialgleichung

$$\mathrm{d}X_t = f\,(t, X_t)\, \mathrm{d}t + G\,(t, X_t)\, \mathrm{d}W_t$$

unter den Voraussetzungen von Satz (9.3.1) einen Diffusionsprozeß als Lösung, dessen Drift f und dessen Diffusionsmatrix $G\,G'$ ist, womit die intuitive Bedeutung der Koeffizienten f und G erklärt ist. Als Nachteil mußten wir einen vom gewöhnlichen Kalkül abweichenden Kalkül beim Umgang mit stochastischen Differentialen in Kauf nehmen, der nach dem Satz von Itô funktioniert.

Der letztgenannte Nachteil wird (jedoch zusammen mit allen erwähnten Vorteilen des Itôschen Integrals) beseitigt durch die Definition von Stratonovich [48], die für den eingangs betrachteten Spezialfall

$$(\mathrm{S}) \int_{t_0}^{t} W_s \, \mathrm{d}W_s = \operatorname*{qm-lim}_{\delta_n \to 0} \sum_{i=1}^{n} \frac{W_{t_{i-1}} + W_{t_i}}{2} (W_{t_i} - W_{t_{i-1}})$$

$$= (W_t^2 - W_{t_0}^2)/2$$

ergibt, also einen Wert, den man auch mittels formaler partieller Integration erhält.

Etwas allgemeiner definieren wir

$$(10.2.1) \quad (\mathrm{S}) \int_{t_0}^{t} H(s, W_s) \, \mathrm{d}W_s = \operatorname*{qm-lim}_{\delta_n \to 0} \sum_{i=1}^{n} H\left(t_{i-1}, \frac{W_{t_{i-1}} + W_{t_i}}{2}\right) (W_{t_i} - W_{t_{i-1}}).$$

Hierbei ist W_t ein m-dimensionaler Wiener-Prozeß und $H(t, x)$ eine $d \times m$-matrixwertige Funktion, die stetig in t ist, stetige partielle Ableitungen erster Ordnung H_{x_j} nach den m Komponenten x_j von x besitzt und die Bedingung

$$\int_{t_0}^{t} E\,|H(s, W_s)|^2 \, \mathrm{d}s < \infty$$

erfüllt. Dann existiert der Grenzwert in (10.2.1), was aus Satz (10.2.5) folgt, und das Resultat ist mit dem in diesem Fall durch

$$\int_{t_0}^{t} H(s, W_s) \, \mathrm{d}W_s = \operatorname*{qm-lim}_{\delta_n \to 0} \sum_{i=1}^{n} H(t_{i-1}, W_{t_{i-1}}) (W_{t_i} - W_{t_{i-1}})$$

definierten Itôschen Integral verbunden durch die Gleichung

$$(10.2.2) \quad (\mathrm{S}) \int_{t_0}^{t} H(s, W_s) \, \mathrm{d}W_s = \int_{t_0}^{t} H(s, W_s) \, \mathrm{d}W_s + \frac{1}{2} \int_{t_0}^{t} \sum_{k=1}^{m} (H_{x_k}(s, W_s))_{\cdot k} \, \mathrm{d}s.$$

Dabei ist der d-Vektor $(H_{x_k})_{\cdot k}$ die k-te Spalte der $d \times m$-Matrix H_{x_k}.

Zum Aufbau einer Theorie stochastischer Differentialgleichungen auf der Basis der Idee von Stratonovich benötigen wir noch die folgende allgemeine

(10.2.3) **Definition.** Sei Y_t ein m-dimensionaler Diffusionsprozeß im Intervall $[t_0, T]$, für den die Beziehungen b) und c) in Definition (2.1.5) für $\varepsilon = \infty$ gelten, dessen Driftvektor $a(t, x)$ und Diffusionsmatrix $B(t, x)$ einschließlich der Ableitungen $\partial B(t, x)/\partial x_j$, $j = 1, \dots, m$, stetig in beiden Argumenten sind. Sei weiter $H(t, x)$ eine $d \times m$-matrixwertige Funktion, die stetig in t ist, stetige partielle Ableitungen $\partial H(t,x)/\partial x_j$ besitzt und für $t \in [t_0, T]$ die Bedingungen

$$\int_{t_0}^{t} E\,|H(s,Y_s)\,a(s,Y_s)|\,ds < \infty$$

und

$$\int_{t_0}^{t} E\,|H(s,Y_s)\,B(s,Y_s)\,H(s,Y_s)'|\,ds < \infty$$

erfüllt. Dann heißt der Grenzwert

$$\text{(10.2.4)} \qquad (S) \int_{t_0}^{t} H(s,Y_s)\,dY_s = \underset{\delta_n \to 0}{\text{qm-lim}} \sum_{i=1}^{n} H\left(t_{i-1}, \frac{Y_{t_{i-1}}+Y_{t_i}}{2}\right)(Y_{t_i}-Y_{t_{i-1}}),$$

wobei $t_0 \leqq t_1 \leqq \ldots \leqq t_n = t$ eine Zerlegung des Intervalls $[t_0, t]$ mit $\delta_n = \max(t_i - t_{i-1})$ ist, *stochastisches Integral im Sinne von Stratonovich.*

Dieses Integral hängt mit dem Itôschen wie folgt zusammen:

(10.2.5) **Satz.** Unter den in der Definition (10.2.3) genannten Bedingungen existiert der Grenzwert in (10.2.4). Er hängt mit dem hier durch

$$\text{(10.2.6)} \qquad \int_{t_0}^{t} H(s,Y_s)\,dY_s = \underset{\delta_n \to 0}{\text{qm-lim}} \sum_{i=1}^{n} H(t_{i-1}, Y_{t_{i-1}})(Y_{t_i}-Y_{t_{i-1}})$$

definierten Itôschen stochastischen Integral durch die Formel

$$(S) \int_{t_0}^{t} H(s,Y_s)\,dY_s = \int_{t_0}^{t} H(s,Y_s)\,dY_s + \frac{1}{2}\sum_{j=1}^{m}\sum_{k=1}^{m}\int_{t_0}^{t} (H_{x_k}(s,Y_s))_{\cdot j}\, b_{jk}(s,Y_s)\,ds$$

zusammen. Hierbei ist der d-Vektor $(H_{x_k})_{\cdot j}$ die j-te Spalte der $d \times m$-Matrix $H_{x_k} = (\partial H_{ij}/\partial x_k)$.

Zum *Beweis* betrachte man die Differenz der Summen in (10.2.4) und (10.2.6),

$$\sum_{i=1}^{n}\left(H\left(t_{i-1}, \frac{Y_{t_{i-1}}+Y_{t_i}}{2}\right) - H(t_{i-1}, Y_{t_{i-1}})\right)(Y_{t_i}-Y_{t_{i-1}})$$

und wende auf die Terme $H(t_{i-1}, (Y_{t_{i-1}}+Y_{t_i})/2)$ den Mittelwertsatz an. Für Details siehe Stratonovich [48].

(10.2.7) **Bemerkung.** Für $d = m = 1$ lautet die Umrechnungsformel

$$(S) \int_{t_0}^{t} H(s,Y_s)\,dY_s = \int_{t_0}^{t} H(s,Y_s)\,dY_s + \frac{1}{2}\int_{t_0}^{t} \frac{\partial H(s,Y_s)}{\partial x}\, B(s,Y_s)\,ds.$$

Insbesondere kann man daraus ablesen, daß die stochastischen Integrale von Itô und Stratonovich übereinstimmen, wenn $H(t,x) \equiv H(t)$ unabhängig von x ist.

Nun können wir stochastische Differentialgleichungen der üblichen Form durch das Integral

$$(S) \int_{t_0}^{t} (0, G(s, X_s))\, d\begin{pmatrix} X_s \\ W_s \end{pmatrix} = (S) \int_{t_0}^{t} G(s, X_s)\, dW_s$$

(X_t d-dimensional, W_t m-dimensionaler Wiener-Prozeß, $G(t, x)$ $d \times m$-matrixwertig) und die Gleichung

$$X_t = X_{t_0} + \int_{t_0}^{t} f(s, X_s)\, ds + (S) \int_{t_0}^{t} G(s, X_s)\, dW_s, \quad t_0 \leqq t \leqq T,$$

definieren. Wir schreiben wieder symbolisch

$$(S) \quad dX_t = f(t, X_t)\, dt + G(t, X_t)\, dW_t,$$

wobei das (S) am linken Rand anzeigt, daß das zugrundeliegende stochastische Integral im Sinne von Stratonovich aufzufassen ist.

Die Umrechnungsformel des Satzes (10.2.5) ergibt für unseren Fall $H = (0, G)$, $Y_t = (X_t, W_t)$

$$(S) \int_{t_0}^{t} G(s, X_s)\, dW_s = \int_{t_0}^{t} G(s, X_s)\, dW_s + \frac{1}{2} \sum_{j=1}^{m} \sum_{k=1}^{d} \int_{t_0}^{t} (G_{x_k}(s, X_s))_{\cdot j}\, G_{kj}(s, X_s)\, ds$$

(siehe Stratonovich [48]), so daß zur obigen Stratonovich-Differentialgleichung die Itôsche Gleichung

$$dX_t = \left(f(t, X_t) + \frac{1}{2} \sum_{j=1}^{m} \sum_{k=1}^{d} (G_{x_k}(t, X_t))_{\cdot j}\, G_{kj}(t, X_t) \right) dt + G(t, X_t)\, dW_t$$

gehört, und zwar im Sinne übereinstimmender Lösungen. Umgekehrt gehört zur Itôschen Gleichung

(10.2.8) $\quad dX_t = f\, dt + G\, dW_t$

die Stratonovich-Gleichung

$$(S) \quad dX_t = \left(f - \frac{1}{2} \sum_{j=1}^{m} \sum_{k=1}^{d} (G_{x_k})_{\cdot j}\, G_{kj} \right) dt + G\, dW_t.$$

Faßt man also eine gegebene formale Gleichung (10.2.8) im Sinne von Itô bzw. von Stratonovich auf, so gelangt man zur selben Lösung, solange $G(t, x) \equiv G(t)$ unabhängig von x ist, also etwa im Falle der im engeren Sinne linearen Gleichung (Abschnitt 8.2). Im allgemeinen erhält man zwei verschiedene Markov-Prozesse als Lösung, die sich im systematischen (Drift-) Verhalten, nicht aber im Fluktuationsverhalten unterscheiden. Letzteres bedeutet insbesondere, daß auch die Realisierungen der Lösung einer Stratonovich-Gleichung im allgemeinen Funktionen sind, die nicht differenzierbar und nicht von beschränkter Schwankung sind.

(10.2.9) **Beispiel.** Die formale skalare lineare Gleichung

$$(?)\quad dX_t = A(t)\,X_t\,dt + B(t)\,X_t\,dW_t,\quad X_{t_0} = c \in L^2,$$

hat als Itô-Gleichung die Lösung

$$X_t = c\,\exp\left(\int_{t_0}^{t} (A(s) - B(s)^2/2)\,ds + \int_{t_0}^{t} B(s)\,dW_s\right),$$

als Stratonovich-Gleichung die Lösung

$$Y_t = c\,\exp\left(\int_{t_0}^{t} A(s)\,ds + \int_{t_0}^{t} B(s)\,dW_s\right).$$

Man vergleiche dazu Beispiel (10.1.4). Y_t können wir auch durch formale Lösung der Ausgangsgleichung erhalten. Die beiden Prozesse haben im allgemeinen ganz verschiedene globale Eigenschaften. Setzt man z.B. $A(t) \equiv A$, $B(t) \equiv B$ und $t_0 = 0$, so gilt für $t \longrightarrow \infty$

$$X_t = c\,e^{(A - B^2/2)t + BW_t} \longrightarrow 0 \quad \text{(fast sicher)}$$

genau dann, wenn $A < B^2/2$ ist, während

$$Y_t = c\,e^{At + BW_t} \longrightarrow 0 \quad \text{(fast sicher)}$$

genau dann gilt, wenn $A < 0$ ist.

Es kann allgemein gezeigt werden (siehe Stratonovich [48]), daß das Stratonovich-Integral und das dadurch definierte Stratonovich-Differential alle formalen Regeln des gewöhnlichen Integrals und Differentials (partielle Integration, Variablensubstitution, Kettenregel) erfüllt, insofern also "leichter" als das Itosche manipuliert werden kann. Leider müssen wir uns dies durch den Verlust aller eingangs zitierten Vorteile des Itôschen Integrals erkaufen. Die angegebenen Umrechnungsformeln gestatten uns jedoch jederzeit den Übergang von einem Integralbegriff zum anderen.

Die systemtheoretische Bedeutung der Stratonovich-Gleichungen besteht jedoch darin, daß diese sich in vielen Fällen automatisch ergeben, wenn man das weiße Rauschen bzw. den Wiener-Prozeß durch glattere Prozesse approximiert, die approximative Gleichung löst und in der Lösung wieder zum weißen Rauschen bzw. Wiener-Prozeß übergeht. Der Vergleich der Beispiele (10.1.4) und (10.2.9) zeigt dies bereits. Wir wollen diese Problematik ausführlicher im folgenden Abschnitt diskutieren.

10.3 Approximation stochastischer Differentialgleichungen

Es sei

$$(10.3.1)\quad \dot{X}_t = f(t, X_t) + G(t, X_t)\,\zeta_t,\quad t_0 \leqq t \leqq T,\quad X_{t_0} = c,$$

eine formale Differentialgleichung für den d-dimensionalen Zustand eines dynamischen Systems ($f(t,x) \in R^d$, $G(t,x)$ $d \times m$-matrixwertig), wobei wir wissen, daß der m-dimensionale Prozeß ζ_t ein von c unabhängiger "schnell fluktuierender" stationärer Gaußscher Prozeß mit Erwartungswert 0 ist. Wie ist Gleichung (10.3.1) zu interpretieren?

Wissen wir oder können wir annehmen, daß ζ_t exakt oder praktisch gleich einem weißen Rauschprozeß ξ_t ist, so ist (10.3.1) als Itôsche Differentialgleichung

(10.3.2) $$dX_t = f(t, X_t)\,dt + G(t, X_t)\,dW_t, \quad X_{t_0} = c,$$

zu interpretieren. Dasselbe gilt, wenn es sich bei (10.3.1) entweder um eine Approximation oder einen Grenzwert des diskreten (zeitlich unsymmetrischen) Problems

$$\frac{X_{t_{k+1}} - X_{t_k}}{t_{k+1} - t_k} = f(t_k, X_{t_k}) + G(t_k, X_{t_k})\,\zeta_{t_k}$$

(ζ_{t_k} Gaußsch, unabhängig, identisch verteilt) handelt.

Ist jedoch ζ_t ein stetiger Prozeß und lediglich eine Approximation des weißen Rauschens, etwa mit der delta-ähnlichen Kovarianzfunktion $C(t)$, so können wir (10.3.1) als gewöhnliche Differentialgleichung auffassen und mit den klassischen Methoden lösen. Die Lösung ist kein Markov-Prozeß, konvergiert jedoch unter gewissen Bedingungen (siehe Gray [38], Clark [33]) für

$$C(t) \longrightarrow \delta(t)$$

bzw. für

$$\text{qm-lim} \int_{t_0}^{t} \zeta_s\,ds = W_t$$

im Quadratmittel gegen einen Markov-Prozeß, der nun Lösung der zugehörigen Stratonovich-Gleichung

(10.3.3) $$(S)\quad dX_t = f(t, X_t)\,dt + G(t, X_t)\,dW_t, \quad X_{t_0} = c$$

ist. Man vergleiche dazu wieder die Beispiele (10.1.4) und (10.2.9).

Wir betonen noch einmal, daß die Lösungen der Gleichungen (10.3.2) und (10.3.3) übereinstimmen, sobald $G(t, x) \equiv G(t)$ unabhängig von x ist.

Sei $t_0 < t_1 < \ldots < t_n = T < \infty$ eine Zerlegung von $[t_0, T]$ mit $\delta_n = \max(t_{k+1} - t_k)$. Hasminskii ([65], S. 218-220) erwähnt, daß für $\delta_n \longrightarrow 0$ die Folge der "Cauchyschen Polygonzüge" $X_t^{(n)}$, definiert durch

$$X_{t_0} = c \in L^2,$$

$$X_{t_{k+1}}^{(n)} = X_{t_k}^{(n)} + f(t_k, X_{t_k}^{(n)})(t_{k+1} - t_k) + G(t_k, X_{t_k}^{(n)})(W_{t_{k+1}} - W_{t_k})$$

und durch lineare Interpolation zwischen den Zerlegungspunkten, im Quadratmittel gegen die Lösung der Itô-Gleichung (10.3.2) konvergiert. Der Ansatz

$$X_{t_{k+1}}^{(n)} = X_{t_k}^{(n)} + f(t_k, X_{t_k}^{(n)})(t_{k+1} - t_k) + G\left(t_k, \frac{X_{t_k}^{(n)} + X_{t_{k+1}}^{(n)}}{2}\right)(W_{t_{k+1}} - W_{t_k})$$

führt zur Lösung der Stratonovich-Gleichung (10.3.3).

Nun ist eine stochastische Differentialgleichung der Form (10.3.2) lediglich eine Kurzschreibweise der Integralgleichung

$$X_t = c + \int_{t_0}^{t} f(s, X_s)\, ds + \int_{t_0}^{t} G(s, X_s)\, dW_s, \quad t_0 \leqq t \leqq T.$$

Es liegt nun nahe, sich eine Näherung für X_t dadurch zu verschaffen, daß man im zweiten Integral W_t durch einen glatten Integrator ersetzt, so daß das Integral als gewöhnliches Riemann-Stieltjes-Integral betrachtet und berechnet werden kann. Auch hier zeigt sich jedoch wieder, daß eine Glättung *vor* der Berechnung des stochastischen Integrals beim Grenzübergang im Ergebnis zur Lösung der formal identischen Stratonovich-Gleichung führt.

Wir approximieren z.B. die Trajektorien $W_.(\omega)$ durch eine Folge $W_.^{(n)}(\omega)$ von stetigen Funktionen von beschränkter Schwankung und mit stückweise stetiger Ableitung, so daß für alle $a \in [t_0, T]$ und fast alle $\omega \in \Omega$

$$\sup_{t_0 \leqq t \leqq a} |W_t^{(n)}(\omega)| \leqq C(\omega) \quad (\text{alle } n \geqq n_0(\omega))$$

und

$$\sup_{t_0 \leqq t \leqq a} |W_t^{(n)}(\omega) - W_t(\omega)| \longrightarrow 0 \quad (n \longrightarrow \infty)$$

gilt. Dies ist der Fall etwa für die Polygon-Approximation an den Stellen $t_0 < t_1 < \ldots < t_n = a$,

$$W_t^{(n)} = W_{t_k} + (W_{t_{k+1}} - W_{t_k}) \frac{t - t_k}{t_{k+1} - t_k}, \quad t_k \leqq t \leqq t_{k+1},$$

und $\delta_n = \max(t_{k+1} - t_k) \longrightarrow 0$.

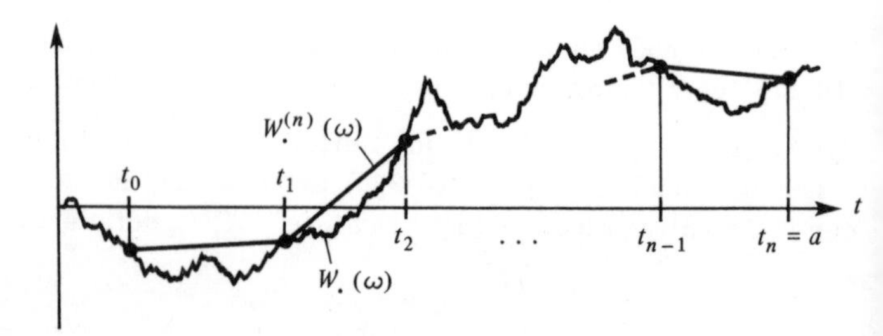

Bild 7:
Polygon-Approximation der Realisierungen des Wiener-Prozesses

In der Gleichung

$$X_t^{(n)} = c + \int_{t_0}^{t} f(s, X_s^{(n)})\, ds + \int_{t_0}^{t} G(s, X_s^{(n)})\, dW_s^{(n)}$$

ist nun das letzte Integral ein gewöhnliches Riemann-Stieltjes-Integral für die einzelnen Trajektorien. Unter gewissen Bedingungen an die Funktionen f und G konvergiert dann die Folge der $X_t^{(n)}$ mit Wahrscheinlichkeit 1 gleichmäßig in $[t_0, a]$ gegen die Lösung der Stratonovich-Gleichung (10.3.3), d.h. es gilt

$$\operatorname*{fs-lim}_{n\to\infty} \left(\sup_{t_0 \leqq t \leqq a} |X_t^{(n)} - X_t| \right) = 0,$$

wobei X_t (10.3.3) genügt.

Wir zitieren dazu eine Ergebnis von Wong-Zakai [52] für den skalaren Fall.

(10.3.4) **Satz.** Sei $d = m = 1$ und $\{W_t^{(n)}\}$ eine Folge von Approximationen des Wiener-Prozesses W_t mit den oben angegebenen Eigenschaften. Die auf $[t_0, T] \times R^1$ definierten Funktionen $f(t, x)$ und $G(t, x)$ seien stetig, und G besitze stetige partielle Ableitungen G_t und G_x. Die Funktionen f, G und $G_x G$ erfüllen eine Lipschitzbedingung bezüglich x (siehe (6.2.4)). Weiter gelte

$$G(t, x) \geqq \alpha > 0 \quad (\text{oder } -G(t, x) \geqq \alpha > 0)$$

und

$$|G_t(t, x)| \leqq \beta\, G(t, x)^2.$$

Ist dann der Anfangswert c unabhängig von $W_t - W_{t_0}$, $t \in [t_0, T]$, und $X_t^{(n)}$ die Lösung der Gleichung

$$X_t^{(n)} = c + \int_{t_0}^{t} f(s, X_s^{(n)})\, ds + \int_{t_0}^{t} G(s, X_s^{(n)})\, dW_s^{(n)}, \quad t_0 \leqq t \leqq T,$$

so gilt für jedes endliche $a \in [t_0, T]$

$$\operatorname*{fs-lim}_{n\to\infty} \left(\sup_{t_0 \leqq t \leqq a} |X_t^{(n)} - X_t| \right) = 0,$$

wobei X_t die eindeutige Lösung der Stratonovich-Gleichung

$$\text{(S)} \quad dX_t = f(t, X_t)\, dt + G(t, X_t)\, dW_t$$

bzw. der zu ihr äquivalenten Itô-Gleichung

$$dX_t = \left(f(t, X_t) + \frac{1}{2} G_x(t, X_t)\, G(t, X_t) \right) dt + G(t, X_t)\, dW_t$$

mit dem Anfangswert $X_{t_0} = c$ ist.

Als *Faustregel* kann man sich also merken, daß man zu einer Stratonovich-Gleichung gelangt, sobald man den Übergang zum weißen Rauschen bzw. Wiener-Prozeß erst im Ergebnis nach Ausführung einer gewöhnlichen Integration macht.

Kapitel 11

Stabilität stochastischer dynamischer Systeme

11.1 Stabilität deterministischer Systeme

Die Stabilität eines dynamischen Systems bedeutet, grob gesprochen, die Unempfindlichkeit des Systemzustands gegenüber kleinen Änderungen des Anfangszustands oder der Systemparameter. Trajektorien eines stabilen Systems, die zu einer gewissen Zeit "benachbart" sind, sollten dies also für alle folgenden Zeiten bleiben. Für die Stabilitätstheorie deterministischer Systeme, insbesondere solcher, die durch gewöhnliche Differentialgleichungen beschrieben werden, verweisen wir auf die Monographien von Hahn [64] und Bhatia-Szegö [58]. Wir zitieren hier einige Grundtatsachen.

Es sei

(11.1.1) $\dot{X}_t = f(t, X_t), \quad X_{t_0} = c, \quad t \geqq t_0,$

eine gewöhnliche Differentialgleichung für den d-dimensionalen Zustandsvektor X_t. Wir setzen voraus, daß für jeden Anfangswert $c \in R^d$ eine eindeutige globale (d.h. in $[t_0, \infty)$ definierte) Lösung $X_t(c)$ existiert (was durch Lipschitz- und Beschränktheitsbedingung garantiert ist) und $f(\cdot, x)$ stetig ist. Weiter sei

$$f(t, 0) = 0, \quad \text{alle } t \geqq t_0,$$

so daß (11.1.1) die Lösung $X_t \equiv 0$ zum Anfangswert $c = 0$ besitzt, die wir als Ruhelage (Gleichgewichtslage) bezeichnen. Die Ruhelage heißt stabil, wenn es zu jedem $\varepsilon > 0$ ein $\delta = \delta(\varepsilon, t_0) > 0$ gibt, so daß für die Lösung $X_t(c)$

$$\sup_{t_0 \leqq t < \infty} |X_t(c)| \leqq \varepsilon$$

gilt, sobald nur für den Anfangswert $|c| \leqq \delta$ ist. Sonst heißt sie instabil. Die Ruhelage heißt asymptotisch stabil, wenn sie stabil ist und wenn

$$\lim_{t \to \infty} X_t(c) = 0$$

für alle c aus einer Umgebung von $x = 0$ gilt.

In der Definition der Stabilität erscheint t_0 als Parameter. Läßt sich jedoch ein der Definition entsprechendes $\delta(\varepsilon, t_0) > 0$ angeben, so existiert ein $\delta(\varepsilon, t_1) > 0$ auch für jedes $t_1 > t_0$.

Die Feststellung der so definierten Stabilität macht insofern Schwierigkeiten, als es nur in speziellen Fällen möglich ist, die Gleichung (11.1.1) explizit zu lösen. A.M. Ljapunov hat nun bereits 1892 eine Methode entwikkelt (die sogenannte direkte oder zweite Methode), mit deren Hilfe Stabilitätsaussagen gemacht werden können, ohne daß man die Gleichung (11.1.1) lösen bzw. die Lösung kennen muß.

(11.1.2) **Definition.** Eine in einer sphärischen Umgebung des Nullpunkts

$$U_h = \{x : |x| \leqq h\} \subset R^d, \quad h > 0$$

definierte skalare stetige Funktion $v(x)$ heißt *positiv definit* (im Sinne von Ljapunov), wenn

$$v(0) = 0, \quad v(x) > 0 \quad (\text{alle } x \neq 0)$$

gilt. Eine für $[t_0, \infty) \times U_h$ definierte stetige Funktion $v(t, x)$ heißt positiv definit, wenn $v(t, 0) \equiv 0$ ist und es eine positiv definite Funktion $w(x)$ mit

$$v(t, x) \geqq w(x), \quad \text{alle } t \geqq t_0,$$

gibt. Eine Funktion v heißt *negativ definit*, wenn $-v$ positiv definit ist. Eine stetige, nicht negative Funktion $v(t, x)$ heißt *dekreszent* (in der russischen Literatur: hat eine beliebig kleine obere Schranke), wenn es eine positiv definite Funktion $u(x)$ gibt mit

$$v(t, x) \leqq u(x), \quad \text{alle } t \geqq t_0.$$

Sie heißt *radial unbeschränkt*, wenn gilt

$$\inf_{t \geqq t_0} v(t, x) \to \infty \quad (|x| \to \infty).$$

Jede von t unabhängige positiv definite Funktion $v(x)$ ist auch dekreszent.

Ist X_t eine Lösung von (11.1.1) und $v(t, x)$ eine positiv definite Funktion mit stetigen partiellen Ableitungen erster Ordnung nach t und den Komponenten x_i von x, so stellt

$$V_t = v(t, X_t)$$

eine Funktion von t dar, deren Ableitung unter Berücksichtigung von (11.1.1)

$$\dot{V}_t = \frac{\partial v}{\partial t} + \sum_{i=1}^{d} \frac{\partial v}{\partial x_i} f_i(t, X_t)$$

ist. Ist $\dot{V}_t \leqq 0$, so verläuft X_t so, daß die Werte von V_t sich jedenfalls nicht vergrößern, d.h. der durch $v(t, X_t)$ gemessene "Abstand" von X_t von der Ruhelage wird nicht größer. Diese elementare Betrachtung führt auf die folgenden, bereits von Ljapunov stammenden hinreichenden Kriterien.

(11.1.3) **Satz.** a) Gibt es eine positiv definite Funktion $v(t, x)$ mit stetigen partiellen Ableitungen erster Ordnung, so daß für die längs den Trajektorien von

$$\dot{X}_t = f(t, X_t), \quad t \geqq t_0, \quad f(t, 0) \equiv 0,$$

gebildete Ableitung

$$\dot{v}(t, x) = \frac{\partial v}{\partial t} + \sum_{i=1}^{d} \frac{\partial v}{\partial x_i} f_i(t, x) \leqq 0$$

in einem Halbzylinder $\{(t, x): t \geqq t_0, |x| \leqq h\}$ gilt, so ist die Ruhelage der Differentialgleichung stabil.

b) Gibt es eine positiv definite dekreszente Funktion $v(t, x)$, so daß $\dot{v}(t, x)$ sogar negativ definit ist, so ist die Ruhelage asymptotisch stabil.

Eine Funktion $v(t, x)$, die sich für Stabilitätsaussagen von der Art des Satzes (11.1.3) eignet, heißt eine zur entsprechenden Differentialgleichung gehörige Ljapunovsche Funktion.

(11.1.4) **Beispiel.** Die lineare autonome Gleichung

$$\dot{X}_t = A X_t, \quad t \geqq t_0, \quad X_{t_0} = c,$$

hat die Lösung

$$X_t = e^{A(t-t_0)} c.$$

Sind $\lambda_1, \ldots, \lambda_d$ die Eigenwerte von A, so gilt: Ist

(11.1.5) $\quad \operatorname{Re}(\lambda_i) < 0, \quad i = 1, \ldots, d,$

so ist die Ruhelage asymptotisch stabil, und umgekehrt. Ist wenigstens einer der Realteile positiv, so ist sie instabil. Im Falle verschwindender Realteile ist die Ruhelage stabil (aber nicht asymptotisch stabil), wenn die zu den Eigenwerten mit verschwindenden Realteilen gehörenden Elementarteiler alle einfach sind; beim Auftreten von Elementarteilern höherer Ordnung ist die Ruhelage instabil. Der Nachweis von (11.1.5) geschieht mit den Kriterien von Routh, Hurwitz u. a. (siehe Hahn [64]) oder indem man nachprüft, ob die Gleichung

(11.1.6) $\quad A'P + PA = -Q, \quad Q$ positiv definit, beliebig,

eine symmetrische, positiv definite Matrix P als Lösung hat. Dann kann man nämlich die Ljapunovsche Funktion

$$v(x) = x'Px > 0$$

wählen, wofür gilt

$$\dot{v}(x) = 2(Px)'Ax = x'PAx + x'A'Px = -x'Qx < 0.$$

11.2 Grundideen der stochastischen Stabilitätstheorie

Bei der Übertragung der Prinzipien der deterministischen Ljapunovschen Stabilitätstheorie auf den stochastischen Fall gibt es nun zwei Probleme:

1. Was ist die passende Definition von Stabilität?
2. Was ist die damit verträgliche Definition einer Ljapunovschen Funktion? Wodurch muß $\dot{v} \leqq 0$ ersetzt werden, um Aussagen vom Typ des Satzes (11.1.3) zu erhalten?

Von den zahlreichen Versuchen in dieser Richtung hat sich in den letzten Jahren im wesentlichen einer durchgesetzt, nachdem Bucy [59] 1965 erkannt hat, daß eine stochastische Ljapunov-Funktion die Supermartingal-Eigenschaft haben sollte, was mit einem recht starken Stabilitätsbegriff korrespondiert. Wir verweisen für eine ausführliche Darstellung und weitere Literaturhinweise auf die Bücher von Kushner [72], Bucy-Joseph [61], Morozan [73] und vor allem auf das profunde Werk von Hasminskii [65], dem wir hier im wesentlichen folgen wollen.

Ab jetzt wollen wir immer folgende Situation voraussetzen:

(11.2.1) **Voraussetzungen.** Sei

(11.2.2) $\quad dX_t = f(t, X_t)\, dt + G(t, X_t)\, dW_t, \quad X_{t_0} = c, \quad t \geqq t_0,$

eine stochastische Differentialgleichung, die die Voraussetzungen des Existenz- und Eindeutigkeitssatzes (6.2.1) erfüllt und in t stetige Koeffizienten hat. Dann existiert nach Satz (9.3.1) zu jedem von $W_.$ unabhängigen c in $[t_0, \infty)$ eine eindeutige globale Lösung $X_t = X_t(c)$, die einen d-dimensionalen Diffusionsprozeß mit Driftvektor $f(t, x)$ und Diffusionsmatrix $B(t, x) = G(t, x)\, G(t, x)'$ darstellt. Weiter setzen wir ein für allemal voraus, daß c mit Wahrscheinlichkeit 1 *eine Konstante* ist, woraus nach Satz (7.1.2) die Existenz aller Momente $E|X_t|^k$, $k > 0$, und

$$P(X_t \in B | X_{t_0} = c) = P[X_t(c) \in B]$$

folgt. Die zur Zeit $s \geqq t_0$ im Punkt x startende Lösung bezeichnen wir mit $X_t(s, x)$. Schließlich sei

$$f(t, 0) = 0, \quad G(t, 0) = 0, \quad \text{alle } t \geqq t_0,$$

so daß die Ruhelage $X_t(0) \equiv 0$ die eindeutige Lösung der Differentialgleichung zum Anfangswert $c = 0$ ist. Der Fall, wo die Ruhelage zwar Lösung der ungestörten Gleichung ist, die Störung jedoch auch für $x = 0$ wirkt (d.h. $f(t, 0) \equiv 0$, $G(t, 0) \not\equiv 0$), wird in Bemerkung (11.2.18) betrachtet.

Zur Erklärung der Grundidee der stochastischen Stabilitätstheorie machen wir zunächst die folgende Betrachtung.

Sei X_t die Lösung der Gleichung (11.2.1) und $v(t, x)$ eine überall in

$[t_0, \infty) \times R^d$ definierte positiv definite Funktion mit stetigen partiellen Ableitungen v_t, v_{x_i} und $v_{x_i x_j}$. Der Prozeß

$$V_t = v(t, X_t)$$

hat dann nach dem Satz von Itô wieder ein stochastisches Differential. Wenn wir die Erweiterung des infinitesimalen Operators A von X_t auf alle einmal stetig nach t und zweimal stetig nach den x_i differenzierbaren Funktionen mit L bezeichnen (siehe Abschnitt 9.4),

$$(11.2.3) \qquad L = \frac{\partial}{\partial t} + \mathfrak{D}, \quad L \supset A,$$

$$\mathfrak{D} = \sum_{i=1}^{d} f_i(t, x) \frac{\partial}{\partial x_i} + \frac{1}{2} \sum_{i=1}^{d} \sum_{j=1}^{d} (G(t, x) G(t, x)')_{ij} \frac{\partial^2}{\partial x_i \partial x_j},$$

so gilt nach Formel (5.3.9a)

$$(11.2.4) \qquad dV_t = (L v(t, X_t))\, dt + \sum_{i=1}^{d} \sum_{j=1}^{m} v_{x_i}(t, X_t) G_{ij}(t, X_t)\, dW_t^j.$$

Nun sollte ein stabiles System die Eigenschaft haben, daß V_t nicht wächst, d.h. $dV_t \leqq 0$ gilt. Dies würde bedeuten, daß die gewöhnliche Stabilitätsdefinition für jede einzelne Trajektorie $X_.(\omega)$ zutrifft. Die Bedingung $dV_t \leqq 0$ kann aber wegen des Vorhandenseins des Fluktuationsterms in (11.2.4) nur in ausgearteten Fällen erfüllt werden. Deshalb ist es vernünftig, stattdessen nur zu fordern, daß X_t *im Mittel* nicht "bergauf", d.h. von $x = 0$ wegläuft, also

$$E(dV_t) \leqq 0.$$

Dies ist wegen

$$E(dV_t) = E(L v(t, X_t)\, dt)$$

sicher dann erfüllt, wenn wir

$$(11.2.5) \qquad L v(t, x) \leqq 0, \quad \text{alle } t \geqq t_0, \quad x \in R^d,$$

fordern. Dies ist das stochastische Analogon der Forderung $\dot{v} \leqq 0$ im deterministischen Falle und reduziert sich auf diese, falls G verschwindet. Wir nennen wieder die hier benutzte Funktion $v(t, x)$ eine zur stochastischen Differentialgleichung (11.2.2) gehörige Ljapunovsche Funktion.

Für welchen Stabilitätsbegriff ist (11.2.5) eine hinreichende Forderung? Dazu erinnern wir daran, daß nach Satz (5.1.1b) das zweite Integral in

$$V_t = v(t_0, c) + \int_{t_0}^{t} L v(s, X_s)\, ds + \int_{t_0}^{t} \sum_{i=1}^{d} \sum_{j=1}^{m} v_{x_i}(s, X_s) G_{ij}(s, X_s)\, dW_s^j$$

ein Martingal ist. Dabei ist die begleitende Schar $\mathfrak{F}_t$ von sigma-Algebren die in (6.1.2) festgelegte. Deshalb ist für $t \geqq s$ wegen (11.2.5)

$$E(V_t - V_s | \mathfrak{F}_s) = E\left(\int_s^t L v(u, X_u)\, du \,\middle|\, \mathfrak{F}_s\right) \leqq 0$$

oder

$$E(V_t | \mathfrak{F}_s) \leqq V_s,$$

d.h. unter der Bedingung (11.2.5) ist V_t ein (positives) Supermartingal. Die Supermartingal-Ungleichung ergibt für jedes Intervall $[a, b] \subset [t_0, \infty)$

$$P[\sup_{a \leqq t \leqq b} v(t, X_t) \geqq \varepsilon] \leqq \frac{1}{\varepsilon} E\, v(a, X_a)$$

und speziell für $a = t_0$ und $b \longrightarrow \infty$ (der Anfangswert c ist eine Konstante!)

$$P[\sup_{t_0 \leqq t < \infty} v(t, X_t) \geqq \varepsilon] \leqq \frac{1}{\varepsilon} v(t_0, c), \quad \text{alle } \varepsilon > 0, \quad c \in R^d.$$

Nun ist $v(t, x)$ positiv definit. Um die Betrachtung etwas zu vereinfachen, schließen wir für großes $|x|$ beliebig klein werdende Ljapunovsche Funktionen aus durch die Forderung $v(t, x) \geqq w(x) \longrightarrow \infty$ ($|x| \longrightarrow \infty$), d.h. v soll radial unbeschränkt sein. Dann gibt es zu beliebigem $\varepsilon_1 > 0$ und $\varepsilon_2 > 0$ ein $\varepsilon = \varepsilon(\varepsilon_1)$ und (anschließend) ein $\delta = \delta(\varepsilon_1, \varepsilon_2, t_0)$ mit

$$v(t, x) \geqq \varepsilon, \quad \text{falls } |x| \geqq \varepsilon_1,$$

und

$$v(t_0, c)/\varepsilon \leqq \varepsilon_2, \quad \text{falls } |c| \leqq \delta,$$

woraus mit $X_t = X_t(c)$

$$P[\sup_{t_0 \leqq t < \infty} |X_t(c)| \geqq \varepsilon_1] \leqq \varepsilon_2 \quad \text{für } |c| \leqq \delta$$

folgt. Man kann also zu beliebigem $\varepsilon_1 > 0$ und $\varepsilon_2 > 0$ ein $\delta > 0$ so angeben, daß alle Trajektorien mit einem Startpunkt in c, $|c| \leqq \delta$, für alle Zeiten in einer ε_1-Umgebung des Nullpunkts verlaufen - mit Ausnahme einer Menge von Trajektorien, die mit einer Wahrscheinlichkeit $\leqq \varepsilon_2$ auftreten. Dies ist die $\varepsilon - \delta$-Formulierung der folgenden Stabilitätsdefinition.

(11.2.6) **Definition**. Es seien die Voraussetzungen (11.2.1) erfüllt. Die Ruhelage heißt stochastisch stabil ("stabil in Wahrscheinlichkeit" bei Haminskii [65], "stabil mit Wahrscheinlichkeit 1" bei Kushner [72]), wenn für jedes $\varepsilon > 0$

$$\lim_{c \to 0} P[\sup_{t_0 \leqq t < \infty} |X_t(c)| \geqq \varepsilon] = 0$$

gilt. Sonst heißt sie stochastisch instabil. Die Ruhelage heißt stochastisch asymptotisch stabil, wenn sie stochastisch stabil ist und wenn gilt

$$\lim_{c \to 0} P\,[\lim_{t \to \infty} X_t(c) = 0] = 1.$$

Die Ruhelage heißt stochastisch asymptotisch stabil im Ganzen, wenn sie stochastisch stabil ist und

$$P\,[\lim_{t \to \infty} X_t(c) = 0] = 1$$

für *alle* $c \in R^d$ erfüllt ist.

Es sei bemerkt, daß sich im Falle $G(t, x) \equiv 0$ diese Definitionen genau auf die entsprechenden deterministischen reduzieren.

Wir haben also bewiesen, daß die Existenz einer positiv definiten Funktion $v(t, x)$ mit der Eigenschaft (11.2.5) stochastische Stabilität zur Folge hat.

Für die asymptotische Stabilität müssen wir den Fall $L\,v(t, x) = 0$ ausschließen (denn dann herrscht kein mittlerer Trend in Richtung $x = 0$) und (11.2.5) verschärfen zu

(11.2.7) $L\,v(t, x)$ ist negativ definit.

Außerdem sei v dekreszent und zusammen mit $-L\,v$ radial unbeschränkt.

Nun ist V_t wegen (11.2.7) wieder ein positives Supermartingal. Es existiert also nach Abschnitt 1.9

$$\operatorname{fs-lim}_{t \to \infty} V_t = V^{(c)} \geqq 0,$$

wobei der Grenzwert $V^{(c)}$ vom Startpunkt c abhängen kann. Wäre $V^{(c)} \geqq c_1 > 0$ auf einer ω-Menge B_c mit positiver Wahrscheinlichkeit, so hätte dies für diese ω

$$v(t, X_t) \geqq c_2 > 0, \quad \text{alle } t \geqq \tau(\omega),$$

und wegen der Dekreszenz von v

$$|X_t| \geqq c_3 > 0, \quad \text{alle } t \geqq \tau(\omega),$$

zur Folge. Aus (11.2.7) und der radialen Unbeschränktheit von $-L\,v$ folgt die Existenz von $c_4 > 0$ mit

$$L\,v(t, x) \leqq -c_4 \quad \text{für } |x| \geqq c_3.$$

Nach (11.2.4) gilt

$$0 \leqq V_t = v(t_0, c) + \int_{t_0}^{t} L\,v(s, X_s)\,ds + M_t,$$

wo M_t ein skalares Martingal mit $E\,M_t = 0$ und wegen (11.2.7) $M_t \geqq -v(t_0, c)$ ist. Die Supermartingal-Ungleichung liefert

$$P\,[\sup_{t \geqq t_0} M_t \geqq \varepsilon] \leqq \frac{v(t_0, c)}{\varepsilon}.$$

Für alle $\omega \in B_c \cap [\sup M_t < \varepsilon]$ gilt für $t \geqq \tau(\omega)$

$$0 \leqq V_t \leqq v(t_0, c) - c_4(t - \tau(\omega)) + \varepsilon,$$

was für $t \longrightarrow \infty$ zu einem Widerspruch führt, d.h. $B_c \cap [\sup M_t < \varepsilon]$ hat Wahrscheinlichkeit 0. Deshalb ist

$$P(B_c) = P(B_c \cap [\sup M_t \geqq \varepsilon]) \leqq \frac{v(t_0, c)}{\varepsilon}$$

und schließlich

$$P[\lim_{t \to \infty} v(t, X_t) = 0] \geqq 1 - \frac{v(t_0, c)}{\varepsilon},$$

wegen der radialen Unbeschränktheit von v also

$$P[\lim_{t \to \infty} X_t(c) = 0] \geqq 1 - \frac{v(t_0, c)}{\varepsilon} \longrightarrow 1 \quad (c \longrightarrow 0).$$

D.h. die Ruhelage ist stochastisch asymptotisch stabil.

Wir haben damit einen Spezialfall des folgenden allgemeinen Satzes bewiesen (siehe Hasminskii [65]):

(11.2.8) **Satz.** Es seien die Voraussetzungen (11.2.1) erfüllt.
a) Es existiere in einem Halbzylinder $[t_0, \infty) \times U_h$, $U_h = \{x: |x| < h\}$, $h > 0$, eine positiv definite Funktion $v(t, x)$, die dort überall mit eventueller Ausnahme des Punktes $x = 0$ einmal stetig nach t und zweimal stetig nach den Komponenten x_i von x partiell differenzierbar ist. Es gelte weiter

$$L v(t, x) \leqq 0, \quad t \geqq t_0, \quad 0 < |x| \leqq h,$$

mit

$$L = \frac{\partial}{\partial t} + \sum_{i=1}^{d} f_i(t, x) \frac{\partial}{\partial x_i} + \frac{1}{2} \sum_{i=1}^{d} \sum_{j=1}^{d} (G(t, x) G(t, x)')_{ij} \frac{\partial^2}{\partial x_i \partial x_j}.$$

Dann ist die Ruhelage der Gleichung (11.2.2) stochastisch stabil.
b) Ist darüberhinaus $v(t, x)$ dekreszent und $L v(t, x)$ sogar negativ definit, so ist die Ruhelage stochastisch asymptotisch stabil. In beiden Fällen gilt die Ungleichung

$$P[\sup_{t \geqq s} v(t, X_t(s, x)) \geqq \varepsilon] \leqq \frac{v(s, x)}{\varepsilon}, \quad \varepsilon > 0, \quad s \geqq t_0.$$

c) Gelten die Voraussetzungen von Teil b) sogar für eine überall in $[t_0, \infty) \times R^d$ definierte radial unbeschränkte Funktion $v(t, x)$, so ist die Ruhelage stochastisch asymptotisch stabil im Ganzen.

(11.2.9) **Bemerkung.** Hinreichend für die negative Definitheit von $L v$ ist die Existenz einer Konstanten $k > 0$ mit

$$L v(t, x) \leqq -k v(t, x).$$

(11.2.10) **Bemerkung.** Für eine *autonome* Gleichung

$$dX_t = f(X_t)\,dt + G(X_t)\,dW_t, \quad f(0)=0, \quad G(0)=0$$

genügt es, sich nach einem von t unabhängigen $v(t,x) \equiv v(x)$ umzusehen. Nach Hasminskii [65] ist die Existenz einer Ljapunovschen Funktion $v(x)$ sogar notwendig für stochastische Stabilität, sofern die Störung nicht "ausgeartet" ist, d.h. sofern

(11.2.11) $y\,G(x)\,G(x)'\,y' \geqq m(x)\,|y|^2, \quad \text{alle } y \in R^d, \quad x \in U_h,$

gilt, wobei $m(x)$ positiv definit ist. Unter der Bedingung (11.2.11) impliziert die stochastische Stabilität sogar die stochastische asymptotische Stabilität (Hasminskii [65], S. 213).

Wir zitieren noch das folgende Kriterium für stochastische Instabilität (Hasminskii [65]).

(11.2.12) **Satz.** Es seien die Voraussetzungen (11.2.1) erfüllt. Es existiere eine für $[t_0, \infty) \times \{0 < |x| \leqq h\}$ definierte Funktion $v(t,x)$, die dort einmal stetig nach t und zweimal stetig nach den x_i partiell differenzierbar ist. Gilt dann

$$\lim_{x \to 0} \inf_{t \geqq t_0} v(t,x) = \infty$$

und

(11.2.13) $\sup\limits_{t \geqq t_0,\, \varepsilon < |x| \leqq h} L\,v(t,x) < 0, \quad \text{alle } 0 < \varepsilon < h,$

oder statt (11.2.13) nur $L\,v(t,x) \leqq 0 \; (x \neq 0)$ und zusätzlich

(11.2.14) $y\,G(t,x)\,G(t,x)'\,y' \geqq m(x)\,|y|^2, \quad \text{alle } y \in R^d, \quad |x| \leqq h,$

$t \geqq t_0, \quad m$ positiv definit,

so ist die Ruhelage von (11.2.1) stochastisch instabil. Darüberhinaus gilt

$$P\,[\sup_{t \geqq t_0} |X_t(c)| < h] = 0, \quad \text{alle } c \in U_h.$$

(11.2.15) **Beispiel.** Die Lösung der skalaren linearen autonomen homogenen Differentialgleichung $(d = m = 1)$

(11.2.16) $dX_t = A\,X_t\,dt + B\,X_t\,dW_t, \quad X_{t_0} = c,$

ist nach Korollar (8.4.3b)

$$X_t(c) = c\,\exp\left((A - B^2/2)(t - t_0) + B\,(W_t - W_{t_0})\right).$$

Daraus lesen wir ab: a) Zu keinem $\varepsilon > 0$ gibt es ein $\delta > 0$, so daß *alle* Trajektorien des in $c \neq 0$, $|c| < \delta$, entspringenden Trajektorienbündels in einer ε-Umgebung von $x = 0$ bleiben.

b) Wegen

$$\text{fs-}\lim_{t \to \infty} \frac{W_t - W_{t_0}}{t - t_0} = 0$$

ist die Ruhelage stochastisch asymptotisch stabil im Ganzen für

$$A < B^2/2$$

und stochastisch instabil für

$$A \geqq B^2/2 > 0.$$

Wir wollen dasselbe Resultat mit Hilfe der Ljapunovschen Technik herleiten. Der Operator L nimmt für X_t die Gestalt

$$L = \frac{\partial}{\partial t} + A\,x\,\frac{\partial}{\partial x} + \frac{1}{2}\,B^2\,x^2\,\frac{\partial^2}{\partial x^2}$$

an. Ein Versuch mit $v(t, x) \equiv v(x) = |x|^r$, $r > 0$, führt für $x \neq 0$ auf

$$L(|x|^r) = \left(A + \frac{1}{2}\,B^2\,(r-1)\right) r\,|x|^r.$$

Solange $A < B^2/2$ ist, können wir ein r mit $0 < r < 1 - 2\,A/B^2$ wählen und damit die Bedingung

$$L\,v \leqq -k\,v$$

erfüllen, die nach Bemerkung (11.2.9) für die stochastische asymptotische Stabilität hinreicht. Da $v(x) = |x|^r$ radial unbeschränkt ist, haben wir nach Satz (11.2.8c) sogar stochastische asymptotische Stabilität im Ganzen. Als Abschätzung ergibt sich

$$P\,[\sup_{t_0 \leqq t < \infty} |X_t(c)| \geqq \varepsilon] \leqq \frac{|c|^r}{\varepsilon^r}.$$

Ist $A \geqq B^2/2 > 0$, so wählen wir $v(x) = -\log|x|$ und erhalten $L\,v = -A + B^2/2 \leqq 0$. Da die Bedingung (11.2.14) für $B \neq 0$ mit $m(x) = B^2\,|x|^2$ erfüllt ist, ist nach Satz (11.2.12) die stochastische Instabilität sichergestellt. Für $B = 0$ ist das System deterministisch, und es ergibt sich aus Beispiel (11.1.4) asymptotische Stabilität für $A < 0$, einfache Stabilität für $A = 0$ und Instabilität für $A > 0$.

(11.2.17) **Bemerkung.** Im Beispiel (11.2.15) ist also das "ungestörte" System ($B = 0$) nur für $A \leqq 0$ stabil, und die Addition eines "Störungsterms" ändert nichts an dieser Eigenschaft. Jedoch kann das System auch im Falle $A > 0$ durch Addition eines Störungsterms mit der Stärke (= Diffusionskoeffizient) $B^2\,x^2$ stabilisiert werden, wenn wir nur $B^2/2 > A$ wählen.

Nun ist die Gleichung (11.2.16) eine Abstraktion von

$$\dot{X}_t = (A + B\,\eta_t)\,X_t,$$

wo η_t ein Gaußscher stationärer Prozeß mit $E\,\eta_t = 0$ und einer deltaähnlichen Kovarianzfunktion ist. Machen wir den Übergang von η_t zum weißen Rauschen ξ_t erst in der Lösung

$$X_t = c\, e^{A(t-t_0)+B\int_{t_0}^{t} \eta_s\, ds},$$

so erhalten wir

$$X_t = c\, e^{A(t-t_0)+B(W_t-W_{t_0})}.$$

Dies ist nach Abschnitt (10.2) die Lösung der nun als *Stratonovich-Gleichung* interpretierten Gleichung (11.2.16) bzw. der äquivalenten Itô-Gleichung

$$dX_t = (A+B^2/2)\, X_t\, dt + B\, X_t\, dW_t, \quad X_{t_0} = c,$$

deren Ruhelage nun bei beliebigem $B \neq 0$ für $A<0$ stochastisch asymptotisch stabil und für $A \geqq 0$ stochastisch instabil ist.

Für beide Interpretationen bleibt jedoch ein asymptotisch stabiles ungestörtes System ($A<0$, $B=0$) bei Addition beliebig starker Störungen stochastisch asymptotisch stabil (nur gewöhnliche Stabilität für $A = 0$ wird zerstört). Diese Eigenschaft geht verloren bei Itô-Gleichungen für $d \geqq 3$ und bei Stratonovich-Gleichungen für $d \geqq 2$ (siehe Hasminskii [65], S. 222).

(11.2.18) **Bemerkung.** Die Anwendung der Ljapunovschen Methode steht und fällt mit der Kenntnis von Ljapunovschen Funktionen $v(t, x)$. Wie im deterministischen Falle gibt es eine Reihe von Techniken, mit deren Hilfe man sich geeignete Funktionen verschaffen kann. Z. B. kann man versuchen, eine positiv definite Lösung der Gleichung $L\,v = 0$ oder der Ungleichung $L\,v \leqq 0$ zu finden (siehe Kushner [72], S. 55-76, für eine Reihe von von Beispielen). Die Wahl

$$v(x) = x'\,C\,x, \quad C \text{ positiv definite Matrix,}$$

führt zum Ziel, sofern für $t \geqq t_0$ und eine Umgebung von $x = 0$

$$L\,v = 2\, f(t,x)'\,C\,x + \operatorname{tr}(G(t,x)\,G(t,x)'\,C) \leqq 0$$

gilt.

(11.2.19) **Bemerkung.** Ist in Gleichung (11.2.2) zwar $f(t, 0) \equiv 0$, aber $G(t, 0) \not\equiv 0$, so ist die Ruhelage zwar Lösung des ungestörten, jedoch nicht mehr des gestörten Systems. Wir können aber prinzipiell unsere Stabilitätsdefinitionen (11.2.6) anwenden. Sei etwa für beliebiges d und m

$$dX_t = A\,X_t\,dt + B(t)\,dW_t, \quad X_{t_0} = c,$$

wobei das ungestörte System asymptotisch stabil sei (siehe Beispiel (11.1.4)). Die Lösung dieser Gleichung ist nach Korollar (8.2.4)

$$X_t = e^{A(t-t_0)}\,c + \int_{t_0}^{t} e^{A(t-s)}\,B(s)\,dW_s.$$

Nach Voraussetzung gilt $e^{A(t-t_0)}\,c \longrightarrow 0$ $(t \longrightarrow \infty)$ für alle $c \in R^d$. Der zweite Term ist normalverteilt mit Mittelwert 0 und

$$E\left|\int_{t_0}^{t} e^{A(t-s)} B(s)\, dW_s\right|^2 = \int_{t_0}^{t} |e^{A(t-s)} B(s)|^2\, ds$$

(siehe Bemerkung (8.2.9)).
Sind λ_i die Eigenwerte von A und setzen wir

$$-r = \max_i (\mathrm{Re}(\lambda_i)) < 0,$$

so gilt

$$|e^{A(t-s)} B(s)|^2 \leqq |B(s)|^2 e^{-2r(t-s)},$$

also

$$\int_{t_0}^{t} |e^{A(t-s)} B(s)|^2\, ds \leqq \int_{t_0}^{t} e^{-2r(t-s)} |B(s)|^2\, ds$$

$$\leqq e^{-rt} \int_{t_0}^{t/2} |B(s)|^2\, ds + \int_{t/2}^{t} |B(s)|^2\, ds$$

$$\rightarrow 0 \;(t \rightarrow \infty),$$

letzteres unter der Bedingung

(11.2.20) $$\int_{t_0}^{\infty} |B(s)|^2\, ds < \infty.$$

Dies bedeutet

$$\underset{t\to\infty}{\text{qm-lim}}\, X_t = 0,$$

und es gilt sogar nach einem Satz von Hasminskii ([65], S. 307-310) für jeden Anfangswert c unter der Bedingung (11.2.20)

$$P[\lim_{t\to\infty} X_t = 0] = 1.$$

11.3 Stabilität der Momente

In die Definition der stochastischen Stabilität geht der gesamte Verlauf der Trajektorien $X_.(\omega)$ im Intervall $[t_0, \infty)$ ein. Wir sammeln zu gegebenem $\varepsilon > 0$ und Startpunkt c alle diejenigen Trajektorien, die für alle t in einer ε-Umgebung des Nullpunkts $x = 0$ bleiben. Die Wahrscheinlichkeit dieser Menge muß bei einem stabilen System nahe an 1 sein, sofern nur $|c|$ klein ist.

In manchen Fällen einfacher durchzuführen und historisch älter ist folgendes Konzept: Für festes t mittelt man zuerst über alle möglichen Werte von X_t oder einer Funktion $g(X_t)$, d.h. man bildet $E\,g(X_t) = g_1(t)$ und prüft die somit entstehende deterministische Funktion g_1 auf ihren Verlauf im

Intervall $[t_0, \infty)$. Wir betrachten hier die Fälle $g(x)=x$, $g(x)=|x|^p$ $(p>0)$ und $g(x)=x\,x'$.

(11.3.1) **Definition.** Die stochastische Differentialgleichung

(11.3.2) $\quad dX_t = f(t, X_t)\,dt + G(t, X_t)\,dW_t, \quad X_{t_0} = c$ (fest),

erfülle die Voraussetzungen (11.2.1). Die Ruhelage heißt *im p-ten Mittel stabil* $(p>0)$, wenn es für alle $\varepsilon>0$ ein $\delta>0$ gibt, so daß gilt

$$\sup_{t_0 \leqq t < \infty} E\,|X_t(c)|^p \leqq \varepsilon \quad \text{für } |c| \leqq \delta .$$

Die Ruhelage heißt *im p-ten Mittel asymptotisch stabil*, wenn sie im p-ten Mittel stabil ist und wenn gilt

$$\lim_{t\to\infty} E\,|X_t(c)|^p = 0, \quad \text{alle } c \text{ aus Umgebung von } x=0 .$$

Sie heißt *im p-ten Mittel exponentiell stabil*, wenn es zwei positive Konstanten c_1 und c_2 gibt, so daß für alle hinreichend kleinen c gilt

$$E\,|X_t(c)|^p \leqq c_1\,|c|^p\,e^{-c_2(t-t_0)} .$$

Im Falle $p=1$ bzw. $p=2$ spricht man von (asymptotischer, exponentieller) Stabilität *im Mittel* bzw. *im Quadratmittel*. Die Ruhelage besitzt einen *stabilen Erwartungswert* $m_t = E\,X_t(c)$ bzw. *stabile zweite Momente* $P(t) = E\,X_t(c)\,X_t(c)'$, wenn es zu jedem $\varepsilon>0$ ein $\delta>0$ gibt mit

$$\sup_{t_0 \leqq t < \infty} |E\,X_t(c)| \leqq \varepsilon, \quad \text{alle } |c| \leqq \delta ,$$

bzw.

$$\sup_{t_0 \leqq t < \infty} |E\,X_t(c)\,X_t(c)'| \leqq \varepsilon, \quad \text{alle } |c| \leqq \delta .$$

(11.3.3) **Bemerkung.** a) Da die Funktion $(E\,|X|^p)^{1/p}$ monoton wachsend in $p>0$ ist, folgt aus der (asymptotischen, exponentiellen) Stabilität im p-ten Mittel diejenige im q-ten Mittel (alle $0<q<p$). Insbesondere folgt aus der Stabilität im Quadratmittel diejenige im Mittel.

b) Aus der Tschebyscheffschen Ungleichung folgt

$$\sup_{t_0 \leqq t < \infty} P[|X_t(c)| \geqq \varepsilon] \leqq \frac{1}{\varepsilon^p} \sup_{t_0 \leqq t < \infty} E\,|X_t(c)|^p ,$$

d.h. die Stabilität im p-ten Mittel hat

$$\lim_{c\to 0} \sup_{t_0 \leqq t < \infty} P[|X_t(c)| \geqq \varepsilon] = 0, \quad \text{alle } \varepsilon>0 ,$$

zur Folge, die sogenannte *schwache stochastische Stabilität*. Diese ist offensichtlich schwächer als die stochastische Stabilität,

$$\lim_{c\to 0} P[\sup_{t_0 \leqq t < \infty} |X_t(c)| \geqq \varepsilon] = 0, \quad \text{alle } \varepsilon>0 .$$

Für eine autonome lineare Gleichung sind jedoch beide Begriffe nach Hasminskii ([65], S. 296) äquivalent.

c) Die Stabilität im Quadratmittel ist äquivalent mit der Stabilität der zweiten Momente. In der Tat, einerseits gilt für $P(t) = E\,X_t(c)\,X_t(c)' = (E\,X_t^i\,X_t^j)$

$$|P(t)| \leqq E\,|X_t(c)|^2,$$

andererseits ist

$$E\,|X_t(c)|^2 = \operatorname{tr} P(t) = \sum_{i=1}^{d} P_{ii}(t).$$

d) Wegen $|E\,X| \leqq E\,|X|$ folgt aus der Stabilität im Mittel diejenige des Erwartungswertes $E\,X_t = m_t$. Jedoch gilt im allgemeinen nicht die Umkehrung! Die Stabilität des Erwartungswertes ist also eine notwendige Bedingung für die Stabilität im Quadratmittel.

e) Für die Kovarianzmatrix $K(t) = E\,(X_t - E\,X_t)\,(X_t - E\,X_t)'$ haben wir

$$K(t) = P(t) - m_t\,m_t'.$$

Die Kombination der Teile c) und d) dieser Bemerkung ergibt: Aus der Stabilität im Quadratmittel folgt die Stabilität von $K(t)$. Letztere ist identisch mit der Stabilität von $E\,|X_t - m_t|^2$.

(11.3.4) **Beispiel.** Das Stabilitätsverhalten der skalaren linearen autonomen homogenen Differentialgleichung

$$dX_t = A\,X_t\,dt + B\,X_t\,dW_t, \quad X_{t_0} = c,$$

haben wir bereits in Beispiel (11.2.15) untersucht. Für die Momente erhalten wir aus Beispiel (8.4.8)

$$E\,|X_t(c)|^p = |c|^p\,e^{(p(A-B^2/2)+p^2 B^2/2)(t-t_0)}.$$

Daraus lesen wir ab: Die Ruhelage ist im p-ten Mittel exponentiell stabil genau dann, wenn gilt

$$A < (1-p)\,B^2/2.$$

Damit sind die Punkte des Bereichs $A < B^2/2$ der stochastischen asymptotischen Stabilität genau diejenigen, für die für alle hinreichend kleinen $p > 0$ exponentielle Stabilität im p-ten Mittel herrscht. Dies gilt allgemein für autonome lineare Gleichungen, siehe Bemerkung (11.4.17).

Umgekehrt kann man daraus, daß das zweite Moment $E\,|X_t|^2$ exponentiell gegen 0 strebt, die stochastische Stabilität der Ruhelage schließen (siehe Kozin [70], Gikhman-Skorokhod [36], S. 331). Wir zitieren allgemeiner (Hasminskii [65], S. 232-237).

(11.3.5) **Satz.** Hinreichend für die exponentielle Stabilität im p-ten Mittel ist die Existenz einer in $[t_0, \infty) \times R^d$ definierten stetigen, für alle $x \neq 0$ einmal stetig nach t und zweimal stetig nach den x_i differenzierbaren Funktion $v(t, x)$, die für gewisse positive Konstanten c_1, c_2 und c_3 die Ungleichungen

$$c_1 |x|^p \leqq v(t, x) \leqq c_2 |x|^p$$

und

$$L v(t, x) \leqq -c_3 |x|^p$$

erfüllt. Dann gibt es sogar eine positive Konstante c_4 und eine von $c \in R^d$ abhängende fast sicher endliche Zufallsgröße $K(c)$, so daß für fast alle in c startenden Trajektorien gilt

$$|X_t(c)| \leqq K(c)\, e^{-c_4(t-t_0)}, \quad \text{alle } t \geqq t_0.$$

11.4 Lineare Gleichungen

Für die lineare homogene Gleichung (siehe Abschnitt 8.5)

$$(11.4.1) \qquad dX_t = A(t) X_t\, dt + \sum_{i=1}^{m} B_i(t) X_t\, dW_t^i, \quad X_{t_0} = c, \quad t \geqq t_0,$$

lassen sich wesentlich präzisere Stabilitätsaussagen für die Ruhelage $X_t \equiv 0$ machen. Entsprechend unseren Voraussetzungen (11.2.1) sind die $d \times d$-Matrizen $A(t)$, $B_1(t)$, ..., $B_m(t)$ stetige Funktionen in $t \geqq t_0$. Weiter sei $c \in R^d$ wieder eine Konstante.

Die Stabilität der ersten und zweiten Momente gewinnt für (11.4.1) insofern große Bedeutung, als sich nun einfache gewöhnliche Differentialgleichungen für sie angeben lassen. Nach Satz (8.5.5) gilt:

a) $E X_t = m_t$ ist die eindeutige Lösung der Gleichung

$$(11.4.2) \qquad \dot{m}_t = A(t) m_t, \quad m_{t_0} = c.$$

b) $E X_t X_t' = P(t)$ ist die eindeutige nicht-negativ definite symmetrische Lösung der Gleichung

$$(11.4.3) \qquad \dot{P}(t) = A(t) P(t) + P(t) A(t)' + \sum_{i=1}^{m} B_i(t) P(t) B_i(t)', \quad P(t_0) = E c c'.$$

Die Stabilität des Erwartungswertes ist also für eine lineare Gleichung äquivalent mit der Stabilität der ungestörten deterministischen Gleichung (11.4.2). Weiter ist die Stabilität der zweiten Momente von X_t (die nach Abschnitt 11.3 identisch mit der Stabilität im Quadratmittel ist) äquivalent mit der Stabilität der deterministischen Matrix-Gleichung (11.4.3). Da $P(t)$ wegen

$$P_{ij}(t) = E X_t^i X_t^j = E X_t^j X_t^i = P_{ji}(t)$$

symmetrisch ist, stellt (11.4.3) ein System von $d(d+1)/2$ linearen Gleichungen dar.

Fassen wir die $d(d+1)/2$ Elemente $P_{ij}(t)$, $i \geqq j$, irgendwie zu einem Vektor $\mathfrak{p}(t)$ zusammen, so läßt sich (11.4.3) also in der Form

(11.4.4) $\dot{\mathfrak{p}}(t) = \mathfrak{A}(t)\,\mathfrak{p}(t), \quad \mathfrak{p}(t_0) = E\,\mathfrak{c}$,

schreiben, wobei $\mathfrak{c}$ der zu Matrix $c\,c'$ gehörige $d(d+1)/2$ - Vektor ist. Die Stabilität im Quadratmittel von (11.4.1) ist also identisch mit der gewöhnlichen Stabilität der Ruhelage $\mathfrak{p} \equiv 0$ der linearen Gleichung (11.4.4). Letztere läßt sich insbesondere leicht nachprüfen, wenn (11.4.1) autonom ist, womit auch (11.4.4) ein System mit konstanten Koeffizienten wird. Man vergleiche die Kriterien Satz (11.4.11) und Korollar (11.4.14). Wir erinnern daran, daß aus der exponentiellen Stabilität von (11.4.4) die stochastische Stabilität von (11.4.1) folgt.

(11.4.5) **Beispiel.** Die skalare Differentialgleichung zweiter Ordnung mit konstanten, aber "verrauschten" Koeffizienten,

$$\ddot{Y}_t + (b_0 + b\,\xi_t^1)\,\dot{Y}_t + (a_0 + a\,\xi_t^2)\,Y_t = 0, \quad t \geqq 0,$$

ξ_t^1, ξ_t^2 unkorrelierte skalare weiße Rauschprozesse, ist äquivalent der linearen stochastischen Differentialgleichung

$$\mathrm{d}X_t = \begin{pmatrix} 0 & 1 \\ -a_0 & -b_0 \end{pmatrix} X_t\,\mathrm{d}t + \begin{pmatrix} 0 & 0 \\ 0 & -b \end{pmatrix} X_t\,\mathrm{d}W_t^1 + \begin{pmatrix} 0 & 0 \\ -a & 0 \end{pmatrix} X_t\,\mathrm{d}W_t^2.$$

Dabei haben wir wieder

$$X_t = \begin{pmatrix} Y_t \\ \dot{Y}_t \end{pmatrix}$$

gesetzt (siehe Beispiel (8.1.4)). Die Differentialgleichung (11.4.2) für den Erwartungswert m_t ist

$$\dot{m}_t = \begin{pmatrix} 0 & 1 \\ -a_0 & -b_0 \end{pmatrix} m_t$$

und asymptotisch stabil genau dann, wenn $a_0 > 0$ und $b_0 > 0$ gilt. Gleichung (11.4.3) für die 2×2-Matrix $P(t)$ der zweiten Momente ergibt

$$\dot{P}_{11} = 2\,P_{12},$$

$$\dot{P}_{12} = -a_0\,P_{11} - b_0\,P_{12} + P_{22},$$

$$\dot{P}_{22} = a^2\,P_{11} - 2\,a_0\,P_{12} + (b^2 - 2\,b_0)\,P_{22}.$$

Die 3×3-Matrix $\mathfrak{A}$ aus Gleichung (11.4.4) lautet

$$\mathfrak{A} = \begin{pmatrix} 0 & 2 & 0 \\ -a_0 & -b_0 & 1 \\ a^2 & -2\,a_0 & b^2 - 2\,b_0 \end{pmatrix},$$

ihre charakteristische Gleichung

$$-\det(\mathfrak{A}-\lambda I)=\lambda^3+\lambda^2(3\,b_0-b^2)+\lambda(4\,a_0+2\,b_0^2-b_0\,b^2)$$
$$+2\,(2\,a_0\,b_0-a_0\,b^2-a^2)=0.$$

Die Realteile ihrer Wurzeln sind genau dann negativ (Kriterium von Routh-Hurwitz!), wenn gilt

$$b^2<2\,b_0,\quad a^2<(2\,b_0-b^2)\,a_0.$$

Bei festem a_0 und b_0 darf also die Intensität der Störung einen gewissen Betrag nicht übersteigen, damit die (exponentielle) Stabilität im Quadratmittel nicht zerstört wird. Für die skalare Differentialgleichung n-ter Ordnung mit gestörten konstanten Koeffizienten vergleiche man Satz (11.5.2).

(11.4.6) **Beispiel.** Gikhman ([36] und [63], S. 320-328) hat die skalare Gleichung zweiter Ordnung der Gestalt

(11.4.7) $\ddot{Y}_t+(a(t)+b(t)\,\eta_t)\,Y_t=0,\quad t\geqq t_0,$

untersucht, wobei η_t ein allgemeiner Störprozeß (die Ableitung eines Martingals) sein kann. Die Stabilitätseigenschaften von Y_t hängen eng mit denen der ungestörten Gleichung

$$\ddot{z}(t)+a(t)\,z(t)=0$$

zusammen. Gilt z.B. η_t = weißes Rauschen und für jede Lösung $z(t)$ der letzten Gleichung $z(t)\longrightarrow 0$ und

$$\int_{t_0}^{\infty} z(t)^2\,\mathrm{d}t<\infty,$$

und ist $b(t)$ beschränkt, so folgt $E\,Y_t^2\longrightarrow 0\ (t\longrightarrow\infty)$, und zwar gleichmäßig für alle Anfangswerte mit $|Y_{t_0}|+|\dot{Y}_{t_0}|\leqq R$. Außerdem ist dann die Ruhelage der Gleichung (11.4.7) stochastisch stabil.

(11.4.8) **Beispiel.** Die allgemeine homogene Gleichung (11.4.1) für den Fall $d=m=1$,

$$\mathrm{d}X_t=A(t)\,X_t\,\mathrm{d}t+B(t)\,X_t\,\mathrm{d}W_t,\quad X_{t_0}=c,$$

hat nach Korollar (8.4.3) die Lösung

$$X_t=c\exp\left(\int_{t_0}^{t}(A(s)-B(s)^2/2)\,\mathrm{d}s+\int_{t_0}^{t}B(s)\,\mathrm{d}W_s\right).$$

Nach Satz (8.4.5) ist

$$E\,X_t=c\exp\left(\int_{t_0}^{t}A(s)\,\mathrm{d}s\right)$$

und

$$E\,|X_t|^p=|c|^p\exp\left(p\int_{t_0}^{t}A(s)\,\mathrm{d}s+\frac{p\,(p-1)}{2}\int_{t_0}^{t}B(s)^2\,\mathrm{d}s\right).$$

Aus diesen Darstellungen lesen wir ab: Die Ruhelage ist im p-ten Mittel asymptotisch stabil bzw. stabil bzw. instabil genau dann, wenn

$$\limsup_{t\to\infty} \int_{t_0}^{t} \left(p\, A(s) + \frac{p(p-1)}{2} B(s)^2 \right) ds$$

$= -\infty$ bzw. $< \infty$ bzw. $= \infty$ ist. Speziell folgen daraus Kriterien für das erste und zweite Moment. Ebenso ist die Ruhelage stochastisch asymptotisch stabil bzw. stochastisch stabil bzw. stochastisch instabil genau dann, wenn

$$\limsup_{t\to\infty} \left(\int_{t_0}^{t} (A(s) - B(s)^2/2)\, ds + \int_{t_0}^{t} B(s)\, dW_s \right)$$

$= -\infty$ fast sicher bzw. $< \infty$ fast sicher bzw. $= \infty$ (mit positiver Wahrscheinlichkeit) ist. Nun können wir nach Bemerkung (5.2.6)

$$\int_{t_0}^{t} B(s)\, dW_s = \overline{W}_{\tau(t)}, \quad \tau(t) = \int_{t_0}^{t} B(s)^2\, ds,$$

schreiben, wobei $\overline{W}_t$ wieder ein Wiener-Prozeß ist. Im Falle

$$\tau(\infty) = \int_{t_0}^{\infty} B(s)^2\, ds < \infty$$

ist also

$$\limsup_{t\to\infty} \int_{t_0}^{t} A(s)\, ds = \begin{cases} -\infty \\ < \infty \\ +\infty \end{cases}$$

(das Verhalten der ungestörten Gleichung!) kennzeichnend für stochastische asymptotische Stabilität bzw. Stabilität bzw. Instabilität.

Im Falle

$$\tau(\infty) = \int_{t_0}^{\infty} B(s)^2\, ds = \infty$$

betrachten wir die Größe

$$J(t) = \frac{\int_{t_0}^{t} (A(s) - B(s)^2/2)\, ds}{\sqrt{2\, \tau(t) \log\log \tau(t)}}\,.$$

Unter Berücksichtigung des Gesetzes vom iterierten Logarithmus für $\overline{W}_{\tau(t)}$ erhalten wir: Hinreichende Bedingung für stochastische asymptotische Stabilität bzw. stochastische Instabilität ist $\limsup J(t) < -1$ bzw. $\liminf J(t) > -1$.

(11.4.9) **Bemerkung.** Für die Lösung $X_t(c)$ von (11.4.1) gilt $X_t(\alpha c) = \alpha X_t(c)$, alle $\alpha \in R^1$. Deshalb ist

$$P[\lim_{t\to\infty} X_t(c)=0] = p_c = \text{const}, \quad \text{alle } c\in R^d.$$

Im Falle der stochastischen asymptotischen Stabilität der Ruhelage gilt $p_c \to 1$ $(c\to 0)$, was nur mit $p_c\equiv 1$, also mit

$$\text{fs-}\lim_{t\to\infty} X_t(c) = 0, \quad \text{alle } c\in R^d,$$

vereinbar ist. D.h. ist die Ruhelage einer linearen Gleichung stochastisch asymptotisch stabil, so ist sie automatisch sogar stochastisch asymptotisch stabil im Ganzen.

Die in (11.2.3) eingeführte Erweiterung L des infinitesimalen Operators A von X_t nimmt für die lineare Gleichung (11.4.1) die folgende Gestalt an:

$$L = \frac{\partial}{\partial t} + \left(A(t)\,x, \frac{\partial}{\partial x}\right) + \frac{1}{2}\sum_{i=1}^{m}\left(B_i(t)\,x, \frac{\partial}{\partial x}\right)^2, \tag{11.4.10}$$

$$\left(y, \frac{\partial}{\partial x}\right) = \sum_{j=1}^{d} y_j \frac{\partial}{\partial x_j},$$

$$\left(y, \frac{\partial}{\partial x}\right)^2 = \sum_{j=1}^{d}\sum_{k=1}^{d} y_j\, y_k \frac{\partial^2}{\partial x_j\, \partial x_k}.$$

Wir zitieren nun ein Kriterium für exponentielle Stabilität im Quadratmittel, dessen Beweis man für allgemeines $p>0$ bei Hasminskii ([65], S. 247) findet.

(11.4.11) **Satz.** In der Gleichung (11.4.1) seien die Funktionen $A(t)$ und $B_i(t)$ in $[t_0, \infty)$ beschränkt. Dann ist für die exponentielle Stabilität im Quadratmittel notwendig, daß für jede beliebige, und hinreichend, daß für irgendeine symmetrische, positiv definite, stetige und beschränkte $d\times d$-Matrix $C(t)$ mit $x'C(t)\,x \geqq k_1 |x|^2$ $(k_1>0)$ die Matrix-Differentialgleichung

$$\frac{\mathrm{d}D(t)}{\mathrm{d}t} + A(t)'D(t) + D(t)A(t) + \sum_{i=1}^{m} B_i(t)'D(t)\,B_i(t) = -C(t) \tag{11.4.12}$$

eine Matrix $D(t)$ mit denselben Eigenschaften wie $C(t)$ als Lösung besitzt.

(11.4.13) **Bemerkung.** Für $B_i(t)\equiv 0$ (alle i) reduziert sich Satz (11.4.11) genau auf ein bekanntes Kriterium für deterministische Gleichungen, nun für gewöhnliche exponentielle Stabilität (siehe Bucy-Joseph [61], S. 11). Gleichung (11.4.12), die strukturell Ähnlichkeit mit (11.4.3) besitzt, kann mit den quadratischen Formen $w(t,x) = x'C(t)\,x$ und $v(t,x) = x'D(t)\,x$ und dem Operator L in der Form

$$L\,v(t,x) = -w(t,x)$$

geschrieben werden, d.h. $v(t,x)$ kann als Ljapunovsche Funktion benutzt werden. Satz (11.2.8c) liefert noch einmal die stochastische asymptotische Stabilität im Ganzen als Folge der exponentiellen Stabilität der zweiten Momente.

(11.4.14) **Korollar.** Ist die Gleichung (11.4.1) *autonom*, so ist für die exponentielle Stabilität im Quadratmittel notwendig, daß für jede, und hinreichend, daß für irgendeine symmetrische, positiv definite Matrix C die Matrixgleichung

(11.4.15) $$A'D+DA+\sum_{i=1}^{m} B_i' D B_i = -C$$

eine symmetrische, positiv definite Lösung D besitzt. Ist dies der Fall, so liegt auch stochastische asymptotische Stabilität im Ganzen vor.

Zur Verifikation dieses Kriteriums startet man mit irgendeiner positiv definiten Matrix C (z.B. $C=I$), berechnet D aus dem System (11.4.15) von $d(d+1)/2$ linearen Gleichungen und prüft, ob das gefundene D positiv definit ist.

(11.4.16) **Beispiel.** Ist für die autonome Gleichung

$$dX_t = AX_t\,dt + \sum_{i=1}^{m} B_i X_t\,dW_t^i$$

weiter $A+A'=c_1 I$ und $B_i=d_i I$, so ist $D=I$ eine Lösung von (11.4.15) für $C=-(c_1+\sum d_i^2)I$. Letzteres ist positiv definit genau für $c_1+\sum d_i^2<0$.

(11.4.17) **Bemerkung.** Aus der exponentiellen Stabilität im p-ten Mittel ($p>0$) folgt die stochastische asymptotische Stabilität der Ruhelage der linearen Gleichung (11.4.1). Umgekehrt gilt nun für die *autonome* lineare Gleichung (Hasminskii [65], S. 253-257): Ist die Ruhelage stochastisch asymptotisch stabil, so ist sie für alle hinreichend kleinen $p>0$ asymptotisch stabil im p-ten Mittel. Letzteres hat (wie im deterministischen Fall) immer die exponentielle Stabilität im p-ten Mittel zur Folge.

11.5 Die gestörte lineare Gleichung n-ter Ordnung

Die Ruhelage der deterministischen linearen Gleichung n-ter Ordnung mit konstanten Koeffizienten

$$y^{(n)}+b_1 y^{(n-1)}+\dots+b_n y=0$$

ist nach Routh-Hurwitz asymptotisch stabil genau dann, wenn gilt

$$\Delta_1 = b_1 > 0,$$

$$\Delta_2 = \begin{vmatrix} b_1 & b_3 \\ 1 & b_2 \end{vmatrix} > 0,$$

$$\vdots$$

$$\Delta_n = \begin{vmatrix} b_1 & b_3 & b_5 & \dots & 0 \\ 1 & b_2 & b_4 & \dots & 0 \\ 0 & b_1 & b_3 & \dots & 0 \\ \vdots & \vdots & \vdots & & \vdots \\ 0 & \dots & & \dots & b_n \end{vmatrix} > 0.$$

Die entsprechende Gleichung mit verrauschten Koeffizienten,

$$Y_t^{(n)} + (b_1 + \xi_1(t))\, Y_t^{(n-1)} + \dots + (b_n + \xi_n(t))\, Y_t = 0,$$

wobei $\xi_1(t), \dots, \xi_n(t)$ im allgemeinen korrelierte Gaußsche weiße Rauschprozesse mit

$$E\, \xi_i(t)\, \xi_j(s) = Q_{ij}\, \delta(t-s)$$

sind, schreiben wir wie im Beispiel (8.1.4) in eine stochastische Differentialgleichung erster Ordnung für den n-dimensionalen Prozeß

$$X_t = \begin{pmatrix} X_t^1 \\ \vdots \\ X_t^n \end{pmatrix} = \begin{pmatrix} Y_t \\ \dot{Y}_t \\ \vdots \\ Y_t^{(n-1)} \end{pmatrix}$$

um. Wir erhalten

$$\text{(11.5.1)} \quad \begin{aligned} dX_t^i &= X_t^{i+1}\, dt, \quad i = 1, \dots, n-1, \\ dX_t^n &= -\sum_{i=1}^n b_i\, X_t^{n+1-i}\, dt - \sum_{i=1}^n \sum_{j=1}^n G_{ij}\, X_t^{n+1-i}\, dW_t^j \end{aligned}$$

mit einer $n \times n$-Matrix G, die $GG' = Q$ erfüllt.

Nach den Kriterien des Abschnitts 11.4 (Routh-Hurwitz-Kriterium für die Gleichung (11.4.4) oder Korollar (11.4.14)) müssen wir zum Nachweis der asymptotischen (= exponentiellen) Stabilität im Quadratmittel von (11.5.1) ein System von $n(n+1)/2$ linearen Gleichungen behandeln. Wir zitieren nun ein Kriterium von Hasminskii ([65], S. 286-292), das mit $n+1$ Entscheidungen auskommt.

(11.5.2) **Satz.** Die Ruhelage von (11.5.1) ist asymptotisch stabil im Quadratmittel genau dann, wenn gilt: $\Delta_1 > 0, \dots, \Delta_n > 0$ (die Δ_i sind die eingangs zitierten Routh-Hurwitz-Determinanten, deren Positivität die Stabilität der ungestörten Gleichung sichert) und $\Delta_n > \Delta/2$ mit

$$\Delta = \begin{vmatrix} q_{nn}^{(0)} & q_{nn}^{(1)} & q_{nn}^{(2)} & \cdots & q_{nn}^{(n-1)} \\ 1 & b_2 & b_4 & \cdots & 0 \\ 0 & b_1 & b_3 & \cdots & 0 \\ \vdots & \vdots & \vdots & & \vdots \\ 0 & 0 & 0 & \cdots & b_n \end{vmatrix},$$

$$q_{nn}^{(n-k-1)} = \sum_{i+j=2(n-k)} Q_{ij} (-1)^{j+1}.$$

Für $n = 2$ ergibt Satz (11.5.2) die Bedingungen

$$b_1 > 0, \quad b_2 > 0, \quad 2\, b_1 b_2 > Q_{11} b_2 + Q_{22},$$

(siehe Beispiel (11.4.5)), für $n = 3$

$$b_1 > 0, \quad b_3 > 0, \quad b_1 b_2 > b_3,$$

$$2\,(b_1 b_2 - b_3)\, b_3 > Q_{11} b_2 b_3 + Q_{33} b_1 + b_3 (a_{22} - 2\, Q_{13}).$$

Im Falle unkorrelierter Störungen ($Q_{ij} = 0$ für $i \neq j$) haben wir

$$\Delta = \begin{vmatrix} Q_{11} & -Q_{22} & \cdots & (-1)^{n-1} Q_{nn} \\ 1 & b_2 & \cdots & 0 \\ 0 & b_1 & \cdots & 0 \\ \vdots & \vdots & & \vdots \\ 0 & 0 & \cdots & b_n \end{vmatrix}.$$

11.6 Stabilitätsnachweis durch Linearisierung

Wie im deterministischen Falle ist die Stabilität einer nichtlinearen Gleichung im allgemeinen schwierig nachzuweisen. Der Nachweis wird aber dadurch erleichtert, daß die durch Taylor-Entwicklung linearisierte Gleichung in der Nähe der Ruhelage in der Regel dasselbe Stabilitätsverhalten wie die Ausgangsgleichung zeigt. Wir erwähnen den folgenden Satz (Hasminskii [65], S. 299):

(11.6.1) **Satz.** Sei

(11.6.2) $\quad dX_t = f(t, X_t)\, dt + G(t, X_t)\, dW_t, \quad X_{t_0} = c,$

eine stochastische Differentialgleichung, für die die Voraussetzungen (11.2.1) gelten. Angenommen, es gelte für $|x| \to 0$

$$|f(t,x) - A(t)\,x| = o(|x|)$$

und

$$|G(t,x) - (B_1(t)\,x, \dots, B_m(t)\,x)| = o(|x|),$$

und zwar gleichmäßig in $t \geqq t_0$. Die $d \times d$-Matrizen $A(t)$ und $B_i(t)$ seien beschränkte Funktionen in t. Wir betrachten die lineare Gleichung

$$(11.6.3) \qquad dX_t = A(t)\,X_t\,dt + \sum_{i=1}^{m} B_i(t)\,X_t\,dW_t^i, \quad X_{t_0} = c.$$

a) Gilt für die Ruhelage von (11.6.3)

$$\lim_{c \to 0} P[\sup_{s \leqq t < \infty} |X_t(s,x)| > \varepsilon] = 0, \quad \text{alle } \varepsilon > 0,$$

gleichmäßig in s, und ist $P[\lim_{t\to\infty} X_t(s,x) = 0] = 1$ (gleichmäßige stochastische Stabilität im Ganzen), so ist die Ruhelage von (11.6.2) stochastisch asymptotisch stabil.

b) Sind die Matrizen A und B_i unabhängig von t, so folgt aus der stochastischen asymptotischen Stabilität der Ruhelage der linearisierten Gleichung (11.6.3) die stochastische asymptotische Stabilität der Ausgangsgleichung (11.6.2).

11.7 Ein Beispiel aus der Satellitendynamik

Die Berücksichtigung des Einflusses einer schnell fluktuierenden Dichte der Erdatmosphäre auf die Bewegung eines sich auf einer Kreisbahn befindlichen Satelliten führt auf die Gleichung (wir folgen Sagirow [75])

$$(11.7.1a) \qquad \ddot{Y}_t + B(1 + A\,\xi_t)\,\dot{Y}_t + (1 + A\,\xi_t)\sin Y_t - C\sin(2\,Y_t) = 0,$$

$B > 0$, $C > 0$, ξ_t skalares weißes Rauschen. Die äquivalente stochastische Differentialgleichung ($d = 2$, $m = 1$) für $X_t = (Y_t, \dot{Y}_t)'$ ist

(11.7.1b)

$$dX_t = \begin{pmatrix} X_t^2 \\ -\sin X_t^1 + C\sin 2\,X_t^1 - B\,X_t^2 \end{pmatrix} dt + \begin{pmatrix} 0 \\ -A(\sin X_t^1 + B\,X_t^2) \end{pmatrix} dW_t.$$

Der Ersatz von $\sin y$ bzw. $\sin 2y$ durch y bzw. $2y$ ergibt die linearisierte Gleichung mit konstanten Koeffizienten

$$(11.7.2a) \qquad \ddot{Y}_t + B(1 + A\,\xi_t)\,\dot{Y}_t + (1 - 2\,C + A\,\xi_t)\,Y_t = 0$$

bzw.

$$(11.7.2b) \qquad dX_t = \begin{pmatrix} 0 & 1 \\ 2\,C - 1 & -B \end{pmatrix} X_t\,dt + \begin{pmatrix} 0 & 0 \\ -A & -A\,B \end{pmatrix} X_t\,dW_t.$$

Notwendig und hinreichend für die asymptotische (und damit exponentielle) Stabilität im Quadratmittel der linearisierten Gleichung (11.7.2) ist nach dem Kriterium (11.5.2) mit

$$Q = \begin{pmatrix} B^2 A^2 & B A^2 \\ B A^2 & A^2 \end{pmatrix}$$

und für $d = n = 2$:

$$B > 0, \quad 1 - 2C > 0, \quad 2B(1-2C) > B^2 A^2 (1-2C) + A^2.$$

Die Bedingungen $B > 0$ und $1 - 2C > 0$ sichern die asymptotische Stabilität des ungestörten Systems als notwendige Bedingung. Die letzte Bedingung ergibt für die Intensität der Störung die Ungleichung

$$A^2 < \frac{2B(1-2C)}{B^2(1-2C)+1}.$$

Unter diesen Bedingungen ist also die Ruhelage von (11.7.2) und damit nach Satz (11.6.1) die Ruhelage der nichtlinearen Gleichung stochastisch asymptotisch stabil.

Wir versuchen nun, diese Aussage durch Anwendung der Ljapunov-Technik auf die nichtlineare Ausgangsgleichung zu erhalten. Der Operator L nimmt für (11.7.1) die folgende Gestalt an:

$$L = \frac{\partial}{\partial t} + x_2 \frac{\partial}{\partial x_1} + (-\sin x_1 + C \sin 2x_1 - B x_2) \frac{\partial}{\partial x_2} + \frac{A^2}{2} (\sin x_1 + B x_2)^2 \frac{\partial^2}{\partial x_2^2}.$$

Für die Ljapunovsche Funktion machen wir einen Ansatz, der aus einer quadratischen Form und Integralen der nichtlinearen Bestandteile besteht:

$$v(t,x) \equiv v(x) = a x_1^2 + b x_1 x_2 + x_1^2 + d \int_0^{x_1} \sin y \, dy + e \int_0^{x_1} \sin 2y \, dy$$

$$= a x_1^2 + b x_1 x_2 + x_2^2 + 2d \left(\sin \frac{x_1}{2}\right)^2 + e (\sin x_1)^2.$$

Dies ergibt

$$L v(x) = (2a - bB) x_1 x_2 - (2B - b - A^2 B^2) x_2^2$$
$$+ (d - 2 + 2A^2 B + (4C + 2e) \cos x_1) x_2 \sin x_1$$
$$- \left(b - 2bC \cos x_1 - A^2 \frac{\sin x_1}{x_1}\right) x_1 \sin x_1.$$

Um daraus eine negativ definite Funktion zu machen, setzen wir $2a - bB = 0$, $4C + 2e = 0$ und $d - 2 + 2A^2 B = 0$. Damit erhalten wir

$$v(x) = \frac{1}{2} b B x_1^2 + b x_1 x_2 + x_2^2 + 4 \left(\sin \frac{x_1}{2}\right)^2 \left(1 - BA^2 - 2C \left(\cos \frac{x_1}{2}\right)^2\right)$$

und

$$L v(x) = -(2B - b - A^2 B^2) x_2^2 - \left(b - 2bC \cos x_1 - A^2 \frac{\sin x_1}{x_1}\right) x_1 \sin x_1.$$

Damit v positiv definit wird, muß $B>0$, $0<b<2B$, $1-2C>0$ und $A^2<(1-2C)/B$ gelten. Weiter kann Lv wie folgt abgeschätzt werden:

$$Lv(x) \leqq -(2B-b-A^2B^2)\,x_2^2-(b-2bC-A^2)\,x_1 \sin x_1 .$$

Letzteres ist negativ definit, wenn $A^2<(2B-b)/B^2$ und $A^2<b(1-2C)$ gilt, also

$$A^2 < \min\left((2B-b)/B^2,\ b(1-2C)\right).$$

Wählen wir nun b mit $0<b<2B$ so, daß das Minimum möglichst groß wird, so ergibt sich

$$b=\frac{2B}{1+B^2(1-2C)}$$

und damit für die Intensität der Störung

$$A^2<\frac{2B(1-2C)}{B^2(1-2C)+1}.$$

Satz (11.2.8b) liefert uns unter dieser Bedingung die stochastische asymptotische Stabilität der Ruhelage von (11.7.1). Dieses Resultat ist mit dem durch Linearisierung erhaltenen identisch.

Kapitel 12

Optimale Filterung gestörter Signale

12.1 Beschreibung des Problems

Wird der Zustand X_t eines stochastischen dynamischen Systems dazu benutzt, um eine Entscheidung zu treffen (siehe Kapitel 13), so nehmen wir natürlich an, daß uns dieser Zustand genau bekannt ist. Dies ist jedoch bei vielen praktischen Problemen unrealistisch. Was aus technischen oder ökonomischen Gründen beobachtet werden kann, ist ein Prozeß Z_t, der irgendwie vom bisherigen Verlauf von X_t abhängt und zusätzlich noch gestört ist.

Es ergibt sich nun die Frage, wie man auf optimale Weise, d.h. mit einem möglichst geringen Fehler, aus der Beobachtung von Z_t auf den wahren Zustand X_t des betrachteten Systems zurückschließen kann. Für den Fall linearer Systeme, die sich im stationären Zustand befinden, wurde dieses Problem in den vierziger Jahren unabhängig von N. Wiener [79] und A.N. Kolmogorov [69] gelöst (siehe z.B. auch Gikhman-Skorokhod [5] oder Prohorov-Rozanov [15]).

Nichtlineare Systeme und der Fall von nur während eines endlichen Intervalls vorgenommenen Beobachtungen wurden ab 1960 von R.E. Kalman, R.S. Bucy, R.L. Stratonovich und H.J. Kushner behandelt, deren Ergebnisse wir nun diskutieren wollen. Wir beschränken uns auf die Angabe der grundsätzlichen Ideen und verweisen für weitere Resultate und Literaturangaben auf Bucy-Joseph [61] und das ausführliche Buch von Jazwinski [66].

Unseren Betrachtungen legen wir die folgende *Modellklasse* zugrunde: Der d-dimensionale Zustand X_t eines dynamischen Systems (der sogenannte Signalprozeß) sei beschrieben durch eine stochastische Differentialgleichung

(12.1.1) $$dX_t = f(t, X_t)\,dt + G(t, X_t)\,dW_t, \quad X_{t_0} = c \in L^2, \quad t \geqq t_0.$$

Hierbei ist wieder $f(t, x)$ ein d-Vektor, $G(t, x)$ eine $d \times m$-Matrix und W_t ein m-dimensionaler Wiener-Prozeß, dessen "Ableitung" also weißes Rauschen, d.h. ein verallgemeinerter stationärer Gaußscher Prozeß mit Mittelwert 0 und Kovarianzmatrix $I\,\delta(t-s)$ ist. Den in der Literatur häufig betrachteten Fall, daß W_t einen stationären Prozeß mit der

Kovarianzmatrix $Q(t)\,\delta(t-s)$ als Ableitung besitzt, führen wir wie üblich durch Übergang von G zu $G\sqrt{Q}$ auf (12.1.1) zurück.

Der beobachtete Prozeß (Meßgröße) Z_t sei p-dimensional und ein gestörtes Funktional von X_t in der Form

(12.1.2) $\quad dZ_t = h(t, X_t)\,dt + R(t)\,dV_t, \quad Z_{t_0} = b, \quad t \geqq t_0.$

Dabei ist $h(t, x)$ also ein p-Vektor, $R(t)$ eine $p \times q$-Matrix und V_t ein q-dimensionaler Wiener-Prozeß. Wir nehmen an, daß die vier zufälligen Objekte $W_{.}$, $V_{.}$, c und b unabhängig sind. Für korrelierte Rauschprozesse W_t und V_t vergleiche man z.B. Kalman [67] und Kushner [71]. Natürlich sind X_t und Z_t in jedem Fall abhängig.

Wir setzen wieder voraus, daß die Gleichung (12.1.1) die Voraussetzungen des Existenz- und Eindeutigkeitssatzes (6.2.1) erfüllt, so daß es eine globale Lösung im Intervall $[t_0, \infty)$ gibt. Gleichung (12.1.2) ist so zu verstehen, daß wir die Lösung X_t von (12.1.1) in h einsetzen, wodurch aus (12.1.2) ein gewöhnliches stochastisches Differential im Sinne des Abschnitts 5.3 wird, da ja Z_t auf der rechten Seite nicht vorkommt. Damit (12.1.2) immer sinnvoll ist, müssen wir

$$\int_{t_0}^{t} |R(s)|^2\,ds < \infty, \quad \text{alle } t > t_0,$$

und z.B.

$$|h(t, x)| \leqq C(1 + |x|^r), \quad \text{alle } t \geqq t_0, \quad x \in R^d,$$

für ein $r > 0$ fordern.

Das Filterproblem kann nun folgendermaßen formuliert werden.

(12.1.3) **Problem.** Es liegen die beobachteten Werte Z_s, $t_0 \leqq s \leqq t$, vor, wir schreiben für dieses Funktionenstück $Z[t_0, t]$. Sei $t_1 > t_0$. Man konstruiere eine d-dimensionale Zufallsgröße $\hat{X}_{t_1}$ als meßbares Funktional von $Z[t_0, t]$, so daß für jedes andere meßbare Funktional $F(Z[t_0, t])$ mit Werten im R^d und der Eigenschaft

$$E\hat{X}_{t_1} = E\,F(Z[t_0, t]) = E\,X_{t_1} \quad \text{(Erwartungstreue)}$$

die Ungleichung

(12.1.4) $\quad E(y'(X_{t_1} - \hat{X}_{t_1}))^2 \leqq E(y'(X_{t_1} - F(Z[t_0, t])))^2, \quad \text{alle } y \in R^d,$

gilt. Die Größe $\hat{X}_{t_1}$ heißt (optimale) Schätzung von X_t bei gegebener Beobachtung $Z[t_0, t]$. Für $t_1 < t$ spricht man von Interpolation, für $t_1 = t$ von Glättung (smoothing) oder Filterung und für $t_1 > t$ von Extrapolation oder Vorhersage (prediction). Wegen des Optimalitätskriteriums (12.1.4) spricht man von der Methode der kleinsten Streuung (Minimum variance).

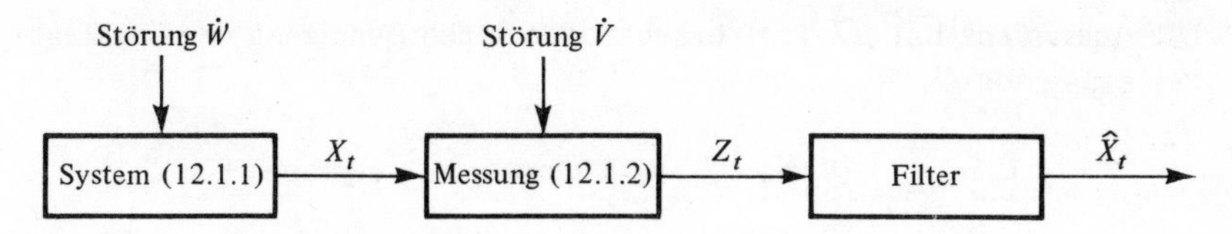

Bild 8: Schema der optimalen Filterung

(12.1.5) **Bemerkung.** Der Wert $\hat{X}_{t_1}(\omega)$ darf also von der gesamten Trajektorie $Z_.(\omega)$ des im Zeitintervall $[t_0, t]$ beobachteten Prozesses abhängen und muß umgekehrt durch dieses Trajektorienstück eindeutig bestimmt sein. Meßbarkeit des Funktionals $F(Z[t_0, t])$ bedeutet folgendes: Die Realisierungen $Z_.(\omega)$ des beobachteten Prozesses sind nach Bemerkung (5.3.2) mit Wahrscheinlichkeit 1 stetige Funktionen. Vernachlässigt man die ω-Ausnahmemenge der Wahrscheinlichkeit 0 (oder, setzt man dort z.B. $Z_t(\omega) \equiv 0$), so ist die Abbildung $Z[t_0, t]$, die jedem $\omega \in \Omega$ das zugehörige Trajektorienstück $Z_s(\omega)$, $t_0 \leqq s \leqq t$, zuordnet, eine Abbildung von Ω in den Raum $C([t_0, t])$ der stetigen Funktionen auf dem Intervall $[t_0, t]$,

(12.1.6) $$Z[t_0, t]: \Omega \longrightarrow C([t_0, t]).$$

In Ω ist die sigma-Algebra $\mathfrak{A}$ gegeben. Wählen wir in $C([t_0, t])$ die durch die "Kugeln"

$$\{\varphi \in C([t_0, t]): \max_{t_0 \leqq s \leqq t} |\varphi(s) - \psi(s)| < \varepsilon\}, \quad \psi \in C([t_0, t]), \quad \varepsilon > 0,$$

(ε- Umgebung der festen stetigen Funktion ψ) erzeugte sigma-Algebra $\mathfrak{C}([t_0, t])$, so ist die Abbildung (12.1.6) $\mathfrak{A}-\mathfrak{C}([t_0, t])$-meßbar. Ein meßbares Funktional im Sinne der obigen Problemformulierung ist nun eine Abbildung

$$F: \; C([t_0, t]) \longrightarrow R^d$$

die bezüglich $\mathfrak{C}([t_0, t])$ und der Borelschen sigma-Algebra $\mathfrak{B}^d$ in R^d meßbar ist. Dann ist natürlich die zusammengesetzte Abbildung

$$F(Z[t_0, t]): \Omega \longrightarrow R^d$$

eine d-dimensionale Zufallsgröße, die von ω nur mittelbar über $Z[t_0, t]$ abhängt. Gesucht wird nun ein meßbares $F_0: C([t_0, t]) \longrightarrow R^d$, so daß

$$\hat{X}_{t_1} = F_0(Z[t_0, t])$$

ein zweites Moment und verschwindenden Erwartungswert besitzt und die Minimaleigenschaft (12.1.4) besitzt.

(12.1.7) **Bemerkung.** Die Bedingung (12.1.4) ist mit folgender Bedingung äquivalent: Für jede nicht-negativ definite symmetrische Matrix C gilt mit der Abkürzung $x' C x = |x|_C^2$, $x \in R^d$,

$$E|X_{t_1} - \hat{X}_{t_1}|_C^2 \leqq E|X_{t_1} - F(Z[t_0, t])|_C^2.$$

Die Äquivalenz mit (12.1.4) erkennt man durch Benutzung der Spektralzerlegung von C,

$$C = \sum_{i=1}^{d} \lambda_i (u_i u_i'); \quad \lambda_i, u_i \text{ Eigenwerte, -vektoren von } C,$$

und der Beziehung

$$|x|_C^2 = \sum_{i=1}^{d} \lambda_i (u_i' x)^2$$

bzw. durch Wahl der speziellen Matrix $C = y y'$. Wir bemerken, daß die Forderung

$$E |X_{t_1} - \hat{X}_{t_1}|^2 \leqq E |X_{t_1} - F(Z[t_0, t])|^2$$

für $d > 1$ echt schwächer als (12.1.4) ist. Letztere bezieht auch die nichtdiagonalen Glieder der Matrix $E(X_{t_1} - \hat{X}_{t_1})(X_{t_1} - \hat{X}_{t_1})'$ in den Größenvergleich mit ein.

12.2 Der bedingte Erwartungswert als optimale Schätzung

Existenz und Eindeutigkeit der optimalen Schätzung lassen sich relativ leicht nachweisen.

(12.2.1) **Satz.** Die (bis auf eine Menge der Wahrscheinlichkeit 0) eindeutige Lösung des Problems (12.1.3) ist

$$\hat{X}_{t_1} = E(X_{t_1} | Z[t_0, t]).$$

Es existiert also (siehe Abschnitt 1.7) ein auf $C([t_0, t])$ definiertes meßbares Funktional F_0, das auf der Menge der möglichen Trajektorien $Z[t_0, t]$ eindeutig festgelegt ist, mit

$$\hat{X}_{t_1} = F_0(Z[t_0, t]).$$

B e w e i s. Für eine beliebige Schätzung $\hat{X}_{t_1}$ gilt

$$E(y'(X_{t_1} - F(Z[t_0, t]))^2 = E(y'(X_{t_1} - \hat{X}_{t_1}))^2 + E(y'(\hat{X}_{t_1} - F))^2 + 2 y' E(X_{t_1} - \hat{X}_{t_1})(\hat{X}_{t_1} - F)' y.$$

Wir haben jedoch nach Abschnitt 1.7

$$\begin{aligned} E(X_{t_1} - \hat{X}_{t_1})(\hat{X}_{t_1} - F)' &= E(E((X_{t_1} - \hat{X}_{t_1})(\hat{X}_{t_1} - F)' | Z[t_0, t])) \\ &= E(E((X_{t_1} - \hat{X}_{t_1}) | Z[t_0, t])(\hat{X}_{t_1} - F)') \\ &= 0, \end{aligned}$$

wenn wir

$$\hat{X}_{t_1} = E(X_{t_1} | Z[t_0, t])$$

setzen. Damit ergibt sich für dieses $\hat{X}_{t_1}$

$$E(y'(X_{t_1}-\hat{X}_{t_1}))^2 \leqq E(y'(X_{t_1}-F))^2,$$

der bedingte Erwartungswert ist also eine Lösung des Problems. Die Eindeutigkeit ergibt sich aus der geometrischen Tatsache, daß $E(X_{t_1}|Z[t_0,t])$ im Hilbertraum $L^2(\Omega, \mathfrak{A}, P)$ die eindeutige orthogonale Projektion von X_{t_1} auf den linearen Unterraum derjenigen Elemente ist, die bezüglich der von $Z[t_0,t]$ erzeugten sigma-Algebra meßbar sind (siehe Krickeberg [7], S. 124-125), q.e.d.

Für den Wert des im Satz (12.2.1) auftretenden Funktionals F_0 an der "Stelle" $\varphi \in C([t_0,t])$ schreiben wir wieder suggestiv

$$F_0(\varphi) = E(X_{t_1}|Z[t_0,t]=\varphi), \quad \varphi \in C([t_0,t]).$$

Ist speziell $t=t_0$, so gilt wegen der Unabhängigkeit von $Z_{t_0}=b$ und $X.$

$$\hat{X}_{t_1} = E(X_{t_1}|Z_{t_0}) = E X_{t_1} = \text{const.}$$

Ab jetzt befassen wir uns nur noch mit dem F i l t e r p r o b l e m $(t_1=t)$. Es ist theoretisch mit Satz (12.2.1) vollkommen gelöst, womit wir uns jedoch nicht zufriedengeben wollen. Was wir suchen, ist ein Algorithmus, mit dessen Hilfe der numerische Wert der optimalen Schätzung $\hat{X}_t$ des Systemzustands X_t aus den numerischen Beobachtungen Z_s, $t_0 \leqq s \leqq t$ (es genügt wegen der Stetigkeit von $Z.$, Beobachtungen in (t_0,t) zu machen) berechnet werden kann. Diese Berechnung darf - außer der Beobachtung selbst - nur die Systemgrößen f, G, h, R und die Anfangsverteilung P_{t_0} von $X_{t_0}=c$ benutzen.

12.3 Kalman-Bucy-Filter

Wir setzen die Situation von Abschnitt 12.1 voraus, $\hat{X}_t$ sei immer der bedingte Erwartungswert. Besitzt X_t eine bedingte Dichte $p_t(x|Z[t_0,t])$ unter der Bedingung $Z[t_0,t]$, so gilt nach Abschnitt 1.7

$$\hat{X}_t = E(X_t|Z[t_0,t]) = \int_{R^d} x\, p_t(x|Z[t_0,t])\,dx,$$

allgemeiner für $g(x)$ mit $g(X_t) \in L^1$

$$\widehat{g(X_t)} = E(g(X_t)|Z[t_0,t]) = \int_{R^d} g(x)\, p_t(x|Z[t_0,t])\,dx.$$

Kennen wir also die bedingte Dichte $p_t(x|Z[t_0,t])$, so können wir uns die optimale Schätzung $\hat{X}_t$ leicht durch gewöhnliche Quadratur verschaffen.

(12.3.1) **Satz. (Repräsentationssatz von Bucy):** Gegeben seien die Gleichungen (12.1.1) und (12.1.2) mit den im Abschnitt 12.1 formulierten Voraussetzungen. Wir nehmen weiter an, daß $R(t)R(t)'$ positiv definit ist, die endlich-dimensionalen Verteilungen des Prozesses X_t Dichten besitzen und

$$E \exp\left((t-t_0) \sup_{t_0 \leqq s \leqq t} |h(s, X_s)|^2_{(R(s)R(s)')^{-1}}\right) < \infty$$

gilt. Dabei haben wir $|x|_A^2 = x' A x$ gesetzt. Dann besitzt die bedingte Verteilung $P(X_t \in B | Z[t_0, t])$ eine Dichte $p_t(x|Z[t_0, t])$, die für eine feste Beobachtung $Z[t_0, t]$ gegeben ist durch

$$(12.3.2) \qquad p_t(x|Z[t_0, t]) = \frac{E(e^Q | X_t = x)\, p_t(x)}{E\, e^Q}.$$

Hierbei ist $p_t(x)$ die Dichte von X_t und

$$(12.3.3) \qquad Q = Q(X[t_0, t], Z[t_0, t])$$

$$= -\frac{1}{2} \int_{t_0}^{t} h(s, X_s)' (R(s) R(s)')^{-1} h(s, X_s)\, ds +$$

$$+ \int_{t_0}^{t} h(s, X_s)' (R(s) R(s)')^{-1}\, dZ_s.$$

Formel (12.3.2) wurde von Bucy [60] angegeben und von Mortensen [74] bewiesen. Siehe auch Bucy-Joseph [61]. Das Integral bezüglich Z_t in (12.3.3) wird bei *festem* $Z[t_0, t]$ vollkommen analog zum Integral bezüglich W_t durch Approximation des Integranden durch Treppenfunktionen und Wahl der linken Intervallendpunkte einer Zerlegung als Zwischenpunkte definiert.

Für wertlose Beobachtungen ($h \equiv 0$ oder $(R(t) R(t)')^{-1} \equiv 0$) erhalten wir aus Satz (12.3.1) $Q \equiv 0$ und damit

$$p_t(x|Z[t_0, t]) = p_t(x),$$

also

$$\hat{X}_t = E X_t.$$

Ebenso gilt für $t = t_0$ immer

$$p_{t_0}(x|Z_{t_0}) = p_{t_0}(x) \quad \text{(Dichte des Anfangswerts } c\text{)},$$

d.h.

$$\hat{X}_{t_0} = E c.$$

Durch Anwendung des Satzes von Itô auf die Darstellung (12.3.2) gelangt man (siehe Bucy-Joseph [61]) zur sog. Fundamentalgleichung der Filtertheorie:

$$(12.3.4) \quad d p_t(x|Z[t_0, t]) = \mathfrak{D}^*(p_t(x|Z[t_0, t]))\, dt$$
$$+ (h(t, x) - \hat{h}(t, x))' (R(t) R(t)')^{-1} (dZ_t - \hat{h}(t, x)\, dt)\, p_t(x|Z[t_0, t]).$$

Hierbei ist $\mathfrak{D}^*$ der zum Differentialoperator $\mathfrak{D}$ adjungierte Operator (Vorwärtsoperator)

$$\mathfrak{D}^* g = -\sum_{i=1}^{d} \frac{\partial}{\partial x_i} (f_i\, g) + \frac{1}{2} \sum_{i=1}^{d} \sum_{j=1}^{d} \frac{\partial^2}{\partial x_i\, \partial x_j} ((G\, G')_{ij}\, g)$$

und

$$\widehat{h}(t, x) = E(h(t, X_t) | Z[t_0, t]) = \int_{R^d} h(t, x)\, p_t(x | Z[t_0, t])\, dx.$$

Die Gleichung (12.3.4) eröffnet zumindest prinzipiell die Möglichkeit, die bedingte Dichte $p_t(x|Z[t_0, t])$, ausgehend vom Anfangswert $p_{t_0}(x)$, nach und nach mit fortschreitender Beobachtung von $Z.$ zu berechnen. Dabei hängt $p_t(x|Z[t_0, t])$ nur von den durch die Funktionen f, G, h und R definierten beiden Systemen, der Dichte des Anfangswerts und den Beobachtungen bis zur Zeit t ab. (12.3.4) kann also als die dynamische Gleichung für den optimalen Filter bezeichnet werden.

Aus (12.3.4) folgen durch Integration bezüglich x Gleichungen für die Momente der bedingten Dichte, insbesondere für die optimale Schätzung $\widehat{X}_t$,

$$d\widehat{X}_t = \widehat{f}(t, x)\, dt + (\widehat{x\, h}(t, x)' - \widehat{X}_t\, \widehat{h}(t, x)')\, (R(t)\, R(t)')^{-1}\, (dZ_t - \widehat{h}(t, x)\, dt)$$

mit dem Anfangswert $\widehat{X}_{t_0} = E\, c$. Interessant ist weiterhin noch der Schätzfehler, d.h. die bedingte Kovarianzmatrix

$$P(t|Z[t_0, t]) = E((X_t - \widehat{X}_t)(X_t - \widehat{X}_t)' | Z[t_0, t]).$$

Für sie ergibt sich aus (12.3.4) (siehe Jazwinski [66], S. 184)

$$\begin{aligned} d(P(t|Z[t_0, t]))_{ij} = {} & ((\widehat{x_i\, f_j}) - \widehat{x}_i\, \widehat{f}_j) + (\widehat{f_i\, x_j} - \widehat{f}_i\, \widehat{x}_j) + (\widehat{G\, G'})_{ij} \\ & - (\widehat{x_i\, h} - \widehat{x}_i\, \widehat{h})'\, (R\, R')^{-1}\, (\widehat{h\, x_j} - \widehat{h}\, \widehat{x}_j)\, dt \\ & + (\widehat{x_i\, x_j\, h} - \widehat{x_i\, x_j}\, \widehat{h} - \widehat{x}_i\, \widehat{x_j\, h} - \widehat{x}_j\, \widehat{x_i\, h} + 2\, \widehat{x}_i\, \widehat{x}_j\, \widehat{h})'\, (R\, R')^{-1}\, (dZ_t - \widehat{h}\, dt) \end{aligned}$$

mit dem Anfangswert $P(t_0 | Z_{t_0}) = E\, c\, c'$.

Wir spezialisieren diese Gleichungen im folgenden Abschnitt auf lineare Probleme.

12.4 Optimale Filter für lineare Systeme

Sei die stochastische Differentialgleichung für den d-dimensionalen Signalprozeß X_t linear (im engeren Sinne), d.h. von der Form

$$dX_t = A(t)\, X_t\, dt + B(t)\, dW_t, \quad X_{t_0} = c, \quad t \geqq t_0,$$

$A(t)$ $d \times d$-Matrix, $B(t)$ $d \times m$-Matrix, W_t m-dimensionaler Wiener-Prozeß, und sei der beobachtete p-dimensionale Prozeß Z_t ebenfalls durch eine in X_t lineare Gleichung beschrieben,

$$dZ_t = H(t)\, X_t\, dt + R(t)\, dV_t, \quad Z_{t_0} = b, \quad t \geqq t_0,$$

$H(t)$ $p \times d$-Matrix, $R(t)$ $p \times q$-Matrix mit $R(t)\, R(t)'$ positiv definit,

V_t q-dimensionaler Wiener-Prozeß. Dabei seien die Matrizenfunktionen $A(t)$, $B(t)$, $H(t)$, $R(t)$ und $(R(t)\,R(t)')^{-1}$ in jedem beschränkten Teilintervall von $[t_0, \infty)$ beschränkt. Wir setzen wieder die Unabhängigkeit von $W_.$, $V_.$, c und b voraus. Sind c und b normalverteilt oder konstant, so ist nach Satz (8.2.10) X_t und damit auch Z_t ein Gaußscher Prozeß. Alle bedingten Verteilungen sind deshalb auch Normalverteilungen. Speziell erhalten wir

(12.4.1) **Satz. (Kalman-Bucy-Filter für lineare Systeme).** Im linearen Falle ist die bedingte Dichte $p_t(x|Z[t_0, t])$ von X_t unter der Bedingung, daß $Z[t_0, t]$ beobachtet wurde, die Dichte einer Normalverteilung mit Mittelwert

$$\hat{X}_t = E(X_t|Z[t_0, t])$$

und Kovarianzmatrix

$$P(t) = E((X_t - \hat{X}_t)(X_t - \hat{X}_t)'|Z[t_0, t]) = E(X_t - \hat{X}_t)(X_t - \hat{X}_t)'.$$

Die dynamischen Gleichungen für diese Parameter sind

$$d\hat{X}_t = A\,\hat{X}_t\,dt + P\,H'(R\,R')^{-1}(dZ_t - H\,\hat{X}_t\,dt), \quad \hat{X}_{t_0} = E\,c,$$

$$\dot{P} = A\,P + P\,A' + B\,B' - P\,H'(R\,R')^{-1}H\,P, \quad P(t_0) = E\,c\,c'.$$

Insbesondere ist die Matrix $P = P(t)$ unabhängig von der Beobachtung $Z[t_0, t]$.

Für diverse Beweise dieses Satzes siehe Jazwinski ([66], ab S. 218).

Bei wertloser oder fehlender Beobachtung ($H(t) \equiv 0$ oder $(R(t)\,R(t)')^{-1} \equiv 0$) reduzieren sich die Gleichungen für $\hat{X}_t$ und $P(t)$ auf diejenigen für den Mittelwert $\hat{X}_t = E\,X_t$ und die Kovarianzmatrix $P(t) = K(t)$ des Prozesses X_t (Satz (8.2.6)). Da der Koeffizient von dZ_t in der Gleichung für $\hat{X}_t$ deterministisch ist, kann das entsprechende Integral ohne jegliche Vorsichtsmaßnahmen (beliebige Zwischenpunkte!) berechnet werden.

Die Gleichung für $P(t)$ ist eine Matrix-Riccati-Gleichung, die bei Bucy-Joseph [61] genau untersucht wird. Insbesondere existiert trotz des quadratischen Terms eine globale Lösung, sofern man nur mit einem nicht-negativ definiten Anfangswert $P(t_0)$ startet. Wegen der Unabhängigkeit von $P(t)$ von der Beobachtung kann also der Schätzfehler vorweg berechnet werden!

(12.4.2) **Bemerkung.** Für ein lineares Modell ist die optimale Schätzung $\hat{X}_t$ identisch mit der optimalen *linearen* Schätzung

$$\tilde{X}_t = \int_{t_0}^{t} D(t, s)\,dZ_s.$$

Die $d \times p$-Gewichtsmatrix $D(t, s)$ erhält man aus der sog. Wiener-Hopf-Gleichung

$$D(t,u)\,R(u)\,R(u)' + \int_{t_0}^{t} D(t,s)\,H(s)\,E(X_s X_u')\,H(u)'\,\mathrm{d}s = E(X_t X_u')\,H(u)'$$

(siehe Bucy-Joseph [61], S. 53, und Gikhman-Skorokhod [5], S. 229).

(12.4.3) **Beispiel.** Der Signalprozeß sei ungestört ($B(t) \equiv 0$), starte jedoch mit einem zufälligen, $\mathfrak{N}(0, E\,c\,c')$-verteilten Anfangswert mit positiv definitem $E\,c\,c'$. Die (unbedingte) Verteilung von X_t (*vor* der Beobachtung!) ist nach Satz (8.2.10)

$$\mathfrak{N}(0, \Phi(t)\,E\,c\,c'\,\Phi(t)'),$$

wobei $\Phi(t)$ die Fundamentalmatrix von $\dot{X}_t = A(t)\,X_t$ ist. Die bedingte Verteilung von X_t *nach* der Beobachtung von $Z\,[t_0, t]$ ist, wie man durch Einsetzen in die Gleichungen des Satzes (12.4.1) verifiziert, eine Normalverteilung $\mathfrak{N}(\widehat{X}_t, P(t))$ mit

$$\widehat{X}_t = P(t)\,(\Phi(t)')^{-1} \int_{t_0}^{t} \Phi(s)'\,H(s)'\,(R(s)\,R(s)')^{-1}\,\mathrm{d}Z_s$$

($\widehat{X}_t$ ist also eine lineare Schätzung im Sinne der Bemerkung (12.4.2)) und

$$P(t) = \Bigg((\Phi(t)\,E\,c\,c'\,\Phi(t)')^{-1} + (\Phi(t)')^{-1} \left(\int_{t_0}^{t} \Phi(s)'\,H(s)'\,(R(s)\,R(s)')^{-1}\,H(s)\,\Phi(s)\,\mathrm{d}s \right) \Phi(t)^{-1} \Bigg)^{-1}.$$

Die Fehler-Kovarianzmatrix $P(t)$ ist insofern "kleiner" als die ursprüngliche Kovarianzmatrix von X_t, als der zweite Summand in $P(t)$ positiv definit ist.

Kapitel 13

Optimale Regelung stochastischer dynamischer Systeme

13.1 Die Bellmansche Gleichung

Die analytischen Schwierigkeiten, die bei einer mathematisch strengen Behandlung von stochastischen Regelungsproblemen auftreten, sind so mannigfach, daß wir uns in dieser kurzen Übersicht aus didaktischen Gründen auf eine mehr qualitativ-intuitive Betrachtung beschränken müssen.

Wie im Falle der Stabilitätstheorie gibt es auch hier eine ausgebaute Theorie für deterministische Systeme, die man etwa bei Athans-Falb [56], Strauss [78] oder Kalman-Falb-Arbib [68] studieren kann. Und wie dort kommt es auch hier darauf an, beim Übergang zum stochastischen Fall an den entsprechenden Stellen Ableitungen erster Ordnung durch den infinitesimalen Operator des zugehörigen Prozesses zu ersetzen. Für eine ausführliche und weitergehende Behandlung der optimalen Regelung stochastischer Systeme verweisen wir auf die Bücher bzw. Übersichtsartikel von Aoki [55], Kushner [72], Stratonovich [77], Bucy-Joseph [61], Mandl [28], Hasminskii [65], Fleming [62] und Wonham [80] und die dort zitierte Literatur.

Wir betrachten nun ein System, beschrieben durch die stochastische Differentialgleichung

(13.1.1) $dX_t = f(t, X_t, u(t, X_t))\,dt + G(t, X_t, u(t, X_t))\,dW_t, \quad X_{t_0} = c, \quad t \geqq t_0,$

wobei wie üblich X_t, $f(t, x, u)$ und c Werte aus R^d annehmen, $G(t, x, u)$ $d \times m$-matrixwertig und W_t ein m-dimensionaler Wiener Prozeß ist. Die neu hinzukommende Variable u in f und G, der sog. S t e l l v e k t o r, variiert in einem R^p, die Funktionen $f(t, x, \cdot)$ und $G(t, x, \cdot)$ seien hinreichend glatt. Die Funktion $u(t, x)$ in Gleichung (13.1.1) ist eine S t e u e r f u n k t i o n (oder Steuerung, engl. "control"), die wir aus einer M e n g e $\mathfrak{U}$ v o n z u l ä s s i g e n S t e u e r f u n k t i o n e n entnehmen. Wir beschränken uns also hier auf sog. Markovsche Steuerfunktionen, die nur von t und vom Zustand X_t zur Zeit t (und nicht etwa noch von den Werten X_s, $s < t$) abhängen. Das System (13.1.1) heißt auch (R e g e l -) S t r e c k e.

Setzt man eine feste Steuerfunktion $u \in \mathfrak{U}$ in (13.1.1) ein, so ergibt sich eine stochastische Differentialgleichung der üblichen Form. Nun muß die Menge $\mathfrak{U}$ durch Beschränktheits- und analytische Bedingungen, die wir nicht weiter spezifizieren wollen, so eingeengt werden, daß für die Differentialgleichung Existenz und Eindeutigkeit einer Lösung $X_t = X_t^u$, die nun von $u \in \mathfrak{U}$ abhängt, gesichert ist. Die in x zur Zeit s startende Lösung werde mit $X_t(s, x) = X_t^u(s, x)$ bezeichnet, wir schreiben wieder $E\,g(X_t(s, x)) = E_{s,x}\,g(X_t)$.

Die durch Wahl der Steuerfunktion u bis zur Zeit $T < \infty$ entstehenden Kosten bei einem Start in x zur Zeit s seien

$$(13.1.2) \qquad V^u(s, x) = E_{s,x}\left(\int_s^T k(r, X_r, u(r, X_r))\,\mathrm{d}r + M(T, X_T)\right).$$

Dabei beschränken wir uns auf Festzeit-Regelung; im allgemeinen wird in (13.1.2) T ersetzt durch einen zufälligen Zeitpunkt τ, in dem der Prozeß eine gegebene Zielmenge erreicht. Die Funktion k ist eine nichtnegative und M eine reelle Funktion ihrer Variablen. Der Integralterm in (13.1.2) stellt die laufenden Kosten, der zweite Term die einmaligen Kosten bei einem Stop in X_T zur Zeit T dar.

Gesucht ist nun die optimale Steuerfunktion, d.h. diejenige Steuerfunktion $u^* \in \mathfrak{U}$, die die Kosten minimiert, für die also gilt

$$V(s, x) = V^{u^*}(s, x) = \min_{u \in \mathfrak{U}} V^u(s, x).$$

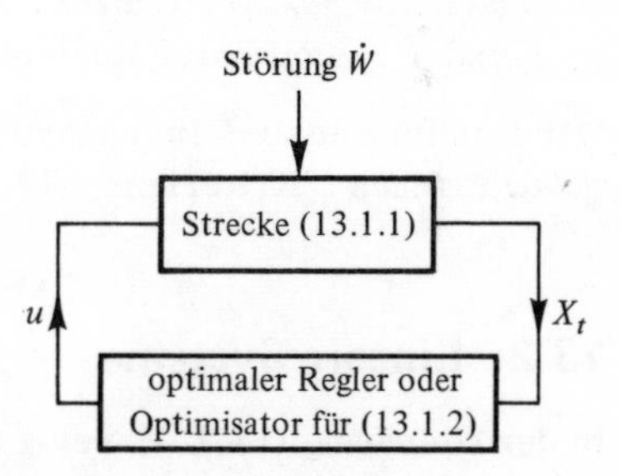

Bild 9:
Schema der optimalen Regelung

Nach dem Bellmanschen Optimalitätsprinzip (Prinzip der dynamischen Programmierung, Bellman [57]) ist eine Steuerfunktion im Intervall $[t_0, T]$ optimal genau dann, wenn sie in jedem Restintervall $[s, T]$, $t_0 \leqq s < T$, optimal ist. Dabei wird als Anfangswert zur Zeit s $x = X_s(t_0, c)$ gewählt. Ganz analog zum deterministischen Fall ergibt sich hieraus: Die minimalen Kosten $V(s, x)$ erfüllen die Bellmansche Gleichung:

$$(13.1.3) \qquad 0 = \min_u \left(L^u V(s, x) + k(s, x, u)\right), \quad t_0 \leqq s \leqq T,$$

mit der Endbedingung $V(T, x) = M(T, x)$. Hierbei ist

$$L^u = \frac{\partial}{\partial s} + \sum_{i=1}^{d} f_i(s, x, u)\frac{\partial}{\partial x_i} + \frac{1}{2}\sum_{i=1}^{d}\sum_{j=1}^{d}\left(G(s, x, u)\,G(s, x, u)'\right)_{ij}\frac{\partial^2}{\partial x_i\,\partial x_j}.$$

In L^u wird u als Parameter behandelt, und in Gleichung (13.1.3) ist $L^u V(s,x)+k(s,x,u)$ bei gegebenem V und festem (s,x) eine Funktion von $u \in R^p$, deren Minimum gesucht wird. Der Ort u^* dieses Minimums hängt von (s,x) ab, $u^*=u^*(s,x)$. Ist $V(s,x)$ gleich den optimalen Kosten, und ist die sich aus der Minimumsuche ergebende Funktion $u^*(s,x)$ eine zulässige Steuerfunktion, so ist sie auch eine optimale Steuerfunktion. Es gilt dann

$$L^{u^*(s,x)} V(s,x)+k(s,x,u^*(s,x)) = \min_u (L^u V(s,x)+k(s,x,u)) = 0.$$

Folgende Schritte liefern also (unter gewissen Bedingungen) sowohl die optimale Steuerfunktion als auch die minimalen Kosten:

1. Für festes $\overline{V}$ bestimme man die Stelle $\overline{u}=\overline{u}(s,x;\overline{V})$, an der $L^u \overline{V}(s,x)+ +k(s,x,u)$ sein Minimum annimmt.
2. Die Funktion $\overline{u}$ setze man anstelle des Parameters u in $L^u \overline{V}(s,x)+ +k(s,x,u)$ ein und löse die partielle Differentialgleichung
$$L^{\overline{u}} V(s,x)+k(s,x,\overline{u}(s,x;V))=0, \quad t_0 \leqq s \leqq T$$
mit der Endbedingung $V(T,x)=M(T,x)$. Die Lösung $V(s,x)$ ergibt die minimalen Kosten.
3. Die Funktion $V(s,x)$ wird in die im ersten Schritt bestimmte Funktion $\overline{u}$ eingesetzt und ergibt die optimale Steuerfunktion $u^*=u^*(s,x)= =u(s,x;V(s,x))$ in ihrer "feedback"-Form, also in Abhängigkeit von s und x (= optimaler Regler).

Wir illustrieren dies im nächsten Abschnitt für den linearen Fall und ein quadratisches "Kriterium" (13.1.2).

13.2 Lineare Systeme

In der Gleichung (13.1.1) sei $f(t,x,u)$ linear in x und u, während $G(t,x,u) \equiv G(t)$ nur von t abhänge. Wir erhalten

$$dX_t = A(t) X_t \, dt + B(t) u(t, X_t) \, dt + G(t) \, dW_t, \quad t \geqq t_0,$$

mit der $d\times d$-Matrix $A(t)$, der $d\times p$-Matrix $B(t)$ und der $d\times m$-Matrix $G(t)$. Für die im Kostenfunktional (13.1.2) auftretenden Funktionen wählen wir

$$k(t,x,u) = x' C(t) x + u' D(t) u,$$

$C(t)$ symmetrisch und nicht-negativ definit, $D(t)$ symmetrisch und positiv definit, und

$$M(T,x) = x' F(T) x + a(T)' x + b(T).$$

Wir haben

$$L^u = \frac{\partial}{\partial s} + \left(A(t)\,x + B(t)\,u,\, \frac{\partial}{\partial x} \right) + \frac{1}{2} \sum_{i=1}^{d} \sum_{j=1}^{d} (G(t)\,G(t)')_{ij} \frac{\partial^2}{\partial x_i\, \partial x_j},$$

also

$$L^u V(s, x) = \frac{\partial V}{\partial s} + (A(t)\,x)'\,V_x + (B(t)\,u)'\,V_x + \frac{1}{2} \operatorname{tr}(G(t)\,G(t)'\,V_{xx}),$$

mit $V_x = (V_{x_1}, \dots, V_{x_d})'$, $V_{xx} = (V_{x_i x_j})$.

Zuerst bestimmen wir uns das minimierende $\bar{u}$ aus der Bellmanschen Gleichung

$$\frac{\partial V}{\partial s} + (A(s)\,x)'\,V_x + (B(s)\,u)'\,V_x + \frac{1}{2} \operatorname{tr}(G(s)\,G(s)'\,V_{xx}) + x'\,C(s)\,x + u'\,D(s)\,u = \min. \tag{13.2.1}$$

Die in u quadratische Funktion $(B(s)\,u)'\,V_x + u'\,D(s)\,u$ nimmt ihr Minimum an für

$$\bar{u}(s, x; V) = -\frac{1}{2} D(s)^{-1}\,B(s)'\,V_x. \tag{13.2.2}$$

Dies in (13.2.1) eingesetzt ergibt die partielle Differentialgleichung für die minimalen Kosten $V(s, x)$, $t_0 \leqq s \leqq T$:

$$\frac{\partial V}{\partial s} + \frac{1}{2} \operatorname{tr}(G\,G'\,V_{xx}) + V_x'\,A\,x - \frac{1}{4} V_x'\,B\,D^{-1}\,B'\,V_x + x'\,C\,x = 0 \tag{13.2.3}$$

mit der Endbedingung $V(T, x) = x'\,F(T)\,x + a(T)'\,x + b(T)$.

Wir probieren den Ansatz

$$V(s, x) = x'\,Q(s)\,x + q(s)'\,x + p(s),$$

worin $Q(s)$ symmetrisch und nicht-negativ definit ist. Dies eingesetzt in (13.2.3) und Koeffizientenvergleich ergibt für $Q(s)$, $q(s)$ und $p(s)$ die gewöhnlichen (gekoppelten) Differentialgleichungen für $t_0 \leqq s \leqq T$

$$\begin{aligned} &\dot{Q}(s) + A'\,Q + Q\,A + C - Q\,B\,D^{-1}\,B'\,Q = 0, \quad Q(T) = F(T), \\ &\dot{q}(s) + (A' - Q\,B\,D^{-1}\,B')\,q = 0, \quad q(T) = a(T), \\ &\dot{p}(s) + \operatorname{tr}(G\,G'\,Q) - \frac{1}{4} q'\,B\,D^{-1}\,B'\,q = 0, \quad p(T) = b(T). \end{aligned} \tag{13.2.4}$$

Diese müssen also, von T beginnend, rückwärts in Richtung t_0 gelöst werden.

Die optimale Steuerfunktion u^* ergibt sich nun wegen $V_x = 2\,Q\,x + q$ aus (13.2.2) zu

$$u^*(s, x) = -\frac{1}{2} D(s)^{-1}\,B(s)'\,(2\,Q(s)\,x + q(s)).$$

Für $a(T) = 0$ gilt $q(s) \equiv 0$ und damit

(13.2.5) $\quad u^*(s, x) = -D(s)^{-1} B(s)' Q(s) x.$

13.3 Regelung auf Grund gefilterter Beobachtungen

Eine Steuerfunktion $u(t, X_t) = U_t$ hängt vom Zustand X_t des Systems ab, von dem wir bisher vorausgesetzt haben, daß er exakt bekannt ist. In vielen Fällen sind jedoch nur verrauschte Beobachtungen einer Funktion von X_t zugänglich, so daß Regelung und Filterung kombiniert werden müssen. Im linearen Falle ergibt dies

(13.3.1) $\quad dX_t = A(t) X_t \, dt + B(t) U_t \, dt + G(t) \, dW_t,$

$$X_{t_0} = c \quad \mathfrak{N}(0, E\,c\,c')\text{-verteilt},$$

(13.3.2) $\quad dZ_t = H(t) X_t \, dt + R(t) \, dV_t$

(X_t, U_t, Z_t, W_t, V_t nehmen Werte in euklidischen Räumen beliebiger Dimension an; W_t, V_t, c sind unabhängig, $R(t) R(t)'$ ist positiv definit). Bei der Festlegung des Kostenfunktionals (13.1.2) durch

$$k(t, x, u) = x' C(t) x + u' D(t) u,$$

$$M(T, x) = x' F(T) x,$$

$C(t)$, $F(t)$ symmetrisch und nicht-negativ definit, $D(t)$ symmetrisch und positiv definit, können jedoch Regelung und Filterung voneinander getrennt werden. Wir folgen Bucy-Joseph ([61], S. 96-102) in der folgenden Diskussion.

Da uns statt X_t nur die Beobachtungen Z_t bekannt sind, dürfen unsere Steuerfunktionen u nun nicht von X_t, sondern nur noch von den Beobachtungen $Z[t_0, t]$ abhängen, d.h. wir betrachten Funktionale der Form

$$U_t = u(t, Z[t_0, t]).$$

Auch das Kostenfunktional muß nun unter der Bedingung einer gewissen Beobachtung betrachtet werden:

$$V^u(s, \hat{X}_s) = E\left((X_T^u)' F(T) X_T^u + \int_s^T ((X_r^u)' C(r) X_r^u + U_r' D(r) U_r) \, dr \,|\, Z[t_0, s]\right).$$

Hierbei ist $\hat{X}_s = E(X_s^u | Z[t_0, s])$ und X_t^u eine Lösung von (13.3.1).

Es existiert dann eine optimale Steuerfunktion, nämlich

(13.3.3) $\quad U_t^* = -D(t)^{-1} B(t)' Q(t) \hat{X}_t.$

Hierbei ist $Q(t)$ die symmetrische Lösung von

(13.3.4) $\quad \dot{Q}(t) + A'Q + QA - QBD^{-1}B'Q + C(t) = 0$

im Intervall $[t_0, T]$ mit der Endbedingung $Q(T) = F(T)$ (siehe Gleichung (13.2.4)), und $\hat{X}_t = E(X_t | Z[t_0, t])$ ist die Lösung von

$$\text{(13.3.5)} \qquad \mathrm{d}\hat{X}_t = A X_t \,\mathrm{d}t + B U_t^* \,\mathrm{d}t + P H' (R R')^{-1} (\mathrm{d}Z_t - H \hat{X}_t \,\mathrm{d}t)$$

im Intervall $[t_0, T]$ mit dem Anfangswert $\hat{X}_{t_0} = 0$. Schließlich ist $P(t) = E((X_t - \hat{X}_t)(X_t - \hat{X}_t)' | Z[t_0, t])$ die von der Steuerfunktion und der Beobachtung unabhängige Fehlerkovarianzmatrix, die die Gleichung

$$\dot{P}(t) = A P + P A' - P H' (R R') H P + G G', \quad t_0 \leqq t \leqq T,$$

$$P(t_0) = E c c',$$

erfüllt. Die bei Verwendung der Steuerfunktion U_t^* und mit dem geschätzten Startpunkt $\hat{X}_s$ in $[s, T]$ entstehenden minimalen Kosten sind dann

$$V(s, \hat{X}_s) = \hat{X}_s' Q(s) \hat{X}_s + \int_s^T \operatorname{tr}(P H' (R R')^{-1} H P Q) \,\mathrm{d}r$$

$$+ \operatorname{tr} F(T) P(T) + \int_s^T \operatorname{tr}(C(r) P(r)) \,\mathrm{d}r.$$

In diesen Gleichungen ist das sog. Separationsprinzip enthalten.

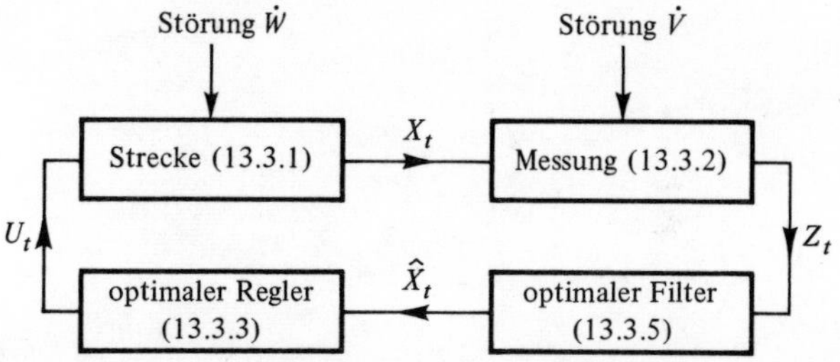

Bild 10: Separation von Filterung und Regelung

Das kombinierte lineare Filter- und Regelungsproblem kann offenbar in folgende Probleme entkoppelt werden:

1. Filtern: Bestimmung der optimalen Schätzung $\hat{X}_t$ von X_t auf Grund der Beobachtung $Z[t_0, t]$ aus Gleichung (13.3.5).

2. Finden der optimalen Steuerfunktion $u^* = u^*(t, X_t)$ für das *deterministische* Problem ($G \equiv 0$). Es ergibt sich

$$u^* = -D(t)^{-1} B(t)' Q(t) X_t,$$

wobei Q die Lösung der Gleichung (13.3.4) ist (vergleiche (13.2.5)). Die optimale Steuerfunktion für das stochastische Problem ist dann einfach

$$U_t^* = u^*(t, \hat{X}_t),$$

also in der Tat ein Funktional der Beobachtungen $Z[t_0, t]$.

Literaturverzeichnis

1. Auswahl von Lehrbüchern der Wahrscheinlichkeitstheorie und der Theorie der stochastischen Prozesse

[1] Bauer, H.: Wahrscheinlichkeitstheorie und Grundzüge der Maßtheorie I. Berlin: de Gruyter 1964. (Sammlung Göschen. Bd. 1216/1216a).

[2] Bauer, H.: Wahrscheinlichkeitstheorie und Grundzüge der Maßtheorie. Berlin: de Gruyter 1968.

[3] Doob, J.: Stochastic processes. New York: Wiley 1960.

[4] Feller, W.: An introduction to probability theory and its applications. Vol. 1,2. New York: Wiley 1955/1966.

[5] Gikhman, I.I.; Skorokhod, A.V.: Introduction to the theory of random processes. Philadelphia: W.B. Saunders 1969.

[6] Hinderer, K.: Grundbegriffe der Maßtheorie und der Wahrscheinlichkeitstheorie. Ausarbeitung einer Vorlesung an der Universität Hamburg 1968/69.

[7] Krickeberg, K.: Wahrscheinlichkeitstheorie. Stuttgart: Teubner 1963.

[8] Lamperti, J.: Probability. New York: Benjamin 1966.

[9] Loève, M.: Probability theory. Princeton: Van Nostrand 1953.

[10] Meyer, P.A.: Probability and potentials. Waltham, Mass.: Blaisdell 1966.

[11] Morgenstern, D.: Einführung in die Wahrscheinlichkeitsrechnung und mathematische Statistik. Berlin, Göttingen, Heidelberg: Springer 1964.

[12] Neveu, J.: Mathematical foundations of the calculus of probability. San Francisco: Holden-Day 1965.

[13] Papoulis, A.: Probability, random variables, and stochastic processes. New York: McGraw-Hill 1965.

[14] Prabhu, N.V.: Stochastic processes. New York: MacMillan 1965.

[15] Prohorov, Yu.V.; Rozanov, Yu.A.: Probability theory. Berlin, Heidelberg, New York: Springer 1969.

[16] Renyi, A.: Foundations of probability. San Francisco: Holden-Day 1970.

[17] Richter, H.: Wahrscheinlichkeitstheorie. Berlin, Göttingen, Heidelberg: Springer 1956.

2. Markov- und Diffusionsprozesse, Wiener-Prozeß, weißes Rauschen

Siehe die entsprechenden Abschnitte in [2], [3], [4], [5], [7], [8], [9], [10], [12], [13], [14], [15], [45].

[18] Bauer, H.: Markoffsche Prozesse. Ausarbeitung einer Vorlesung an der Universität Hamburg 1963.

[19] Bharucha-Reid, A.T.: Elements of the theory of Markov processes and their applications. New York: McGraw-Hill 1960.

[20] Dynkin, E.B.: Die Grundlagen der Theorie der Markoffschen Prozesse. Berlin, Göttingen, Heidelberg: Springer 1961.

[21] Dynkin, E.B.: Markov processes, Vol. 1,2. Berlin, Göttingen, Heidelberg: Springer 1965.

[22] Gelfand, I.M.; Wilenkin, N.J.: Verallgemeinerte Funktionen (Distributionen). Bd. 4. Berlin: VEB Deutscher Verl. der Wissenschaften 1964.

[23] Hunt, G.A.: Martingales et processus de Markov. Paris: Dunod 1966.

[24] Itô, K.: Lectures on stochastic processes. Bombay: Tata Institute of Fundamental Research 1961.

[25] Itô, K.: Stochastic processes. Aarhus: Universitet, Matematisk Institut 1969. (Lecture Notes Series. No 16.)

[26] Itô, K.; McKean, H.P.: Diffusion processes and their sample paths. Berlin, Heidelberg, New York: Springer 1965.

[27] Levy, P.: Processus stochastiques et mouvement brownien. Paris: Gauthier-Villars 1948.

[28] Mandl, P.: Analytical treatment of one-dimensional Markov processes. Berlin, Heidelberg, New York: Springer 1968.

[29] Nelson, E.: Dynamical theories of Brownian motion. Princeton: Princeton University Press 1967.

3. Stochastische Differentialgleichungen

Siehe die entsprechenden Abschnitte in [3], [5], [21], [25], [29], [61], [65], [66], [72], [80].

[30] Anderson, W.J.: Local behaviour of solutions of stochastic integral equations. Ph. D. Thesis. Montréal: McGill University 1969.

[30a] Arnold, L.: The loglog law for multidimensional stochastic integrals and diffusion processes. Bull. Austral. Math. Soc. 5(1971), S. 351-356.

[31] Bharucha-Reid, A.T.: Random integral equations. New York: Academic Press (erscheint demnächst).

[32] Chandrasekhar, S.: Stochastic problems in physics and astronomy. Rev. Mod. Phys. 15 (1943), S. 1-89 (enthalten in [51]).

[33] Clark, J.M.C.: The representation of nonlinear stochastic systems with application to filtering. Ph. D. Thesis. London: Imperial College 1966.

[34] Dawson, D.A.: Generalized stochastic integrals and equations. Trans. Amer. Math. Soc. 147 (1970), S. 473-506.

[35] Doob, J.L.: The Brownian movement and stochastic equations. Ann. Math. 43 (1942), S. 351-369 (enthalten in [51]).

[36] Gikhman, I.I.; Skorokhod, A.V.: Stochastische Differentialgleichungen. (In russischer Sprache). Kiew: Naukova Dumka 1968.

[37] Girsanov, I.V.: An example of non-uniqueness of the solution of K. Itô's stochastic integral equation. (In russischer Sprache). Teor. Verojatnost. i Primenen. 7 (1962), S. 336-342.

[37a] Goldstein, J.A.: Second order Itô processes. Nagoya Math. J. 36 (1969), S. 27-63.

[38] Gray, A.H.: Stability and related problems in randomly excited systems. Doctoral Thesis. Pasadena, Ca.: California Institute of Technology 1964.

[39] Gray, A.H.; Caughey, T.K.: A controversy in problems involving random parametric excitation. J. Math. and Phys. 44 (1965), S. 288-296.

[40] Itô, K.: Stochastic differential equations in a differentiable manifold. Nagoya Math. J. 1 (1950), S. 35-47.

[41] Itô, K.: On a formula concerning stochastic differentials. Nagoya Math. J. 3 (1951), S. 55-65.

[42] Itô, K.: On stochastic differential equations. New York: Amer. Math. Soc. 1951. (Memoirs Amer. Math. Soc. No 4.)

[43] Itô, K.: Nisio, M.: On stationary solutions of stochastic differential equations. Journ. of Math. of Kyoto Univ. 4 (1964), S. 1-79.

[44] Langevin, P.: Sur la théorie du mouvement brownien. C.R. Acad. Sci. Paris 146 (1908), S. 530-533.

[45] McKean, H.P.: Stochastic integrals. New York: Academic Press 1969.

[46] McShane, E.J.: Toward a stochastic calculus. Proc. Nat. Acad. Sci. USA 63 (1969), S. 275-280, und 63 (1969), S. 1084-1087.

[47] Skorokhod, A.V.: Studies in the theory of random processes. Reading, Mass.: Addison-Wesley 1965.

[48] Stratonovich, R.L.: A new representation for stochastic integrals and equations. SIAM J. Control 4 (1966), S. 362-371.

[49] Uhlenbeck, G.E.; Ornstein, L.S.: On the theory of Brownian motion. Phys. Rev. 36 (1930), S. 823-841 (enthalten in [51]).

[50] Wang, M.C.; Uhlenbeck, G.E.: On the theory of Brownian motion II. Rev. Mod. Phys. 17 (1945), S. 323-342 (enthalten in [51]).

[51] Wax, N. (ed.): Selected papers on noise and stochastic processes. New York: Dover 1954 (enthält [32], [35], [49], [50]).

[52] Wong, E.; Zakai, M.: On the convergence of ordinary integrals to stochastic integrals. Ann. Math. Statist. 36 (1965), S. 1560-1564.

[53] Wong, E.; Zakai, M.: The oscillation of stochastic integrals. Z. Wahrscheinlichkeitstheorie verw. Geb. 4 (1965), S. 103-112.

[54] Wong, E.; Zakai, M.: Riemann-Stieltjes approximation of stochastic integrals. Z. Wahrscheinlichkeitstheorie verw. Geb. 12 (1969), S. 87-97.

4. Stabilität, Filterung, Regelung

[55] Aoki, M.: Optimization of stochastic systems. New York: Academic Press 1967.

[56] Athans, M.; Falb, P.L.: Optimal control: An introduction to the theory and its applications. New York: McGraw-Hill 1966.

[57] Bellmann, R.: Dynamic programming, Princeton: Princeton University Press 1957.

[58] Bhatia, N.P.; Szegö, G.P.: Stability theory of dynamical systems. Berlin, Heidelberg, New York: Springer 1970.

[59] Bucy, R.S.: Stability and positive supermartingals. J. Differential Equ. 1 (1965), S. 151-155.

[60] Bucy, R.S.: Nonlinear filtering theory. IEEE Trans. Automatic Control 10 (1965), S. 198.

[61] Bucy, R.S.; Joseph, P.D.: Filtering for stochastic processes with applications to guidance. New York: Interscience Publ. 1968.

[62] Fleming, W.H.: Optimal continuous-parameter stochastic control. SIAM Review 11 (1969), S. 470-509.

[63] Gikhman, I.I.: Über die Stabilität der Lösungen stochastischer Differentialgleichungen. (In russischer Sprache). In: Grenzwertsätze und statistisches Schließen. Taschkent: FAN Usbek. SSR 1966, S. 14-45.

[64] Hahn, W.: Stability of motion. Berlin, Heidelberg, New York: Springer 1967.

[65] Hasminskii, R.Z.: Stabilität von Differentialgleichungssystemen bei zufälligen Störungen ihrer Parameter. (In russischer Sprache). Moskau: Nauka 1969.

[66] Jazwinkski, A.H.: Stochastic processes and filtering theory. New York: Academic Press 1970.

[67] Kalman, R.E.: New methods in Wiener filtering theory. Proc. First Sympos. on Engin. Appl. on Random Function Theory and Probability (edit. by J.L. Bogdanoff and F. Kozin). New York: Wiley 1963, S. 270-388.

[68] Kalman, R.E.; Falb, P.L.; Arbib, M.A.: Topics in mathematical system theory. New York: McGraw-Hill 1969.

[69] Kolmogorov, A.N.: Interpolation und Extrapolation von stationären zufälligen Folgen. Bull. Acad. Sci. USSR, Ser. Math. 5 (1941), S. 3-14.

[70] Kozin, F.: On almost sure asymptotic sample properties of diffusion processes defined by stochastic differential equations. Journ. of Math. of Kyoto Univ 4 (1965), S. 515-528.

[71] Kushner, H.J.: On the differential equations satisfied by conditional probability densities of Markov processes. SIAM J. Control 2 (1964), S. 106-119.

[72] Kushner, H.J.: Stochastic stability and control. New York: Academic Press 1967.

[73] Morozan, T.: Stabilitatea sistemelor cu parametri aleatori. Bucuresti: Editura Academici Republicii Socialiste Romania 1969.

[74] Mortensen, R.E.: Optimal control of continuous-time stochastic systems. Ph. D. Thesis (engineering). Berkeley, Ca.: Univ. of California 1966.

[75] Sagirow, P.: Stochastic methods in the dynamics of satellites. Lecture notes. Udine: CISM 1970.

[76] Stratonovich, R.L.: Topics in the theory of random noise. Vol. 1. New York: Gordon and Breach 1963.

[77] Stratonovich, R.L.: Conditional Markov processes and their application to the theory of optimal control. New York: American Elsevier 1968.

[78] Strauss, Aaron: An introduction to optimal control theory. Berlin, Heidelberg, New York: Springer 1968. (Lecture notes in operations research and mathematical economics. Vol. 3.)

[79] Wiener, N.: Extrapolation, interpolation and smoothing of stationary time series with engineering applications. Cambridge, Mass.: Mass. Inst. Tech. Press 1949.

[80] Wonham, W.M.: Random differential equations in control theory. In: A.T. Bharucha-Reid (ed.): Probabilistic methods in applied Mathematics. Vol. 2. New York: Academic Press 1970, S. 131-212.

Namen- und Sachverzeichnis